QUÉ HACER CUANDO NO SABES QUÉ HACER

David Jeremiah

EDITORIAL MUNDO HISPANO

EDITORIAL MUNDO HISPANO

7000 Alabama Street, El Paso, Texas 79904, EE. UU. de A.
www.editorialmundohispano.org

Nuestra pasión: Comunicar el mensaje de Jesucristo y facilitar la formación de discípulos por medios impresos y electrónicos.

Traductor: Joel Sierra
Diseño de la cubierta: Gio Camacho

Primera edición: 2016
Clasificación Decimal Dewey: 248
Tema: Ética

ISBN: 978-0-311- 46257-5
EMH Núm. 46257

3 M 3 16

Impreso en Colombia
Printed in Colombia

Para mi hermana,
la doctora Maryalyce Jeremiah,
quien ha demostrado la integridad
de su fe como entrenadora
y administradora en el desafiante
mundo del deporte universitario.

CONTENIDO

INTRODUCCIÓN

Hay veces en la vida en que enfrentamos pruebas y tribulaciones y no sabemos qué hacer. Este libro es la guía perfecta para esas situaciones inciertas: *Qué hacer cuando no sabes qué hacer* explica cómo tener la fe que persevera en la persecución, que resiste la tentación, que responde en obediencia a la Palabra de Dios, que vence los prejuicios, que produce buenas obras, que controla la lengua, que sigue la sabiduría de Dios, que lo considera a él en todos sus planes, que depende de él y no de las riquezas, que espera pacientemente el regreso del Señor, y que tiene como principal recurso espiritual a la oración y no al esfuerzo personal.

Según Santiago, la fe genuina debería marcar una diferencia genuina en la manera de vivir. ¡Tu credo debe determinar tu conducta! Quienes conocieron personalmente a Santiago lo tenían por alguien cualificado para tratar estos temas: gracias a la rectitud de su vida lo llamaban "Santiago el justo". Las palabras de su epístola reflejan esos estándares de rectitud y se hacen eco de los elevados principios de su Hermano, pues en ella existen al menos quince referencias directas a las palabras de Jesús en el Sermón del monte.

En el Nuevo Testamento hay tres Santiagos importantes*. Jacobo, hijo de Zebedeo, uno de los doce discípulos y hermano de Juan (Mateo 4:21; Marcos 1:19; Lucas 5:10), fue el primer mártir apostólico cuando Herodes "echó mano de algunos de la iglesia para maltratarlos. Y a Jacobo, el hermano de Juan, lo hizo matar a espada" (Hechos 12:1, 2).

Jacobo, hijo de Alfeo, también era uno de los Doce (Mateo 10:3; Marcos 3:18; Lucas 6:15; Hechos 1:13) y debido a su estatura en ocasiones se le denomina "Jacobo el menor".

El tercer hombre también llamado Jacobo (Santiago) era el medio hermano del Señor, hijo de María y José (Gálatas 1:19), el autor humano de esta epístola. Dado que siempre se le menciona en primer lugar cuando aparece la lista de los hermanos del Señor, se concluye que él es quien seguía en edad a Jesús (Mateo 13:55; Marcos 6:3).

Es fascinante leer la epístola de Santiago sabiendo que quien escribió esto creció con Cristo Jesús el Señor:

Nota del editor: El nombre "Santiago" referido al autor de la epístola proviene en español de una evolución difícil de constatar donde *Sanctus Iacobus* llegó a ser "Santiago". La epístola original en griego fue atribuida a Jacobo, nombre que aparece de la misma forma en otras referencias del Nuevo Testamento. En las traducciones españolas de la Biblia en la epístola se traduce "Santiago" y en las otras referencias "Jacobo". En esta obra usaremos Santiago a partir de este punto.

Treinta años compartiendo con él las comidas a la misma mesa, trabajando seis días a la semana en el mismo taller, asistiendo juntos a la sinagoga y subiendo a Jerusalén una vez al año para la Pascua. Santiago era realmente hermano del Señor… Y el pequeño era el deleite de su Hermano mayor; era su responsabilidad y su alegría; igual que cualquier otro par de hermanos…

Quisiera tener el talento y la manera de contarles todo lo que debió haber pasado en casa de José… Las complejidades familiares acerca de Jesús, las conversaciones familiares sobre él, las divisiones y peleas familiares al respecto, las esperanzas embriagantes a su alrededor en ciertos momentos, así como los miedos y desilusiones por su causa en otros. Piensen en esos… años, una vida única y diferente a la de cualquier otra familia sobre la faz de la tierra[1].

Pero hay otro dato aún más fascinante: aunque Santiago vivió con Jesús esos treinta años siguió sin creer en Jesús hasta siete meses antes de la crucifixión: "Pues ni aun sus hermanos creían en él" (Juan 7:5).

Después de su resurrección, Jesús se le apareció especialmente a Santiago (1 Corintios 15:7): cuando se mostró a los que estaban reunidos en el aposento alto en Jerusalén su hermano estaba ahí (Hechos 1:14); cuando Pedro fue liberado milagrosamente de la cárcel, pidió a quienes estaban en la reunión de oración que fueran a dar aviso a Santiago (12:17).

Pablo se refería a él como una de las "columnas" de la iglesia (Gálatas 2:9), y cuando se realizó el primer concilio en Jerusalén (aproximadamente en el año 51 d. de J.C.), Santiago ya era un líder con autoridad. En ese primer concilio de la iglesia, después de las intervenciones de Pedro, Pablo y Bernabé, Santiago hizo un resumen de la discusión y sus palabras fueron adoptadas por toda la asamblea, puestas por escrito en una carta y enviadas a la iglesia de Antioquía (Hechos 15:13-21).

Varios años después (58 d. de J.C.), cuando Pablo informó a la iglesia sobre su tercer viaje misionero, aparentemente Santiago todavía era el líder del grupo (21:17-25).

El historiador del siglo I Josefo registra que Santiago murió apedreado por órdenes del sumo sacerdote saduceo Anás[2].

La epístola de Santiago fue escrita para los judíos esparcidos por todo el mundo antiguo (1:1), por eso desde Babilonia hasta Roma, en cualquier lugar donde se reuniera una comunidad de hebreos por razones sociales o comerciales, probablemente se leían estas exhortaciones suyas.

Generalmente se considera que Santiago es el primer libro del Nuevo Testamento en haber sido escrito, además de ser también uno de los más prácticos. Santiago escribe con la pasión de Elías y por su elocuencia y fervor profético se le ha llamado el Amós del Nuevo Testamento. ¡En los 108 versículos de esta breve epístola hay 54 verbos en imperativo!

Después del Señor Jesús es quien pone los mejores ejemplos de todo el Nuevo Testamento. Sus conocimientos sobre la naturaleza son el origen de muchas historias que encuentran su sentido en el trabajo creativo de Dios. De hecho, hay más observación de la naturaleza en esta epístola que en todas las cartas de Pablo juntas.

A pesar del estilo no refinado de Santiago como escritor, hay una calidez genuina en esta epístola: se refiere once veces a sus lectores como "hermanos míos" y en tres ocasiones los llama "amados hermanos". A veces sus palabras pueden parecer rudas, pero tienen la intención de ayudar, no de dañar. Hoy más que nunca es importante estudiar el libro de Santiago, pues su certero mensaje de fe genuina resuena contra el vacío de tantos discursos modernos:

> La abrumadora mayoría de estadounidenses (más del 85 %) todavía se identifican como cristianos. No obstante, aunque esos indicadores estadísticos de la fe se muestren muy elevados, su influencia social está a la baja y cada vez se pueden ver mejor las razones: el descuido de la ortodoxia cristiana, la corrupción de la obediencia cristiana, el vacío en el liderazgo cristiano y el desorden en muchas de las iniciativas públicas en las que los cristianos han puesto su confianza. El rostro público del "cristianismo americano" es un testimonio impactante del poder de la religión sin Dios[3].

Podemos aprender lo que hay que hacer si estudiamos con sinceridad las palabras de Santiago y nos hacemos no solamente oidores sino hacedores de todo lo que dice.

QUÉ HACER CUANDO SUBE LA TEMPERATURA

(SANTIAGO 1:1-12)

Hermanos míos, tengan por sumo gozo cuando
se encuentren en diversas pruebas.

Llegaron donde estaba y le vaciaron un vaso de agua helada por la espalda y otro en la cara. El alférez, que se había quedado dormido en el comedor después de cinco días sin dormir, abrió los ojos por un segundo, lo suficiente para balbucear: "Gracias, señor". Al siguiente instante sus ojos se volvieron a cerrar y su cabeza volvió a inclinarse. Ni siquiera tocó su comida.

La "Semana Infernal" forma parte del entrenamiento de la Escuela de Demoliciones Submarinas tras el cual los marineros pasan a formar parte de los comandos especiales de mar y aire (SEAL por sus siglas en inglés). Gracias a un riguroso régimen de días y noches en vela, de sobrecargas sensoriales y de pruebas físicas, estos hombres se transforman en los seres humanos más resistentes del mundo.

La transformación comienza en una base naval en San Diego (California). El grupo empieza su trabajo en el mes de octubre cubriendo 275 metros a nado, y el régimen físico se va haciendo cada vez más difícil hasta que llega el desafío más grande, conocido como "Semana Infernal".

Este período final de entrenamiento y tortura física y psicológica comienza un domingo por la noche, cuando se encienden las luces y un instructor despierta a todos los soldados. Una ametralladora dispara balas de salva justo a pocos centímetros del oído mientras el otro recibe un fuerte chorro de agua de una manguera. El instructor grita sus órdenes: "Esta noche tenemos una misión que realizar. Quiero que escuchen cada detalle". Resulta que la misión es hacer ejercicio para después acostarse mojados y prácticamente desnudos sobre unas frías placas metálicas instaladas en un muelle cercano.

El lunes se les da la orden de hacer carreras en grupos de seis con una lancha de más de cien kilos sobre la cabeza. El martes, después de dormir menos de una hora la noche anterior, tienen que remar ida y vuelta en esas lanchas hasta la frontera con México, un viaje de treinta kilómetros.

Debido a la falta de sueño muchos de los participantes confiesan haber perdido la conciencia a ratos durante el viaje. Al regresar a la base, la mayoría aprende a dormir mientras come.

El miércoles continúan las carreras con lanchas sobre la cabeza, mientras sus botas se hunden en un terreno muy arenoso. Por la noche vuelven a correr y a medianoche se les ordena acostarse desnudos sobre la fría y fuerte rompiente. Durante la noche se tienen que poner de pie cada diez minutos para recibir todo el impacto del viento.

Después de esa tortura se le da a cada estudiante la posibilidad de renunciar. Todo lo que tiene que hacer es tocar una campana tres veces y decir: "Me rindo".

Para cuando llega el jueves, todos están ya alucinando. El viernes por la tarde se termina la semana, y los que logran llegar hasta ese punto son sometidos a un chequeo médico[1].

Un castigo como este solo tiene sentido dentro de la horrible lógica de la guerra. Al ser sometidos al borde de la locura en tiempos de paz, estos hombres tienen mejores probabilidades de estar listos para enfrentar la crueldad de una guerra real.

Con las primeras palabras de su carta, Santiago quiere que sus hermanos y hermanas que sufren recuerden que no deben sorprenderse si experimentan períodos intensos de pruebas, pues sabe que enfrentan un conflicto espiritual que va a requerir una cierta dureza de carácter, la cual solo se aprende mediante una experiencia supervisada y una buena instrucción; el nombre que le asigna al régimen de entrenamiento de Dios es "diversas pruebas" (1:2). A fin de preparar a sus amigos para la prueba inevitable, Santiago describe cinco estrategias que se deben emplear en tiempos difíciles.

CELEBRA LA RAZÓN DETRÁS DE TUS PRUEBAS

Cuando Santiago dirige su carta a las doces tribus, está utilizando una forma común de referirse a la nación judía (Hechos 26:7) y cuando habla de "la dispersión" la palabra que utiliza es *diáspora*, un término técnico empleado tras el exilio babilónico para referirse a los judíos que vivían en regiones fuera de Palestina habitadas por los gentiles.

La diáspora comenzó en el 722 a. de J.C. con la conquista del reino del norte por parte de los asirios (2 Reyes 17:6) y el proceso continuó cuando Nabucodonosor capturó el reino del sur y se lo llevó cautivo a Babilonia en 587 a. de J.C. (2 Reyes 25:11). En los primeros años de la iglesia, bajo las olas de persecución que azotaron a Jerusalén, el concepto de la dispersión se aplicó a la iglesia perseguida: "Entre tanto, los que habían sido esparcidos a causa de la tribulación que sobrevino en tiempos de Esteban fueron hasta Fenicia, Chipre y Antioquía, sin comunicar la palabra a nadie, excepto solo a los judíos" (Hechos 11:19; ver también 8:1, 4).

Pedro dirigió su primera carta a "los expatriados de la dispersión en Ponto, Galacia, Capadocia, Asia y Bitinia" (1:1).

En algunas de las grandes ciudades del mundo, como Alejandría, grandes grupos de judíos expatriados fueron perseguidos por sus propios compatriotas, sufrieron abusos a manos de gentiles y en muchos casos tenían menos derechos que los esclavos.

Este es el contexto de las pruebas que se mencionan en esta primera sección. Santiago se imagina a estos israelitas marginados "cayendo en" diversas pruebas, usando las mismas palabras que Pablo cuando se refiere a su encarcelamiento cuando dice en Filipenses 1:12 "las cosas que me han sucedido", que es el mismo término usado en la parábola del buen samaritano cuando se dice que un hombre "cayó en manos de ladrones" (Lucas 10:30).

Por el uso de esta palabra, es obvio que estos creyentes estaban sufriendo y no pasando por tentación o en actividad pecaminosa; más bien estaban siendo explotados, calumniados y llevados a juicio por parte de los ricos. Dios estaba permitiendo esas experiencias para fortalecer y madurar la fe de aquellos hermanos y aquellas hermanas. Para los judíos las pruebas venían en forma de persecución. Hoy en día podrían ser cosas como la pérdida de un empleo, un divorcio, problemas con los hijos, presiones económicas, enfermedad o muerte en la familia, o problemas relacionales y situaciones sobre los que no tenemos mucho control. Se ha dicho que este énfasis de Santiago presenta un contraste muy marcado con el pensamiento cristiano moderno:

> Vale la pena considerar que el primer tema que trata Santiago tiene que ver con las dificultades de la vida cristiana. El énfasis moderno en que cuando una persona se hace cristiana su vida es mucho más fácil, que todos los problemas van a desaparecer, y que lo que puede esperar cada creyente es que vivirá "feliz para siempre" es un concepto totalmente extraño para él[2].

Tal vez sería fácil pensar que, ya que no estamos experimentando dificultades hoy en día, esas enseñanzas sobre las pruebas no se aplican a nosotros, pero note que Santiago no dice *si* se encuentran en diversas pruebas, sino *cuando* se encuentren en ellas.

Cuando llegan estas pruebas inevitables, de acuerdo al texto, nuestra primera estrategia es considerarlas como sumo gozo. ¿Qué quiere decir esto?

En su libro *¿Dónde está Dios cuando se sufre?* Philip Yancey habla de Claudia, una hermosa recién casada que descubre que tiene la enfermedad de Hodgkin. Uno de sus retos más grandes al enfrentar su prueba fue la gran cantidad de amistades bien intencionadas que vinieron a verla al hospital. Una mujer, a quien Claudia describió como la más espiritual de su iglesia, venía a menudo para leerle libros sobre cómo alabar a Dios. Sus palabras para Claudia casi siempre sonaban así:

> Claudia, necesitas llegar al punto de decir: "Dios, te amo por hacerme sufrir así. Es tu voluntad. Tú sabes lo que es mejor para mí. Solo te alabo por amarme tanto que me permites experimentar esto. En todas las cosas, incluyendo esto, te doy gracias".

Claudia decía que cuando pensaba en esas palabras su mente se llenaba de visiones horribles de Dios:

> Se imaginaba una figura grotesca con forma de gnomo, grande como el universo, que se deleitaba en aplastar a humanos indefensos entre sus uñas, pulverizándolos con sus puños, estrellándolos contra rocas afiladas. La figura seguía torturando a esos humanos hasta que ellos clamaban diciendo: "¡Dios, te amo por hacerme esto!".

La idea le provocaba náuseas a Claudia, y ella sabía que nunca podría adorar ni amar a un Dios con esas características[3].

Cuando Santiago nos dice que tengamos por sumo gozo cuando nos encontremos en diversas pruebas, no nos está ofreciendo el consejo de la amiga de Claudia. Tener por sumo gozo las pruebas es responder con una evaluación deliberada e inteligente de nuestra situación. El capitán Larry Bailey, responsable del entrenamiento en la Escuela Coronado para Infantes de Marina (SEAL) dice que "completar la 'semana infernal' depende un noventa por ciento de la actitud mental, aunque los participantes no piensan que así sea, esa es la verdad"[4].

Es lo mismo en el caso de las pruebas que enfrentan los cristianos: el noventa por ciento de su éxito depende de una actitud mental y espiritual. Deben aprender a mirar la experiencia desde la perspectiva de Dios y reconocer la prueba no como una experiencia feliz en sí misma, sino como el medio para producir algo muy valioso en la vida.

Según Spiros Zodiathes el verbo "tener" en este versículo "debería traducirse más bien como *pensar por adelantado, considerar, mirar*: viva en el presente, pero considere el futuro y piense en él. Ahora está oscuro, pero los días por venir serán gloriosos"[5].

Jesús enseñó sobre este tipo de gozo en el Sermón del monte:

> Bienaventurados los que son perseguidos por causa de la justicia, porque de ellos es el reino de los cielos.
> Bienaventurados son cuando los vituperen y los persigan, y digan toda clase de mal contra ustedes por

mi causa, mintiendo. *Gócense y alégrense*, porque su recompensa es grande en los cielos; pues así persiguieron a los profetas que fueron antes de ustedes (Mateo 5:10-12, énfasis añadido).

Pablo experimentó este gozo tan extraño y escribió: "sobreabundo de gozo en toda nuestra aflicción" (2 Corintios 7:4). Cuando golpearon a los apóstoles por su testimonio valiente de Cristo, ellos salieron "regocijándose porque habían sido considerados dignos de padecer afrenta por causa del Nombre" (Hechos 5:41).

Pedro también consideró que este gozo tan único es posible. En su primera carta, escribió:

En esto se alegran, a pesar de que por ahora, si es necesario, estén afligidos momentáneamente por diversas pruebas, para que la prueba de su fe —más preciosa que el oro que perece, aunque sea probado con fuego— sea hallada digna de alabanza, gloria y honra en la revelación de Jesucristo (1:6, 7).

Amados, no se sorprendan por el fuego que arde entre ustedes para ponerlos a prueba como si les aconteciera cosa extraña. Antes bien, gócense a medida que participan de las aflicciones de Cristo, para que también en la revelación de su gloria se gocen con regocijo (4:12, 13).

Philip Yancey nos ayuda de nuevo a entender este concepto, con frecuencia tan malentendido:

> Con estas palabras [*gozarse, regocijarse*], los apóstoles no promueven una actitud de "al mal tiempo buena cara", o "hacer como si nada", unas actitudes de las cuales no se encuentra rastro alguno en las respuestas de Cristo o del apóstol Pablo al sufrimiento… Tampoco hay nada del masoquismo de disfrutar el dolor: "Alegrarse en las pruebas" no significa que los cristianos deban actuar felices frente a la tragedia y el dolor cuando sienten ganas de llorar, pues eso distorsiona la expresión honesta de los sentimientos y el cristianismo no es falso. El énfasis bíblico está en el resultado final, la forma en que Dios puede utilizar nuestro sufrimiento. Sin embargo, antes de que él pueda producir ese resultado, necesita primero nuestro compromiso de confianza en su amor; y el proceso de darle ese compromiso puede ser descrito como alegrarse[6].

El doctor R. A. Torrey fue uno de los grandes maestros bíblicos de la pasada generación y fundador del Instituto Bíblico de Los Ángeles (Universidad Biola). Su esposa y él pasaron por un tiempo muy doloroso cuando su hija de doce años murió en un accidente. El funeral se realizó en un día gris y lluvioso, con ellos parados junto a la tumba observando con dolor el proceso de sepultura de su hijita. Al retirarse de ahí, la señora Torrey dijo "Estoy contenta porque Elizabeth está con el Señor y no en esa caja de madera", pero aun cuando sabían que eso era verdad su corazón estaba quebrantado. El doctor Torrey comenta que el día siguiente, al ir caminando por la calle, todo se volvió más real: la soledad, los años futuros sin la presencia de su hija, el dolor de una casa vacía y todas las implicaciones de su muerte. Reflexionando sobre aquel momento, escribió:

> Justo en ese momento, esta fuente, el Espíritu Santo que tenía en mi corazón, estalló con un poder que yo nunca había experimentado antes, ¡y fue el momento más gozoso que he conocido en mi vida! ¡Qué maravilloso es el gozo del Espíritu Santo! Es glorioso e inefable no tener tu gozo en las cosas, ni siquiera en los amigos más queridos, sino en la fuente interior que fluye constantemente… 365 días al año, en cualquier circunstancia saltando para vida eterna[7].

CALCULA LOS RESULTADOS DE TUS PRUEBAS

El creyente tiene que mirar más allá de las molestias inmediatas de la prueba y encontrar gozo en lo que Dios logrará hacer por medio de la situación. Pablo escribió a los cristianos romanos algo que es muy útil:

> Y no solo esto, sino que también nos gloriamos en las tribulaciones, sabiendo que la tribulación produce

perseverancia, y la perseverancia produce carácter probado, y el carácter probado produce esperanza. Y la esperanza no acarrea vergüenza porque el amor de Dios ha sido derramado en nuestros corazones por el Espíritu Santo que nos ha sido dado (Romanos 5:3-5).

En su libro *The Fight* (La lucha) John White escribe: "Los tiempos duros... te hacen o te deshacen. Si no terminas totalmente destrozado... te harán crecer más. El dolor te hará vivir más profundamente y expandir tu conciencia"[8].

LAS PRUEBAS PRODUCEN RESISTENCIA

Santiago dice que la prueba de nuestra fe produce *paciencia*, que no es un término pasivo sino activo: no es resignación a lo que ocurra sino una fuerte y firme resolución en medio de circunstancias adversas, así que se podría traducir como "constancia", "perseverancia", o "resistencia valiente".

Esta palabra se aplica a Job en Santiago 5:11: "Han oído de la perseverancia de Job y han visto el propósito final del Señor, que el Señor es muy compasivo y misericordioso". Las pruebas en la vida del creyente refinan su fe a fin de que lo falso se elimine y que la fe genuina que sigue confiando en Dios pueda desarrollar una resistencia victoriosa y positiva.

William Barclay señala que la resistencia de los primeros cristianos no era una cualidad pasiva: "No es una simple capacidad de aguante, sino de tornar las tribulaciones en grandeza y gloria. Lo que dejaba asombrado al mundo pagano durante los siglos de persecución era que los mártires no morían de manera lúgubre sino que lo hacían cantando"[9].

LAS PRUEBAS PRODUCEN MADUREZ

Santiago utiliza dos expresiones para definir el concepto de "madurez" en la vida del creyente: cuando la paciencia ha realizado su obra perfecta hace que los cristianos sean *completos* y *cabales*.

Primero, los creyentes maduros son *completos*, una palabra que significa "estar plenamente desarrollado". Sin la resistencia de las pruebas, no se puede lograr la madurez plena, de modo que los creyentes deben aprender a perseverar en las pruebas para que la obra que Dios ha comenzado en ellos pueda llegar a su término.

Pablo le pidió al Señor tres veces que le quitara la espina en su carne y aunque no respondió como Pablo hubiera querido, Dios le dijo: "Bástate mi gracia, porque mi poder se *perfecciona* en la debilidad" (2 Corintios 12:9, énfasis añadido). Ese *perfeccionar* es la misma palabra que usa Santiago: debemos perseverar en nuestras pruebas para que la obra que Dios ha comenzado en nosotros pueda llegar a su plenitud.

El salmista también menciona este aspecto de la obra que Dios hace en nosotros: "El SEÑOR cumplirá [perfeccionará] su propósito en mí. Oh SEÑOR, tu misericordia es para siempre; no desampares la obra de tus manos" (Salmo 138:8).

Segundo, los creyentes maduros son *cabales*, una palabra que se refiere a algo que tiene todas sus partes y por lo tanto está completo.

Tal vez haya cristianos que sean maduros en casi todas las áreas de la vida pero a quienes les falte este ingrediente de perseverancia en las pruebas, por tanto mientras no hayan experimentado esto seguirán sin ser cabales ni completos.

Se sabe que Juan Calvino tenía una constitución física débil y enfermiza y, sin embargo, guió brillantemente a miles de creyentes durante la Reforma en el siglo XVI. Sufría de reumatismo y migrañas, y aun así seguía escribiendo prolíficamente y predicando con contundencia, además de gobernar durante veinticinco años la ciudad de Ginebra. Él dijo: "Debemos someternos al sufrimiento supremo para descubrir el gozo completo"[10].

INVOCA LOS RECURSOS DE DIOS EN TUS PRUEBAS

Hace varios años leí un letrero que decía:

Una oración que hacer
cuando el mundo te ha decepcionado,
te sientes arruinado,
estás demasiado cansado para orar,
estás muy apurado,
y además estás molesto con todos…
"¡Socorro!".

Muchos nos hemos encontrado en ese punto en que queremos gritar pidiendo ayuda, pero casi siempre es nuestro último recurso.

¡Intentamos todos los caminos posibles para no admitir que necesitamos ayuda! Santiago menciona el concepto de "quedar atrás" en el versículo 4 y lo liga con el versículo 5, para recordarnos que el prerrequisito para obtener ayuda en nuestros problemas es darnos cuenta de que nos falta la sabiduría para resolverlos. Así es la estructura de la argumentación: al enfrentar las pruebas es importante saber cómo tratarlas. La única manera de entender esas pruebas y de responder bien a ellas es pedir la sabiduría que solo Dios puede dar.

En un libro titulado *The Wisdom of God* (La sabiduría de Dios), aparecen los siguientes conceptos sobre sabiduría:

> ¿Qué es la sabiduría? Coleridge dice que "Sabiduría es el sentido común en un grado no común"; C. H. Spurgeon la define como "el uso correcto del conocimiento"; según F. Hutcheson consiste en "buscar los mejores fines usando los mejores medios"; Cicerón dice que "la sabiduría es el conocimiento de las cosas humanas y divinas y de las causas que las controlan". Alguien más ha añadido esta sencilla definición: "La sabiduría es el conocimiento cuando hace uso de su cabeza". Si tuviera que elegir mi definición favorita, creo que sería esta: "Sabiduría es hacer lo correcto sin precedentes"[11].

Cuando nuestros amigos y seres queridos pasan por tribulaciones, quizá pensemos que podemos ver lo que Dios está haciendo por medio de toda la prueba, pero cuando se trata de nosotros, cuando estamos pasando por fuego, es muy difícil ser tan sabios, por eso debemos pedirle a Dios sabiduría.

Hay nueve palabras hebreas y cinco palabras griegas que pueden traducirse como "orar", pero el Espíritu Santo las evita y elige la más común, "pedir": todo lo que tenemos que hacer es pedir y Dios nos dará la sabiduría que necesitamos para poder pasar por la tormenta. Hace varios años leí un lema que me ha ayudado más de una vez a comprender la necesidad de solicitar ayuda a Dios. Dice así:

A menos que en nuestro interior
exista lo que es a nosotros superior,
vamos a acabar rindiéndonos
a lo que está a nuestro alrededor.

Para motivar a los creyentes atribulados a que busquen la sabiduría, Santiago describe a Dios de tal manera que nos hace preguntarnos por qué esperamos tanto tiempo para buscar su ayuda.

DIOS ES BUENO

La Biblia afirma que Dios es la fuente de la verdadera sabiduría:

Toda buena dádiva y todo don perfecto proviene de
lo alto y desciende del Padre de las luces en quien no
hay cambio ni sombra de variación (Santiago 1:17).

Con Dios están la sabiduría y el poder; suyo son el consejo y el entendimiento (Job 12:13).

¿De dónde, pues, proviene la sabiduría? ¿Dónde está el lugar del entendimiento?... Solo Dios entiende el camino de ella; él conoce su lugar (Job 28:20, 23).

Porque el SEÑOR da la sabiduría, y de su boca provienen el conocimiento y el entendimiento (Proverbios 2:6).

El apóstol Pablo pedía en oración "que el Dios de nuestro Señor Jesucristo, el Padre de gloria, les dé espíritu de sabiduría..." (Efesios 1:17). Este Dios que es la fuente de sabiduría puede otorgarla a cualquier persona, pero como es bueno y no tiene preferencias por nadie siempre responderá cuando alguien pida sabiduría. Dios nunca ignora una petición, así que tal vez no responda siempre según nuestros tiempos... ¡pero siempre responde!

DIOS ES GENEROSO

Santiago dice que Dios da a todos con liberalidad. La palabra *liberal* puede tener dos significados, el primero de los cuales es "extender": es como si estuviera extendiendo su mesa de sabiduría. La forma en que él distribuye su sabiduría a quienes se la piden es derramando con abundancia toda la provisión de lo que necesitan.

El segundo significado enseña el *método* de esta entrega, de modo que *con liberalidad* podría traducirse también como "singularmente". Dios es todo lo contrario al hombre de doble ánimo que se menciona en Santiago 1:8, pues da su sabiduría de manera simple, directa, e individual a quienes se la pidan.

DIOS ES MISERICORDIOSO

Santiago dice que Dios da su sabiduría sin *reprochar*, una palabra que significa "insultar", "lanzar una injuria", "dañar": cuando pedimos sabiduría a Dios, él nunca nos regaña por acudir ante su presencia independientemente del número de veces que lo hagamos.

Como Dios es bueno, generoso y misericordioso, ninguna persona que lo busque debe acercársele con dudas. ¡Se puede confiar en él! Aunque si no lo hacemos, no debemos esperar que nos responda:

> Pero pida con fe, no dudando nada. Porque el que duda es semejante a una ola del mar movida por el viento y echada de un lado a otro. No piense tal hombre que recibirá cosa alguna del Señor. El hombre de doble ánimo es inestable en todos sus caminos (Santiago 1:6-8).

La palabra *fe* se encuentra solo dos veces en el Antiguo Testamento (Deuteronomio 32:20; Habacuc 2:4), pero aparece dieciséis veces en el libro de Santiago. El libro de Hebreos nos recuerda que "sin fe es imposible agradar a Dios, porque es necesario que el que se acerca a

Dios crea que él existe y que es galardonador de los que le buscan" (11:6). Si nos acercamos a él sin fe hemos decidido vivir la vida a nuestra manera, tomar nuestras propias decisiones, y separarnos de él, de modo que si Dios no atiende una oración, la responsabilidad es nuestra y no suya.

La comparación del hombre de doble ánimo con la ola del mar es la primera de muchas referencias a la naturaleza en la carta de Santiago, donde también se habla del viento (1:6; 3:4), del sol (1:11, 17), del pasto y las flores (1:11), de caballos (3:3), de otros animales, pájaros y criaturas marinas (3:7), de manantiales (3:11), de higos, olivas, y vides (3:12), de la agricultura (5:7), y de la lluvia (5:17, 18).

Santiago dice que una persona que ora dudando es como el mar que es sacudido de aquí para allá por el viento. Sin duda tenía en mente el mar de Galilea, un cuerpo de agua de solo 24 km de largo y 11 de ancho, y sin embargo con frecuencia muy violento: los fuertes vientos corren desde las montañas circundantes como ciclones y agitan las aguas con furia. Para Santiago las aguas revueltas dan la idea de la agitación en el corazón de una persona que duda, que en un momento está animada y al rato ya está desanimada. Pablo utiliza la misma figura para describir a los creyentes inmaduros y dice que son "sacudidos a la deriva y llevados a dondequiera por todo viento de doctrina por estratagema de hombres que, para engañar, emplean con astucia las artimañas del error" (Efesios 4:14).

La persona de fe es estable y solo busca en un sitio la sabiduría que precisa, pues sabe que el Dios a quien ora es capaz y está dispuesto a responder a su necesidad. Como nos recuerda Dorothy Sayers, Dios es capaz de ayudarnos en nuestras pruebas porque él mismo ha elegido el camino del sufrimiento:

> Sea cual fuere su razón para hacer al ser humano como es (limitado, sufriente, sujeto a penas y muerte), Dios tuvo la honestidad y el valor de tomar su propia medicina; independientemente de a qué esté jugando con su creación, ha puesto unas reglas y las ha respetado. No puede exigirle nada al ser humano que no se haya exigido a sí mismo: ha pasado por toda la experiencia humana, desde las triviales irritaciones de la vida familiar y ajustadas restricciones de tener que trabajar duro y no tener dinero, hasta los horrores del dolor y la humillación, la derrota, la desesperación y la muerte. Cuando fue un ser humano, asumió plenamente su humanidad; nació en pobreza y murió en desgracia y lo consideró digno[12].

CONSIDERA TUS REACCIONES A LAS PRUEBAS

Al pasar por pruebas, casi siempre se reevalúa la vida. Si eres una persona rica, te das cuenta de que las tribulaciones pueden causarte pobreza, pero la mayoría de los lectores originales de Santiago eran pobres y se habían empobrecido aún más por la persecución que sufrieron. Sin embargo, este no les permitía vivir en el desánimo y les decía que deben regocijarse porque iban a ser exaltados. ¡Habían tocado fondo y ahora serían elevados a lo alto! Gracias a la pobreza habían logrado desarrollar un espíritu humilde que guardaría sus corazones en actitud abierta hacia Dios: "Bienaventurados los pobres en espíritu, porque de ellos es el reino de los cielos" (Mateo 5:3). R. W. Dale le recuerda al pobre cuál es su verdadero lugar en Cristo:

> Que recuerde que es un príncipe, y que se gloríe en ello. Es un príncipe que va rumbo a su reino, viajando por caminos duros, soportando muchas dificultades, sufriendo hambre, frío y cansancio porque el pueblo con el que viaja no sabe nada de su grandeza, pero él sí. ¡Que se gloríe en su elevada posición![13].

Las pruebas logran de alguna manera producir una igualdad en la familia de Dios. Cuando un pobre pasa por tribulaciones, le permite a él que haga su voluntad y se regocija en que posee riquezas espirituales que no puede perder; cuando un rico pasa por pruebas, también permite que Dios haga su voluntad y se regocija en que sus riquezas en Cristo no pueden desaparecer ni marchitarse.

La mención que hace Santiago del hombre rico y la comparación con la brevedad de la vida humana le recuerda a las flores silvestres que cubrían las lomas de su tierra natal, que eran hermosas durante unas pocas semanas en la primavera después de las lluvias pero cuya belleza siempre duraba poco tiempo. Con el lenguaje poético típico de la cultura judía (Job 14:2; Salmo 102:11; 103:15, 16; Isaías 40:6-8; 1 Pedro 1:24, 25) Santiago describe el calor abrasador que seguía a la temporada de lluvias y que marchitaba las flores. La corta vida de esas flores en Palestina era un buen ejemplo del hombre rico: cuando el calor de las pruebas separara al hombre rico de sus riquezas, el cristiano adinerado podría calcular que de todas formas habría tenido riquezas durante poco tiempo, ya que en realidad sabía que no había perdido nada porque Cristo lo era todo para su vida.

Hudson Taylor, fundador de la Misión al Interior de China, estaba hablando con un misionero joven que estaba a punto de empezar su trabajo en China. "Mira esto", le dijo Taylor, y luego golpeó con su puño la mesa, haciendo saltar las tazas y derramando el té sobre la mesa. Mientras el joven se preguntaba qué estaba ocurriendo, Taylor le dijo: "Cuando comiences tu trabajo, serás zarandeado de muchas maneras y tus tribulaciones serán como golpes, pero recuerda que esos golpazos solo sacarán de ti lo que ya tengas dentro"[14].

CONTEMPLA LA RECOMPENSA DE TUS PRUEBAS

Santiago nos ha concienciado de que nuestras pruebas producen paciencia y madurez para hacernos buscar y seguir el consejo de Dios. Sin embargo, la adversidad también afecta al futuro, porque las pruebas garantizan además bendiciones futuras: "Bienaventurado el hombre que persevera bajo la prueba porque, cuando haya sido probado, recibirá la corona de vida que Dios ha prometido a los que lo aman" (Santiago 1:12).

El Señor Jesús también prometió una recompensa a quienes fueran fieles durante la persecución: "Bienaventurados los que son perseguidos por causa de la justicia… Gócense y alégrense, porque su recompensa es grande en los cielos…" (Mateo 5:10, 12).

La recompensa que promete Santiago es una "corona", del vocablo griego *stephanos*, una palabra que se usaba para identificar la corona de espinas que colocaron en la cabeza de nuestro Señor el día de su crucifixión (Mateo 27:29; Marcos 15:17; Juan 19:5). Pablo se refirió metafóricamente a los filipenses y los tesalonicenses como su "corona" (Filipenses 4:1; 1 Tesalonicenses 2:19) y al escribir a Timoteo describió su recompensa futura como "la corona de justicia" (2 Timoteo 4:8); Pedro hablaba de "la inmarchitable corona de gloria" que otorgará el Príncipe de los pastores cuando aparezca (1 Pedro 5:4); el apóstol Juan la llamaba "la corona de la vida" (Apocalipsis 2:10) e indicaba que sería colocada a los pies de Jesús en el cielo (4:10). Somos salvos por confiar en Cristo, pero somos coronados cuando somos probados por fuego y seguimos amando al Señor.

Andrew Murray estaba sufriendo un terrible dolor de espalda, resultado de una lesión que había tenido años atrás. Una mañana, mientras estaba desayunando en su habitación, su anfitriona le habló de una mujer en el piso de abajo que tenía graves problemas, pues quería saber si él tenía alguna palabra de consejo para ella. Murray le entregó la hoja de papel en la que estaba escribiendo y le dijo: "Dele este consejo. Lo estoy escribiendo para mí mismo pero tal vez también le sea útil a ella". Esto es lo que escribió:

En tiempos difíciles, piensa "En primer lugar, Dios me trajo hasta aquí. Por su voluntad estoy en esta situación y en esa voluntad descanso"; luego "Dios me guardará aquí en su amor y me dará la gracia en esta tribulación para comportarme como su hijo"; después "Dios cambiará la tribulación en bendición, me enseñará las lecciones que quiere que aprenda y obrará en mí la gracia que quiere darme"; y por último "En su buen tiempo, Dios me sacará de nuevo, pero el cómo y el cuándo solo él lo sabe". Por tanto, puedo decir: "Estoy aquí (1) por designio de Dios, (2) en su cuidado, (3) bajo su instrucción, (4) en su tiempo"[15].

Alrededor de 75 cadetes se inscriben al severo programa de entrenamiento básico que describimos al comienzo del capítulo pero se gradúan solo 38, quienes pasan a formar parte de los comandos especiales de mar y aire; es decir, casi la mitad de la clase abandona a lo largo del proceso[16]. Cuando los cristianos enfrentan su entrenamiento básico en las pruebas también hay muchas bajas, pero Santiago nos enseña que, si nos preparamos mentalmente y hacemos lo siguiente, podemos ser vencedores en lugar de víctimas:

1. Celebrar la razón detrás de nuestras pruebas.
2. Calcular los resultados de nuestras pruebas.
3. Invocar los recursos de Dios en nuestras pruebas.
4. Considerar nuestras reacciones a las pruebas.
5. Contemplar la recompensa de nuestras pruebas.

2

QUÉ HACER CUANDO LO MALO PARECE BUENO

(SANTIAGO 1:13-18)

*Luego esa pasión, después de haber concebido, da a luz el pecado;
y el pecado, una vez llevado a cabo, engendra la muerte.*

Uno de mis autores favoritos es John Fischer. En su libro *Real Christians Don't Dance* (Los cristianos de verdad no bailan) cuenta este relato:

> Los dos hombres caminaban por la calle en dirección hacia el café. El viejo tenía más de ochenta años y había caminado con el Señor durante más tiempo que la edad del joven; de hecho, "caminar" es una palabra demasiado pasiva en su caso… sería mejor decir "luchar". Era un anciano lleno de energía y había luchado siempre por la verdad y la honestidad por su parte y por parte de Dios, de modo que en su vida

había una sabiduría y una encantadora calidez gracias a las cuales el joven anhelaba estos encuentros.

Al acercarse al café pasaron cerca de una joven, vestida para poder aprovechar al máximo el clima cálido y sus atributos físicos. El silencio incómodo que hubo después de pasar cerca de ella confundió al joven, quien había encontrado ese tipo de silencio cuando iba con amigos de su misma edad. Siempre iba acompañado de preguntas difíciles: "¿Debo ignorar esto? ¿Rompo la tensión con un chiste? ¿Digo algo espiritual?". Con sus amigos podía comprenderse, pero con un hombre cuya visión ya estaba nublada y cuyas glándulas probablemente ya se habían secado no tenía sentido. Finalmente, su curiosidad lo dominó y preguntó de pronto: "¿Alguna vez se llega a superar?".

"Todavía no", contestó el viejo con un guiño. El joven estaba impactado. A su edad, con su madurez y su sabiduría, ¿todavía estaba luchando con la lujuria? Momentos más tarde, sentados a la mesa en el café, el joven continuó la conversación: "¿Quiere decir que nunca vamos a mejorar?"[1].

Casi todos suponemos que al ir acumulando años, vamos a sentir menos las tentaciones. En otras palabras, si perseveramos venceremos.

Bueno, creo que sí podemos vencer, pero no es simplemente por sobrevivir a la presión de las tentaciones. Este problema, el más antiguo de todos, continuará molestándonos hasta el final de nuestros días y, de hecho, hay muchos que piensan que la intensidad de la tentación ha llegado hasta su punto más alto, incluso antes de la era de Internet:

Creo que la lucha contra el pecado y contra su poder es ahora más difícil para nosotros que en cualquier otra época de la historia reciente. Desde todos los frentes estamos siendo bombardeados con poderosas tentaciones que pueden desviarnos y alejarnos de Dios. Antes los hombres tenían que tomarse muchas molestias para entregarse al pecado, pero hoy las posibilidades para pecar están presentes absolutamente en todos lados: en los centros comerciales, en la televisión, en la escuela, en el trabajo, en los cines, en los periódicos y en cada página de nuestras revistas. Cada día estamos expuestos a una variedad increíble de oportunidades para desobedecer en pensamiento y en acción: la estimulación persuasiva captura nuestra atención y alimenta nuestras fantasías. Pareciera que no hay escape… las tentaciones que hoy resistimos nos vienen cargadas con el poder de la publicidad y se expresan en el genio sutil y pervertido de la persuasión mundana. Ninguna época ha tenido que lidiar con estos temas del modo que nos ha tocado a nosotros. Todo, desde los refrescos hasta las llantas, se vende con sexo[2].

En el capítulo 1 aprendimos que las pruebas vienen de parte de Dios para ayudarnos a crecer y en este vamos a descubrir que la tentación viene de parte de Satanás para hacernos pecar. Cuando nos encontramos en pruebas, debemos considerarlo como un gozo, pero las tentaciones deben confrontarse, debemos renunciar a ellas y abandonarlas. Es difícil interpretar este pasaje porque la palabra original para pruebas y tentaciones es la misma, pues los problemas externos y las seducciones internas tienen elementos en común y solo el contexto nos dice cuál significado debe asignarse en cada caso: en los versículos 2 y 12 del capítulo 1 de Santiago *peirasmos* en su forma sustantivada se usa para describir los aspectos externos de una tribulación; en los versículos 13 y 14 la forma verbal de *peirasmos* se usa para describir los aspectos internos de la tentación.

Cuando Satanás nos tienta es como si el enemigo de una empresa automotriz realizara pruebas a uno de los vehículos de la misma, ya que el propósito de estas pruebas es sacar a la luz las características negativas del auto. Sin embargo, cuando Dios nos prueba, es como si la misma empresa realizara las pruebas en sus propios autos: la motivación es sacar a la luz las cualidades positivas[3].

Cuando un asesino desalmado toma un cuchillo para cortar la carne de su víctima lo hace con el propósito de destruir a la persona, pero cuando un cirujano hábil usa un bisturí para cortar la carne lo hace con el propósito de curar: Satanás es el tentador asesino y nuestro Señor es el hábil cirujano. En otras palabras, Satanás nos tienta para mostrar lo malo (Santiago 1:13-15) pero Dios nos prueba para mostrar lo bueno (vv. 2-12).

Todos los días los cristianos nos enfrentamos al mundo *exterior*, a la carne *interior* y al diablo *infernal*; sin embargo, el diablo es quien nos tienta para el mal (de hecho se le llama "el tentador" en Mateo 4:3 y 1 Tesalonicenses 3:5). Si has sido cristiano por mucho tiempo el tentador no te resulta extraño, pues anda como león rugiente buscando a quién devorar y ha pasado por tu camino más de una vez.

Aunque las tribulaciones y las tentaciones son experiencias distintas, tienen esto en común: sin la preparación adecuada, el creyente puede convertirse en una víctima. Para probar la integridad de nuestra fe no hay nada como nuestra respuesta a la tentación. Como buen conocedor de las seducciones que su pueblo cristiano esparcido por el mundo estaba enfrentando, Santiago ofreció cinco principios para vencer la tentación.

RECONOCER LA REALIDAD DE LA TENTACIÓN

Un sacerdote joven estaba sirviendo en el confesionario por primera vez y lo supervisaba un clérigo más viejo. Al final del día, el cura viejo llamó al joven y le dijo: "Cuando una persona termina de confesarse, tienes que decir otra cosa que no sea '¡Caray!'". Casi no nos impacta cuando escuchamos que alguien cayó presa de la tentación, pero sí nos sorprende cuando somos nosotros quienes la enfrentamos. Sin embargo, la tentación es inevitable, nadie se le escapa, y además, cuanto más crecemos en el Señor, más somos tentados. John White nos recuerda esta inevitabilidad:

Vas a ser tentado. Los tipos de tentación pueden cambiar: para los chicos son dulces, para los jóvenes es la sensualidad, para los de edad media son las riquezas y para los de la tercera edad es el poder. El diablo puede realizar los cambios con mayor habilidad que cualquier agencia publicitaria. Conoce el talón de Aquiles... de cada microbio. Serás tentado continuamente, y en tiempos de crisis de manera feroz. Jesús mismo fue tentado "en todo como nosotros" (es decir, a cometer adulterio, a robar, a mentir, a matar, etc.) "pero sin pecado". Por tanto la tentación en sí misma no debe desalentarte: así lo vivió tu Salvador y así lo vivirás tú también; mientras vivas, serás tentado[4].

C. Ryrie hace una lista de personajes bíblicos que fueron tentados:

¿Recuerdas la embriaguez de Noé? ¿O la cobardía de Abraham y su mentira ante un gobernante pagano? ¿O la exaltación de Moisés, que le hizo golpear la roca y no le permitió entrar a la tierra prometida? ¿O las trampas de Jacob? ¿O el maltrato de los patriarcas a José? ¿O la murmuración de Elías? ¿O el pecado doble de David? ¿O la ostentación de Ezequías? ¿O el espíritu rebelde de Jonás? ¿O la negación de Pedro? ¿O la deserción de Juan Marcos? ¿O el pleito entre

Pablo y Bernabé? Algunos de los personajes más nobles de la Biblia no solo enfrentaron la tentación sino que también se rindieron ante su poder[5].

Oswald Chambers rescata el concepto de tentación y lo saca de su medio ambiente totalmente negativo con estas palabras de su libro clásico *En pos de lo supremo*:

En la actualidad la palabra "tentación" ha llegado a significar algo malo porque tendemos a emplearla mal. La tentación en sí no es pecado y se trata de algo con lo cual forzosamente debemos enfrentarnos por ser humanos. No ser tentados significaría que seríamos tan despreciables que estaríamos por debajo de toda consideración... La tentación es algo inevitable y, de hecho, es esencial para equilibrar la vida de una persona. Ten cuidado de pensar que solo tú eres tentado. Lo que experimentas es la herencia común de la raza humana y no algo que nadie ha soportado antes. Dios no nos libra de las tentaciones, nos sostiene en medio de ellas (ver Heb. 2:18 y Heb. 4:15-16)[6].

Todos estos autores enfatizan lo mismo: a menos que reconozcamos la realidad de la tentación, habremos programado nuestra vida espiritual para el fracaso. Pablo coincide con Santiago en que la tentación no debe ser considerada algo raro en la vida cristiana:

> No les ha sobrevenido ninguna tentación que no sea humana; pero fiel es Dios, quien no los dejará ser tentados más de lo que ustedes pueden soportar, sino que juntamente con la tentación dará la salida, para que la puedan resistir (1 Corintios 10:13).

En la Biblia al Día se lee: "Ustedes no han sufrido ninguna tentación que no sea común al género humano. Pero Dios es fiel, y no permitirá que ustedes sean tentados más allá de lo que puedan aguantar. Más bien, cuando llegue la tentación, él les dará también una salida a fin de que puedan resistir".

ASUMIR LA RESPONSABILIDAD DE LA TENTACIÓN

Will Rogers dijo que a lo largo de la historia de Estados Unidos, igual que nadie se quiso responsabilizar de la desaparición de los búfalos en su momento, hoy día tampoco hay ninguna persona que se quiera hacer responsable de sus propias acciones: la tentación demuestra lo ciertas que son estas palabras. Erwin Lutzer explica:

> No podemos exagerar el daño que han provocado en
> el individuo las enseñanzas de Sigmund Freud, según
> el cual quienes se comportan mal están enfermos. No
> responsabilizamos a nadie por un catarro, por tener

paperas, o por cáncer, por eso tenemos hospitales en lugar de prisiones para quienes están enfermos físicamente, ya que sencillamente no tienen culpa moral por sus enfermedades. La implicación freudiana es clara: si no somos responsables de nuestra enfermedad física, ¿por qué se nos tiene que culpar por un crimen cuando este es un síntoma de una enfermedad mental?[7].

Según Santiago incluso culpamos a Dios de nuestras tentaciones, a pesar del hecho de que "Dios no es tentado por el mal, y él no tienta a nadie" (1:13).

El traspaso de la culpa comenzó desde el jardín del Edén: Adán encontró una excusa para su desobediencia ("'La mujer que me diste por compañera, ella me dio del árbol, y yo comí'. La mujer dijo: 'La serpiente me engañó, y comí'", Génesis 3:12, 13).

Hoy continuamos la tradición de nuestros primeros padres muy sutilmente cuando decimos "Debe ser voluntad de Dios o Dios no lo permitiría" o "Dios me ha permitido estar en esta situación. ¡Pudo habérmelo impedido si hubiera querido!", pero Santiago no tolera ninguna de nuestras excusas porque Dios no está de acuerdo con nuestro comportamiento pecaminoso.

La construcción del enunciado de Santiago es mucho más fuerte que lo que puede comunicarse con la traducción española. En realidad está diciendo: "Que ni se te ocurra siquiera sugerir que Dios tiene algo que ver con tus tentaciones". ¡Dios puede probarte para fortalecer tu fe, pero nunca te tentará para trastornarla! A veces le culpamos a él diciendo que "a fin de cuentas somos humanos". Robert Burns lo dijo de manera muy expresiva:

Sabes que me has formado
con pasiones locas y fuertes;
cuando escucho su hechizante voz
a menudo termino equivocado[8].

Algunos rabinos judíos del tiempo de Santiago creían que, al menos indirectamente, Dios era responsable de la existencia del mal en el mundo, de modo que los lectores de este tenían lista una excusa para culparle cuando caían vencidos por la tentación. Spiros Zodhiates explica ese razonamiento:

Dios ha ordenado que yo me rinda a la tentación en la que he caído. He sido conducido hacia el pecado no por él mismo (ya que odia al pecado), sino por las circunstancias concretas en las que me ha colocado. Dios es la causa suprema y por lo tanto debo absolverme a mí mismo de toda responsabilidad[9].

Otro autor expresa la misma idea con términos aún más gráficos:

Algunos [cristianos] recurren a la mentira para evitarse un problema; explotan y usan lenguaje soez

debido a la rabia; roban o engañan para compen-
sar sus dificultades económicas; albergan rencores
amargos contra alguien; tienen conmiseración de sí
mismos y siempre se quejan; no pueden tener relaciones sexuales normales con su cónyuge durante un
período de tiempo y entonces satisfacen sus ansias con
amoríos inmorales. Luego sin vergüenza le echan la
culpa por su pecado a Dios y se absuelven a sí mismos
de toda falta[10].

¿Por qué es imposible que Dios nos tiente a pecar?

Un tentador debe ser en sí mismo pecaminoso,
abierto a las seducciones del mal, por lo tanto Dios
no puede ser tentado. Su bendición absoluta y su
santidad infinita le han impedido por completo tener
la posibilidad de la tentación. Entonces, por su propia
naturaleza, no puede ser tentado a pecar[11].

En la vida de Job encontramos uno de los mejores ejemplos de la
relación entre Dios y la tentación. Aunque le *permitió* a Satanás que
tentara a Job, Dios no estuvo involucrado en la tentación. Satanás
recibió permiso para quitarle a Job sus posesiones, pero la respuesta
de este fue un acto de adoración: "Desnudo salí del vientre de mi
madre, y desnudo volveré allá. El SEÑOR dio, y el SEÑOR quitó.
¡Sea bendito el nombre del SEÑOR!" (Job 1:21).

Cuando la esposa de Job le dijo que maldijera a Dios y se muriera, una vez más él respondió en fe: "¡Has hablado como hablaría cualquiera de las mujeres insensatas! Recibimos el bien de parte de Dios, ¿y no recibiremos también el mal? En todo esto Job no pecó con sus labios" (2:10). Este hombre que sufrió tantas pérdidas y tragedias comprendió la tentación y se negó a implicar a Dios en ello.

PREVER LA RUTINA DE LA TENTACIÓN

Si Dios no es responsable de la tentación, ¿entonces quién lo es? Santiago responde claramente a esa pregunta en los versículos 14-16: "Pero cada uno es tentado cuando es arrastrado y seducido por su propia pasión. Luego esa pasión, después de haber concebido, da a luz el pecado; y el pecado, una vez llevado a cabo, engendra la muerte. Mis amados hermanos, no se engañen". Además de declarar a cada persona responsable de su propia tentación, Santiago es cuidadoso en señalar que la tentación no es un acontecimiento sino un proceso:

La gente no vive una vida muy moral un día y luego tiene un amorío al día siguiente. Puede parecer así, pero en realidad es un proceso que casi siempre se pasa por alto dado que algunas etapas no son obvias para el ojo del espectador y por eso no se detectan con facilidad: esta es la razón por la cual parece que todo sucede de la noche a la mañana. Cualquiera de nosotros podría estar ahora mismo en alguna etapa del proceso, nadie está inmune, así que cuanto antes se detecten las señales de peligro y se responda a ellas de manera apropiada, más fácil será cambiar de dirección. Si te gustan las papas fritas y sabes que no puedes dejar de comerlas hasta que termines la bolsa, será mejor que no des ni siquiera la primera probada. Algunos pasos en el camino hacia la inmoralidad no son malos en sí mismos, pero para algunos podrían ser como la primera probada de una bolsa de papas fritas[12].

Si no queremos que Satanás se aproveche de nosotros es de vital importancia entender el proceso estratégico del Adversario… lo que Pablo llama "sus propósitos" (2 Corintios 2:11).

El Tentador ha estado usando la misma rutina desde la tentación de Adán y Eva en el jardín, de modo que a continuación revisaremos su artimaña paso a paso.

PRIMER PASO: LA SEDUCCIÓN

Los deseos son buenos siempre y cuando estén en su lugar correcto y bajo control. Satanás quiere hacer que los deseos ordenados y disciplinados se conviertan en deseos rebeldes y desordenados. ¡La obsesión por cosas buenas crea cosas malas! Respondemos a la tentación desde nuestro propio corazón, algo que Jesús explicó en Marcos 7:21-23:

> Porque desde adentro, del corazón del hombre, salen
> los malos pensamientos, las inmoralidades sexuales,

los robos, los homicidios, los adulterios, las avaricias, las maldades, el engaño, la sensualidad, la envidia, la blasfemia, la insolencia y la insensatez. Todas estas maldades salen de adentro y contaminan al hombre.

Pero el hombre interior también está respondiendo a la provocación que viene desde afuera:

> Entramos a la tentación... cuando algo en nosotros responde a un estímulo del exterior. Si no hubiera nada dentro de nosotros que pudiera sentirse atraído hacia los poderes y placeres del mundo, no habría tentación. Santiago denomina a esta respuesta interior "malos deseos". ...Todos buscamos el cumplimiento de nuestros deseos, pero los deseos o anhelos que experimentamos no son malos en sí mismos, ya que Dios ha creado este planeta y todo lo que en él hay para nuestro deleite y placer. Lo que está mal es que casi siempre tratamos de satisfacer nuestra hambre de formas que son inapropiadas, insalubres y contrarias a la voluntad de Dios para nuestra vida[13].

John White explica la manera en que los deseos interiores responden a las tentaciones exteriores:

> ¿Alguna vez has jugado con un piano? Abre la tapa, pisa el pedal, canta una nota en el piano lo más fuerte

que puedas y entonces detente y escucha: oirás al menos una cuerda que vibra en respuesta a la nota que cantaste. Cuando cantas una cuerda del piano recoge tu voz y la reproduce.

Aquí está la imagen de la tentación: Satanás llama y el alma humana vibra; la vibración es la "lujuria" de la que habla Santiago; tu deseo es seguir respondiendo a su llamado. Si los pianos tienen sentimientos, me imagino que cuando la cuerda vibra, ellos "se encienden". No hay nada de malo en vibrar, la cuerda fue creada para hacerlo, con todas sus fuerzas además. Sin embargo, fue creada para vibrar en respuesta a un martinete, no a una voz.

Así pues la respuesta apropiada no es vibrar en éxtasis ante la voz del diablo, sino dejar ir el pedal y cerrar la tapa del piano. Como lo explicaba Martín Lutero, no puedes evitar que los pájaros vuelen sobre tu cabeza, pero sí que hagan un nido en tu cabello[14].

SEGUNDO PASO: LA TRAMPA

Santiago dice que el resultado de la seducción es el atrapamiento y describe a la persona tentada como alguien que es arrastrado por la seducción hacia una trampa.

Los dos términos utilizados aquí provienen de actividades al aire libre: *arrastrado* significa "enredado en una trampa", y *seducido* (perteneciente al mundo de los pescadores) "atraído por la carnada".

La primera palabra describe a la persona como "arrastrada" o "apartada" y este es el único lugar del Nuevo Testamento en el que se encuentra, mientras que la segunda proviene de una raíz que significa "carnada" y describe algo que es atraído y capturado. Homer Kent resume el impacto de las dos palabras juntas a fin de mostrar lo poderosa que es esta atracción: "Al combinar ambos conceptos y verlos como metáforas pesqueras, se puede visualizar al pez que primero es incitado a salir de su lugar seguro de reposo y luego muerde la carnada donde se esconde el anzuelo fatal"[15].

Satanás sabe cómo usar la carnada precisa para cada uno de nosotros, pues conoce nuestras debilidades y sabe cómo esconder su anzuelo dentro del cebo que va a seducirnos. Muchas veces sabemos que estamos siendo tentados y sospechamos que hay un anzuelo en lo que Satanás está haciendo, pero seguimos jugando con él y probando la carnada… ¡hasta que quedamos atrapados!

Santiago describe este proceso como un engaño, una expresión que también se encuentra en Gálatas 6:7, 1 Corintios 15:33 y Lucas 21:8.

TERCER PASO: LA APROBACIÓN

En el versículo 15 Santiago utiliza el ejemplo de una mujer embarazada: "Luego esa pasión, después de haber concebido, da a luz el pecado". El pecado es la unión de la voluntad con la lujuria, y así como en la concepción humana se inicia un proceso que resultará en el nacimiento de un bebé en su debido tiempo, del mismo modo cuando la tentación recibe consentimiento también tiene un resultado inevitable. Santiago dice que el bebé que le nace a la tentación es el pecado, así pues aceptar la tentación produce un resultado inevitable.

Así como un bebé ya es una persona desde antes de nacer, el pecado ya está presente en el corazón antes de dar evidencia de que está ahí. La concepción del pecado y el descubrimiento del mismo pueden estar separados en el tiempo por largos meses, pero el proceso ya se ha puesto en marcha, como dice la Escritura: "…y sepan que su pecado los alcanzará" (Números 32:23).

Hasta este punto, el pecado evidente todavía no ha sido cometido. Ciertamente ha habido pecado si la tentación se ha acariciado en el corazón y se ha fantaseado en la mente pero el acto no se ha cometido. ¡Sin embargo ahora el hecho se ha realizado! ¡El pecado ha nacido y se ha descubierto que la tentación se ve mejor de lo que es en realidad!

CUARTO PASO: LA ESCLAVITUD

Cuando resistes la tentación recibes la corona de la vida, pero cuando te rindes a ella recibes la muerte, pues esa es la paga del pecado.

Puedes elegir cómo vivir: eres libre para elegir las acciones pero no los resultados; eres libre para producir una acción pero no para evitar la reacción; eres libre para tomar decisiones pero no para evitar las consecuencias.

En su tragedia *Macbeth* William Shakespeare ilustró los pasos regresivos de la maldad. Lady Macbeth se ha propuesto llegar a ser reina de Escocia y el único obstáculo para su ambición es Duncan, pariente de su esposo y actual rey. Su deseo de ser reina es tan grande que le hace planear el asesinato del rey Duncan y después persuadir a su esposo para que lo lleve a cabo.

Ha ideado lo que parece ser el asesinato perfecto, pero solo hay un problema: tiene que vivir con el remordimiento. En la escena más trágica de la obra, ella aparece sonámbula y llorando: "¡Desaparece, maldita mancha! ¡Desaparece, te digo!". Luego grita: "¡Ni todos los perfumes de Arabia lograrán endulzar esta pequeña mano!".

ACTIVAR EL SUSTITUTO DE LA TENTACIÓN

En todo este asunto Santiago 1:17 es fundamental. Hasta este punto nos hemos concentrado solo en el aspecto malo de la tentación, pero ahora Santiago da vuelta a la página para centrarse en la bondad de Dios y nos recuerda que todo lo pleno, digno, bueno y propio se encuentra en el Señor. En contraste con las seducciones de maldad que vienen desde nuestro interior, toda buena dádiva viene de Dios, de lo alto, y baja a nosotros en un torrente constante desde el Padre de las Luces. Al referirse a él como Padre de las Luces, Santiago "anima al lector a mirar hacia arriba para ver la luz brillante del sol durante el día, la luz reflejada de la luna y el brillo de las estrellas por la noche. Dios es el creador de esas luces celestiales y es luz en sí mismo… Por lo tanto en su presencia no puede haber oscuridad"[16].

La referencia de Santiago a Dios como Padre de las Luces nos recuerda su naturaleza inmutable: él es digno de confianza; es el dador y también la dádiva. ¡Y según Santiago todo ello es bueno! Jesús dijo:

Pues si ustedes, siendo malos, saben dar cosas buenas a sus hijos, ¿cuánto más su Padre que está en los cielos dará cosas buenas a los que le piden? (Mateo 7:11). Si Dios viste así la hierba del campo, que hoy está y mañana es echada en el horno, ¿no hará mucho más por ustedes, hombres de poca fe? (Mateo 6:30).

Pablo escribió en Romanos: "Más bien, vístanse del Señor Jesucristo y no hagan provisión para satisfacer los malos deseos de la carne" (13:14).

No solo debemos dejar de pensar en la gratificación de nuestros deseos, sino también evitar enfocarnos en *no* gratificar nuestros deseos. Para resistir la tentación no hay que apretar los dientes y tomar una firme decisión de no hacer algo en particular: la clave está en llenar nuestra mente de otras cosas.

¡No hay que resistir sino reorientar! Cuanto más luches contra un sentimiento, tanto más te seguirá envolviendo. ¡Va a insistir aunque te quieras resistir! Dado que la tentación comienza en los pensamientos internos, la clave para la victoria es cambiar esos pensamientos. En su libro *Dealing with Desires You Can't Control* (Cómo manejar los deseos que no puedes controlar) Mark McMinn escribe:

La clave no está en *eliminar* la tentación, sino en manejarla. Por ejemplo, digamos que estás a dieta y después de terminar tu ensalada con aderezo bajo en calorías el mozo te trae la bandeja de los postres. Sientes el impulso de comer postre pero tu lado razonable insiste en la abstención. ¿Logrará *eliminarse* ese conflicto con estrategias de autocontrol? …Tratar de eliminar la tentación solo la hace más difícil de manejar[17].

Quien haya entrenado a un perro para que obedezca sabrá a dónde voy con la siguiente historia. El amo coloca un pedacito de carne o de pan en el piso cerca del perro y le dice "¡No!". El perro sabe que significa que no debe tocarlo, por eso lo normal es que deje de mirar la comida porque, de lo contrario, la tentación a desobedecer será demasiado grande; lo que hace en lugar de eso es fijar los ojos en la cara de su amo. Esta es la lección del perro: siempre mira la cara del Amo. William Barclay resume esta idea del reemplazo:

La persona cristiana puede entregarse de tal manera a Cristo y a su Espíritu que queda limpia de todos los malos deseos, puede estar tan dedicado a las cosas buenas que no haya tiempo ni lugar para los malos deseos. Satanás encuentra cosas malas para las manos que están sin hacer nada. Una mente en descanso y sin ejercitar jugará con el deseo, y un corazón sin compromiso será vulnerable al llamado de la lujuria[18].

ACEPTAR LA RAZÓN DE LA TENTACIÓN

Santiago 1:18 nos recuerda que experimentamos la tentación por ser quienes somos. En el versículo 15 Santiago dice que el pecado engendra la muerte y en el 18 declara que Dios nos hizo nacer por la palabra de verdad. Aquí está hablando del nacimiento espiritual: somos miembros de la familia de Dios porque hemos nacido de nuevo por la palabra de verdad. Es un patrón consistente en todas las conversiones del Nuevo Testamento:

> En él también ustedes, habiendo oído la palabra de verdad, el evangelio de su salvación, y habiendo creído en él, fueron sellados con el Espíritu Santo que había sido prometido (Efesios 1:13).

> ...a causa de la esperanza reservada para ustedes en los cielos, de la cual han oído en la palabra de verdad del evangelio (Colosenses 1:5).

> ...pues han nacido de nuevo, no de simiente corruptible sino de incorruptible, por medio de la palabra de Dios que vive y permanece (1 Pedro 1:23).

> Por esto, la fe es por el oír, y el oír por la palabra de Cristo (Romanos 10:17).

Cuando Santiago usa la palabra "primicias" para describir a los creyentes está recordándoles que pertenecen exclusivamente a Dios. En el Antiguo Testamento las "primicias" eran el primogénito del ganado y el primer fruto de la tierra, y ambos pertenecían a Dios (ver Éxodo 22:29; 23:16; 34:26; Levítico 23:10). En el Nuevo Testamento, el término "primicias" se asocia a los nuevos creyentes:

> Saluden a Epeneto, amado mío, que es uno de los primeros frutos de Asia en Cristo (Romanos 16:5).

> Hermanos, saben que la casa de Estéfanas es las primicias de Acaya… (1 Corintios 16:15).

Somos objeto de los ataques del enemigo por ser el pueblo especial de Dios. Satanás no se preocupa de quienes no han nacido de nuevo por la palabra de verdad. No debemos confundirnos al respecto:

> El peligro está en la posibilidad de ser engañados a que dudemos de la autenticidad de nuestra relación con Cristo por estar lidiando con el pecado. La verdad es que la lucha misma es prueba de que Dios está muy cerca de nosotros, pues nuestra sensibilidad al pecado es un don de su Espíritu y una señal de nuestra salvación: no habría batalla interna si ya estuviéramos perdidos. Estaremos en peligro real solo cuando podamos pecar sin remordimiento, cuando

no experimentemos una tensión interna, cuando el pecado se convierta en algo fácil[19].

En resumen acerca de la enseñanza de Santiago sobre la tentación, he aquí lo que hemos aprendido. Para ser victoriosos, debemos:

1. Reconocer la realidad de la tentación.
2. Asumir la responsabilidad de la tentación.
3. Prever la rutina de la tentación.
4. Activar el sustituto de la tentación.
5. Aceptar la razón de la tentación.

En el frente de mi Biblia he anotado cinco palabras sencillas que resumen todo lo que hemos aprendido de Santiago hasta ahora y todo lo que los escritores del Nuevo Testamento dicen cuando tocan el tema de la tentación. Debemos escribir en nuestro corazón estas palabras y los textos bíblicos que las acompañan a fin de usarlas en nuestra batalla contra el Enemigo junto con el argumento razonado de Santiago.

PELEA

Resistan al diablo, y él huirá de ustedes (Santiago 4:7).

Sean sobrios y velen. Su adversario, el diablo, como león rugiente anda alrededor buscando a quién devorar. Resistan al tal estando firmes en la fe, sabiendo que los mismos sufrimientos se van cumpliendo entre sus hermanos en todo el mundo (1 Pedro 5:8, 9).

Vístanse de toda la armadura de Dios, para que puedan hacer frente a las intrigas del diablo (Efesios 6:11).

SIGUE

Sométanse, pues, a Dios… Acérquense a Dios, y él se acercará a ustedes (Santiago 4:7, 8).

Pues para esto fueron llamados, porque también Cristo sufrió por ustedes dejándoles ejemplo para que sigan sus pisadas (1 Pedro 2:21).

HUYE

Por tanto, amados míos, huyan de la idolatría (1 Corintios 10:14).

Huye, pues, de las pasiones juveniles… (2 Timoteo 2:22).

Más bien, vístanse del Señor Jesucristo y no hagan provisión para satisfacer los malos deseos de la carne (Romanos 13:14).

[Cuando fue tentado por la esposa de Potifar, José]

dejó su manto en las manos de ella, se escapó y salió huyendo (Génesis 39:12).

TEN COMUNIÓN

...y sigue la justicia, la fe, el amor y la paz con los que de corazón puro invocan al Señor (2 Timoteo 2:22).

El que anda con los sabios se hará sabio, pero el que se junta con los necios sufrirá daño (Proverbios 13:20).

No se dejen engañar: "Las malas compañías corrompen las buenas costumbres" (1 Corintios 15:33).

ALIMÉNTATE

En mi corazón he guardado tus dichos para no pecar contra ti (Salmo 119:11).

[Cristo derrotó a Satanás usando las Escrituras, y sus respuestas comenzaban así] "Escrito está..." (Mateo 4:1-11).

Comenzamos este capítulo con la advertencia de que la tentación no puede *superarse* con la edad, para terminar nuestro discurso con un recordatorio enfático: si bien no puede superarse con la edad, sí que puede *vencerse*.

Amy Carmichael fue misionera en Japón, China, Ceilán (Sri Lanka) y la India. Durante su primer período en Japón, vivió un tiempo de tentaciones severas al comenzar a considerar la posibilidad de quedarse soltera toda la vida. Su tentación fue muy personal y privada, tanto que no fue sino hasta cuarenta años después que pudo compartir con una amiga cercana los detalles de su lucha:

En esta misma fecha, hace muchos años, me aparté sola a una cueva en el monte Arima. Tenía temor sobre mi futuro, por eso fui ahí, para estar a solas con Dios. El diablo me murmuraba al oído "Por ahora está bien, pero ¿y después? Vas a estar muy sola" y me pintaba imágenes de soledad que todavía puedo ver. Acudí a Dios con desesperación y le dije: "Señor, ¿qué puedo hacer? ¿Cómo puedo seguir hasta el final?". Él me respondió: "Nadie que confíe en mí quedará desolado". Esa palabra me ha acompañado desde entonces y tal como se ha cumplido en mí, así también se cumplirá en ti[20].

QUÉ HACER CUANDO EL ESPEJO NO MIENTE

(SANTIAGO 1:19-27)

Pero sean hacedores de la palabra, y no solamente oidores engañándose a ustedes mismos.

Un maestro puso a un grupo de alumnos preuniversitarios un examen rápido como introducción a un curso de literatura sobre la Biblia que el maestro planeaba enseñar en una de las mejores escuelas públicas del país. Entre las respuestas más raras se hallaban estas: "Sodoma y Gomorra eran amantes" y "Jezabel era el burro de Acab".

Otros alumnos pensaban que los cuatro jinetes aparecían en la Acrópolis, que los Evangelios del Nuevo Testamento fueron escritos por Mateo, Marcos, *Lutero* y Juan, que Eva fue creada de una manzana y que Jesús fue bautizado por Moisés.

La respuesta que se llevó el premio a la desinformación vino de un chico que académicamente era de los mejores de toda la escuela: su respuesta a la pregunta "¿Qué era el Gólgota?" fue "Gólgota era el nombre del gigante que asesinó al apóstol David".

Este no es un caso aislado de analfabetismo bíblico. En el año 2014, el investigador Ed Stetzer reportó que, aunque el estadounidense promedio tiene tres Biblias, hoy en día se lee muy poco y se entiende todavía menos[1].

En los últimos años la tendencia de analfabetismo bíblico ha empeorado, como lo refleja una famosa encuesta de Gallup en la década de 1990:

> Un 82 % de los estadounidenses creen que la Biblia es la Palabra de Dios literal o "inspirada"… más de la mitad dicen que leen la Biblia al menos una vez al mes. Sin embargo, la mitad no puede dar el nombre de uno de los cuatro Evangelios… y menos de la mitad sabe quién predicó el Sermón del monte[2].

La Biblia está disponible en más de mil ochocientos idiomas y es el libro más vendido de la historia. Sin embargo, alguien ha observado que si todos los miembros de iglesias que han estado descuidando sus Biblias las desempolvaran al mismo tiempo, se produciría la peor tormenta de polvo de la historia.

Una vez leí sobre un padre muy devoto cuyo hijo estaba estudiando para el ministerio. El muchacho había decidido ir a Europa para sus estudios de postgrado y a su padre le preocupaba que la fe sencilla del joven se echara a perder con esos profesores sofisticados e incrédulos. "Que no te quiten a Jonás", le advirtió el padre, pensando que lo primero que harían sería desmentir la historia del que fue tragado por un gran pez. Dos años después el hijo regresó y su padre le preguntó:

—¿Todavía tienes a Jonás en tu Biblia?

—¡Jonás! Esa historia ni siquiera está en tu Biblia —respondió el hijo.

—¡Claro que sí! ¿Por qué lo dices? —preguntó el padre.

El hijo riendo, insistió:

—No está en tu Biblia. Vamos, muéstramela.

El anciano hojeó su Biblia buscando el libro de Jonás pero no pudo encontrarlo. Revisó la lista de libros en el índice para ver el número de página. Cuando buscó, descubrió que las tres páginas del libro de Jonás habían sido cortadas con cuidado.

—Yo lo hice antes de irme —dijo el hijo—. ¿Qué diferencia hay entre que yo pierda el libro de Jonás por medio del estudio con incrédulos y que tú lo pierdas por medio del abandono?

Santiago había escrito a sus amigos creyentes que su nacimiento espiritual fue producto de la Palabra de Dios (1:18). Ahora va a desafiarlos a tomar esa Palabra en serio en su diario caminar. La realidad de las pruebas externas y de las tentaciones internas exige algo más que una simple experiencia inicial con Dios, se necesita su sabiduría todos los días.

En este importante pasaje sobre la importancia y la prioridad de la Palabra de Dios, Santiago nos hace seguir un proceso de seis pasos que comienza con la preparación necesaria para el estudio y termina con una poderosa ilustración de la diferencia que la Biblia puede marcar en nuestra vida.

PRIMER PASO: PREPARACIÓN

A continuación vienen cuatro directrices claras para ayudarnos a comenzar en este importante empeño.

CONCENTRAR LA ATENCIÓN

Santiago comienza sus instrucciones con su invitación a ser "pronto para oír", que en ese tiempo era muy importante porque la mayor parte del aprendizaje se realizaba escuchando. Pocos creyentes tenían copias de las Escrituras, así que casi todos dependían de escuchar su lectura y su predicación en las reuniones públicas. ¡Si no eran "prontos para oír" se quedarían sin aprender! Pablo les recordó a los romanos que "la fe es por el oír, y el oír por la palabra de Cristo" (10:17). Los miembros de la iglesia en Tesalónica captaron el significado de las palabras de Santiago en su estudio de la Palabra de Dios:

> Por esta razón, nosotros también damos gracias a Dios sin cesar; porque cuando recibieron la palabra de Dios que oyeron de parte nuestra, la aceptaron, no como palabra de hombres sino como lo que es de veras, la palabra de Dios quien obra en ustedes los que creen (1 Tesalonicenses 2:13).

Hoy en día en nuestra cultura muchos creyentes son indiferentes a la Palabra de Dios. Es posible que estemos viviendo en el período del que Pablo advirtió a Timoteo cuando lo desafió a ser un predicador valiente:

Porque vendrá el tiempo cuando no soportarán la
sana doctrina; más bien, teniendo comezón de oír,
amontonarán para sí maestros conforme a sus propias
pasiones y, a la vez que apartarán sus oídos de la
verdad, se volverán a las fábulas (2 Timoteo 4:3, 4).

Si como creyentes no tenemos interacción con los incrédulos, si
no tenemos un ministerio vivo con nuevos creyentes, y si no hay lucha
personal para vivir la santidad, en poco tiempo la Biblia será irrelevante
para nosotros.

Un oficial del ejército hablaba del contraste entre dos épocas
distintas de enseñanza en su escuela de entrenamiento. En los años
1958-1960 la actitud era tan distendida que los instructores difícilmente tenían a sus alumnos despiertos para escuchar. Sin embargo,
durante el período de 1965-1967, aunque se trataba de las mismas
lecciones, los alumnos estaban bien despiertos y tomaban muchas
notas. ¿Por qué? Sabían que en unas cuantas semanas estarían en
acción en la guerra.

CONTROLAR LA LENGUA

Cuando Santiago dice que deben ser "lentos para hablar" tal vez tenía
en mente la interacción abierta que existía en las iglesias de su época.
A veces la asamblea caía presa de quienes deseaban demostrar su
conocimiento hablando prolongadamente.

No hay nada malo en las preguntas y respuestas, pero no es difícil
para un maestro con experiencia darse cuenta de si las preguntas

buscan una contestación o si el que las hace piensa que ya tiene todas las respuestas. El recordatorio de Santiago es un eco de las palabras de nuestro Señor:

> Pero yo les digo que en el día del juicio los hombres darán cuenta de toda palabra ociosa que hablen. Porque por tus palabras serás justificado y por tus palabras serás condenado (Mateo 12:36, 37).

Si has estudiado la literatura sapiencial del Antiguo Testamento, has visto este consejo una y otra vez:

> En las muchas palabras no falta pecado, pero el que refrena sus labios es prudente (Proverbios 10:19).

> El que tiene conocimiento refrena sus palabras, y el de espíritu sereno es hombre prudente. Cuando calla, hasta el insensato es tenido por sabio; y el que cierra sus labios, por inteligente (Proverbios 17:27, 28).

> No te precipites con tu boca ni se apresure tu corazón a proferir palabra delante de Dios. Porque Dios está en el cielo y tú sobre la tierra; por tanto, sean pocas tus palabras. Pues de la mucha preocupación viene el soñar; y de las muchas palabras, el dicho del necio (Eclesiastés 5:2, 3).

Se dice que en una ocasión un joven le pidió al gran filósofo Sócrates que lo entrenara como orador. En su primera sesión con su maestro, comenzó a hablar sin parar y cuando Sócrates por fin pudo tomar la palabra, dijo:

—Joven, voy a tener que cobrarte el doble.

—¿El doble? ¿Y por qué?

Sócrates le contestó:

—Voy a tener que enseñarte dos ciencias. Primero cómo controlar tu lengua y luego cómo usarla.

CONTENER EL ENOJO

En muchas de las reuniones de la iglesia primitiva, seguramente explotaba el enojo de los participantes cuando algún orador exponía sus opiniones personales sobre varios temas. Cuando Santiago les mandó ser "lentos para la ira", ese último término se refiere a "una actitud permanente de amargura y disgusto", lo cual era contrario a la justicia de Dios. Fíjate en estas advertencias:

El que tarda en airarse tiene mucho entendimiento, pero el de espíritu apresurado hace resaltar la insensatez (Proverbios 14:29).

Es mejor el que tarda en airarse que el fuerte; y el que domina su espíritu que el que conquista una ciudad (Proverbios 16:32).

71

El necio da rienda suelta a toda su ira, pero el sabio conteniéndose la apacigua (Proverbios 29:11).

El hombre iracundo suscita contiendas, y el furioso comete muchas transgresiones (Proverbios 29:22).

Cuando Pablo escribió a los efesios les dijo: "Quítense de ustedes toda amargura, enojo, ira, gritos y calumnia, junto con toda maldad" (Efesios 4:31).

LIMPIAR LA VIDA

La cuarta directriz es dejar de lado toda suciedad y maldad. Si la vida moral de una persona está fuera de control (lo cual puede incluir la lengua y el mal genio), el resultado puede ser devastador respecto a escuchar o entender la Palabra de Dios. Las instrucciones de Santiago son claras: debe haber una limpieza espiritual profunda, por eso no basta con limpiar lo de afuera sino que debe limpiarse lo de adentro y sacarse toda suciedad y maldad. El uso de la palabra *suciedad* es muy instructivo:

Esta palabra… estrictamente hablando se refiere a la cera en el oído… El pecado en nuestra vida es como tener el oído tapado con cera que no deja que la Palabra de verdad alcance al corazón, pues si no puede penetrar por el oído no va a llegar al corazón… Como cristianos debemos sacar esa cera de nuestro oído para que la Palabra pueda hacer su efecto en nuestra vida. En definitiva, creo que Santiago está hablando del cristiano cuyo pecado puede ser como cera en su oído que le estorba y le impide que escuche la Palabra de Dios y la cumpla[3].

SEGUNDO PASO: EXAMEN

Cuando concentramos nuestra atención, controlamos nuestra lengua y enojo y limpiamos nuestra vida, estamos listos para recibir la Palabra que había sido plantada en nuestro corazón. No es la Palabra de salvación (esa ya la han recibido; 1:18), sino más bien la Palabra de instrucción que es crucial para todo crecimiento. Cada creyente debe prepararse con humildad para oír esa Palabra que es capaz de hacerle madurar en Cristo. Simón J. Kistemaker comenta:

> Una vez más, el autor recurre a una ilustración de la naturaleza. Una planta necesita cuidados constantes y si no se le proporciona agua y nutrición morirá. De igual manera, si los lectores que han oído la Palabra no ponen atención, van a sufrir una muerte espiritual. La Palabra requiere cuidado y aplicación diligente para que los lectores puedan crecer espiritualmente[4].

La palabra *recibir* se traduce varias veces en el Nuevo Testamento como "bienvenida" (Mateo 10:40, Gálatas 4:14, Hebreos 11:31). No debemos examinar pasivamente la Palabra que se habla sino darle la bienvenida en nuestro corazón con buena disposición y alegría. ¡Debemos acercarnos a la lectura y la predicación de la Palabra de Dios con un sentido de expectativa! Esa debe ser nuestra actitud cada vez que nos acercamos a la verdad de Dios.

En su clásico *Cómo leer un libro* Mortimer J. Adler hace esta observación:

> La única ocasión en que una persona leerá poniendo todo de sí será cuando está enamorada y lee una carta de amor: leerá cada palabra tres veces; leerá entre líneas y en los márgenes; leerá el todo en relación con las partes y cada parte en relación con el todo; leerá con sensibilidad hacia el contexto y la ambigüedad, hacia las insinuaciones y las implicaciones; percibirá el color de las palabras, el orden de las frases, y el peso de las oraciones; tomará incluso en cuenta los signos de puntuación. Es entonces, y no antes ni después, que una persona lee con sumo cuidado y en profundidad[5].

Cuando el libro de Adler salió a la luz, fue promovido en el *New York Times* con el lema "Cómo leer una carta de amor". Bajo la imagen de un perplejo adolescente leyendo una carta se podía leer lo siguiente:

> Este joven acaba de recibir su primera carta de amor. Tal vez ya la leyó tres o cuatro veces, pero apenas está empezando. Aunque para leerla con toda la exactitud

74

que él quisiera se necesitarían varios diccionarios y una buena dosis de trabajo con varios expertos en etimología y filología, lo va a lograr sin ayuda de todos ellos. Meditará sobre el significado exacto de cada palabra, de cada coma. Ella comenzó su carta así: "Querido Juan".

"¿Cuál será el significado exacto de esas palabras?", se pregunta él, "¿Por qué no escribió 'Queridísimo'? ¿Le dio vergüenza? ¿Habría sonado demasiado formal si acaso hubiera escrito 'Mi querido'? ¡Caramba! ¡Tal vez escriba 'Querido...' para dirigirse a cualquier persona!". Ahora aparece una expresión de preocupación en su rostro, pero desaparece tan pronto como comienza a pensar en la primera oración. ¡Obviamente no le habría escrito eso a cualquiera! Y así lee la carta, en un momento colgando de una nube, y al siguiente buscando dónde esconder su miseria. Ha comenzado un centenar de preguntas en su mente. Podría recitarla de memoria. De hecho, lo hará durante varias semanas...

Si la gente leyera libros con ese grado de concentración, seríamos una raza de gigantes mentales[6].

¡No puedo evitar imaginarme la clase de "gigantes espirituales" que podríamos llegar a ser si aprendiéramos a leer la Palabra de Dios de esa manera!

TERCER PASO: APLICACIÓN

Jesús concluyó el Sermón del monte con la historia de los constructores sabios e imprudentes. Cuando terminó, dijo: "Cualquiera, pues, que me oye estas palabras y las hace, será semejante a un hombre prudente que edificó su casa sobre la peña" (Mateo 7:24). En otra ocasión el Salvador dijo: "Más bien, bienaventurados son los que oyen la palabra de Dios y la guardan" (Lucas 11:28). Es importante ser un buen oidor de la Palabra de Dios, pero eso por sí mismo no tiene valor permanente. Habiendo oído lo que la Palabra dice, debemos desarrollar la disciplina de ponerla en práctica y aprender a ser más que solamente oidores: debemos aprender a ser hacedores. El apóstol Juan comprendió esta verdad cuando escribió: "Hijitos, no amemos de palabra ni de lengua, sino de hecho y de verdad" (1 Juan 3:18).

En el tiempo de Santiago, la palabra *oidor* se usaba como hoy se usa la palabra *oyente*. En nuestra universidad, si una persona es oyente de un curso, no toma los exámenes, no recibe calificación, no está acumulando créditos para obtener un título y no puede recibir premio alguno: esa persona solo está escuchando la enseñanza. No podemos permitirnos ser solo oyentes de la Palabra de Dios, pues nuestro propósito principal al oír o leer la Biblia debe ser hacer lo que manda.

EL ACERCAMIENTO CASUAL

Para ejemplificar sus palabras Santiago va nuevamente a la vida cotidiana de sus lectores y les pide que se fijen en un espejo. Los espejos del siglo I estaban hechos de un metal muy pulido y no estaban montados en paredes sino que se colocaban sobre mesas para que quien quisiera ver su reflejo se inclinara un poco y mirara hacia abajo, aunque solo lograba ver reflejos muy inexactos.

Si oímos la Palabra de Dios y no hacemos lo que dice, somos como los que miran de pasada en un espejo su rostro "natural", el rostro con el cual nacieron, y después se alejan rápidamente sin hacer ningún cambio en su apariencia. J. B. Phillips traduce este versículo así: "Se ve a sí mismo, es verdad, pero sigue adelante... sin el más mínimo recuerdo de qué clase de persona vio en el espejo" (Santiago 1:24). Este acercamiento casual a la Palabra de Dios produce lo que Howard Hendricks llama cristianos *analfabetos funcionales*:

> ¿Alguna vez has visto una Biblia "estacionada" en la ventana trasera de un auto? Es muy común de donde yo vengo. Un tipo sale de la iglesia, se sube a su auto, arroja la Biblia hacia la parte de atrás y ahí la deja hasta el domingo siguiente: es toda una declaración sobre el valor que le da a la Palabra de Dios. En efecto, en lo que se refiere a la Escritura, es un analfabeto funcional seis de los siete días de la semana[7].

Hoy en día hay muchos cristianos que se niegan a consultar la ley perfecta de libertad porque no quieren enfrentarse a la verdad sobre su vida y prefieren vivir en el engaño que conocer esa verdad. Son como la princesa africana que describe George Sweeting en uno de sus libros:

Esta hija del cacique vivía en el corazón de la salvaje jungla y durante años a se le había dicho que era la mujer más hermosa de toda la tribu, así que aunque no tenía espejo para mirarse estaba convencida de su belleza sin par. Un día, cuando llegó una cuadrilla de exploradores a esa región de África, la princesa recibió un espejo como regalo y por primera vez en su vida pudo ver su propia imagen reflejada. Su reacción inmediata fue estrellar el espejo en una roca. ¿Por qué? Porque por primera vez en su vida supo la verdad: lo que los demás le habían dicho en todos esos años no tenía importancia y tampoco tenía caso lo que ella creyera sobre sí misma. Ella vio por vez primera que su belleza no era genuina sino falsa[8].

EL ACERCAMIENTO CUIDADOSO

El oidor olvidadizo simplemente echa un vistazo a la Palabra de Dios y se va, pero el oidor verdadero la contempla. Para explicar este tipo de mirada cuidadosa, Santiago usa una palabra griega que significa "mirar algo que está fuera de la línea normal de visión" y que es la misma palabra que se usó para hablar de la forma en que Pedro, Juan y María se asomaron a la tumba vacía en la mañana de la resurrección (Lucas 24:12; Juan 20:5, 11); también se encuentra en 1 Pedro 1:12, donde se nos dice que los ángeles anhelan "contemplar" las glorias de la salvación que está fuera de su experiencia personal. El acercamiento cuidadoso examina intencionalmente la verdad y el significado de la

Palabra porque hay un deseo de poner en práctica todo lo que Dios está diciendo.

Al perfilar a este estudiante cuidadoso de la Palabra, Santiago ve al estudiante haciendo aquello que oye. La palabra que se traduce como "hacer" es *poieetai*, que se encuentra solo seis veces en todo el Nuevo Testamento (cuatro de ellas en el libro de Santiago) y comunica mucho más que una observancia rutinaria de los mandamientos. De la raíz *poieetai* sale nuestra palabra "poeta", que se refiere a una obediencia creativa:

> Un poeta es alguien que une las palabras para expresar
> un pensamiento o sentimiento de manera hermosa.
> Eso es lo que Dios quiere que seamos los cristianos:
> poetas, creadores de lo bello. Hemos de ser creativos
> en la vida, tomar cada experiencia (agradable o
> desagradable) y presentarla como un poema atractivo
> para el mundo que nos rodea[9].

CUARTO PASO: MEDITACIÓN

Todavía hay un paso más en la aplicación personal de la Palabra: "Pero el que presta atención a la perfecta ley de la libertad y persevera en ella…" (Santiago 1:25). Hay una diferencia básica entre un explorador y un turista: el turista viaja rápido, se detiene solo a observar los puntos más notorios o más famosos de un lugar; el explorador en cambio se toma el tiempo para investigar todo lo que ese sitio ofrece.

Muchos de nosotros leemos la Biblia como turistas y luego nos quejamos de que nuestra vida devocional es infructuosa. Geoffrey Thomas nos advierte contra ese acercamiento a las Escrituras:

> No esperes dominar la Biblia en un día, o en un mes, o en un año. Más bien, espera quedarte intrigado por su contenido, pues no todo es nítido y claro. Grandes hombres de Dios se han sentido como novatos al leer la Palabra: el apóstol Pedro dijo que había algunas cosas difíciles de entender en las epístolas de Pablo (2 Pedro 3:16), y me alegra que haya escrito esas palabras porque así me he sentido muchas veces. Así que no esperes ir a recibir siempre un estímulo emocional o un sentimiento de paz y quietud cuando leas la Biblia. Por la gracia de Dios puedes esperar que esa paz sea frecuente, pero muchas veces no vas a tener en absoluto respuesta emocional. Deja que la Palabra rompa tu corazón y tu mente una y otra vez al paso de los años y de modo imperceptible surgirán grandes cambios en tu actitud, perspectiva y conducta[10].

Si queremos crecer, es crucial dedicar tiempo a la exploración de la Biblia. He aquí algunos pasajes clave que muestran las virtudes de la meditación en la Palabra:

> Nunca se aparte de tu boca este libro de la Ley; más bien, medita en él de día y de noche, para que guardes

y cumplas todo lo que está escrito en él. Así tendrás éxito y todo te saldrá bien (Josué 1:8).

Bienaventurado el hombre que no anda según el consejo de los impíos ni se detiene en el camino de los pecadores ni se sienta en la silla de los burladores. Más bien, en la ley del SEÑOR está su delicia, y en ella medita de día y de noche (Salmo 1:1, 2).

¡Cuánto amo tu ley! Todo el día ella es mi meditación (Salmo 119:97).

Sean gratos los dichos de mi boca y la meditación de mi corazón delante de ti, oh SEÑOR, Roca mía y Redentor mío (Salmo 19:14).

Si ha pasado mucho tiempo sin que hayas meditado en la Palabra de Dios, quizás las palabras de Donald Whitney te liberen para comenzar de nuevo:

Dado que la meditación es tan prominente en muchos grupos y movimientos espirituales falsos, algunos cristianos se sienten incómodos con el tema y sospechan de quienes sí la practican, pero debemos recordar que la meditación es un mandato de Dios y también que muchos héroes de la fe en las Escrituras la practicaron… El tipo de meditación que se promueve en la Biblia difiere en varios aspectos de otras clases: mientras que algunos defienden una meditación en la que se esfuerzan por poner su mente en blanco, la meditación cristiana busca llenar la mente con Dios y su verdad. Para algunos la meditación es un intento de alcanzar la pasividad mental completa, pero la meditación bíblica requiere una actividad mental constructiva. La meditación según el mundo emplea técnicas de visualización que buscan "crear tu propia realidad"… Nosotros ligamos la meditación con la oración a Dios y con la acción humana responsable, llena del Espíritu, para efectuar cambios[11].

QUINTO PASO: MEMORIZACIÓN

El lector bíblico casual es un alumno olvidadizo, pero el estudiante cuidadoso de la Biblia memoriza las cosas en las que medita. Lorne Sanny, del ministerio de los Navegantes, miró en retrospectiva su vida y evaluó la razón por la que dedicó tiempo a memorizar la Biblia. De manera abreviada, esto es lo que dijo:

> *Libertad del pecado.* El acto de memorizar las Escrituras no me aleja del pecado pero la Palabra de Dios sí: "En mi corazón he guardado tus dichos para no pecar contra ti" (Salmo 119:11).

Victoria sobre Satanás. En Efesios 6:17 se nos dice que debemos combatir con "la espada del Espíritu, que es la palabra de Dios". (Ver también Mateo 4:1-11).

Prosperidad espiritual. Meditar (pensar, rumiar, dejar que la Palabra de Dios permanezca en nuestra mente por días y noches) nos trae prosperidad espiritual (Salmo 1).

Dirección personal. El Salmo 119:24 dice: "Tus testimonios son mi delicia y también mis consejeros".

Ayudar a los demás. "¿Acaso no he escrito para ti treinta dichos de consejos y conocimiento? Son para darte a conocer la certidumbre de las palabras de verdad, a fin de que puedas responder palabras de verdad a los que te envían" (Proverbios 22:20, 21)[12].

SEXTO PASO: DEMOSTRACIÓN

Santiago concluye esta sección de su carta dando tres ejemplos concretos de la conducta que se producirá en la persona que tome en serio la Palabra de Dios. Por tercera vez en este primer capítulo advierte a sus lectores sobre el peligro del engaño (1:16, 22, 26). Según él es posible pensar que alguien está viviendo la vida cristiana pero en realidad está solo engañándose a sí mismo. Las tres pruebas que ofrece a sus lectores del primer siglo siguen siendo importantes el día de hoy.

LA PRUEBA DEL AUTOCONTROL

Cuando Santiago enfrenta el tema de la lengua más adelante en su carta, la describe como "un mal incontrolable, lleno de veneno mortal" (3:8) y dice que si alguien es capaz de controlar su lengua, "es un hombre cabal [maduro]" (3:2). Ahora conecta este tema del autocontrol con la realidad de lo que alguien opina sobre sí mismo: "Si alguien parece ser religioso y no refrena su lengua sino que engaña a su corazón, la religión del tal es vana" (1:26).

La lengua indomable miente, maldice y profiere imprecaciones, calumnias y lenguaje obsceno. Desde el punto de vista del hombre la palabra precipitada, las verdades a medias, las insinuaciones sutiles y el chascarrillo cuestionable, todo es insignificante; pero desde el punto de vista de Dios son una violación al mandato de amar al Señor Dios y de amar al prójimo como a uno mismo. Quebrantar este mandamiento hace que la religión del hombre no sirva de nada[13].

LA PRUEBA DE LA COMPASIÓN ESPIRITUAL

La segunda prueba de la religión real es la actitud frente a quienes sufren. Aquí Santiago menciona a dos grupos de personas: las viudas y los huérfanos. Las condiciones sociales en el siglo I eran muy difíciles pues no había agencias que protegieran o ayudaran a esas personas y solo podrían obtener ayuda entre sus hermanos y hermanas en Cristo. La ley del Antiguo Testamento exigía que el pueblo de Dios cuidara a estas personas: "Entonces vendrán el levita que no tiene parte ni heredad contigo, el forastero, el huérfano y la viuda que haya en tus ciudades.

Ellos comerán y se saciarán, para que el SEÑOR tu Dios te bendiga en toda obra que hagas con tus manos" (Deuteronomio 14:29).

El Señor Jesús llegó al punto de igualar el trato que sus seguidores tuvieran hacia los desposeídos con el trato dado hacia él:

"...Porque tuve hambre, y me dieron de comer; tuve sed, y me dieron de beber; fui forastero, y me recibieron; estuve desnudo, y me vistieron; enfermo, y me visitaron; estuve en la cárcel, y vinieron a mí". Entonces los justos le responderán diciendo: "Señor, ¿cuándo te vimos hambriento y te sustentamos, o sediento y te dimos de beber? ¿Cuándo te vimos forastero y te recibimos, o desnudo y te vestimos? ¿Cuándo te vimos enfermo, o en la cárcel, y fuimos a ti?". Y respondiendo el Rey les dirá: "De cierto les digo que en cuanto lo hicieron a uno de estos mis hermanos más pequeños, a mí me lo hicieron" (Mateo 25:35-40).

Una vez leí algo acerca de un ministro que predicó un sermón dominical sobre el cielo. A la mañana siguiente iba de camino al pueblo cuando se encontró a uno de sus miembros más ricos, quien lo detuvo y le dijo:

—Pastor, usted predicó un buen sermón sobre el cielo, pero no me dijo dónde está.

El predicador dijo:

—Ah, qué bueno tener esta oportunidad precisamente esta mañana. Acabo de regresar de la punta de aquella loma, donde vive en esa cabañita una miembro de nuestra iglesia que es viuda y tiene dos niños pequeños. Ella está enferma en una cama y los dos niños están enfermos en la otra y además no tiene nada en la casa: no hay carbón, ni pan, ni carne, ni leche. Si usted compra algunos víveres, vaya personalmente a entregarlos diciendo: "Hermana, compré estas provisiones en el nombre del Señor Jesús". Luego pídale una Biblia y lea el Salmo 23. Después arrodíllese y ore. Y si no ve el cielo antes de terminar todo eso, yo pagaré la cuenta.

A la mañana siguiente, el hombre dijo:

—Pastor, pude ver el cielo y pasé quince minutos ahí, tan cierto como que usted me está escuchando[14].

LA PRUEBA DE LA CORRUPCIÓN SOCIAL

Los creyentes deben caminar una línea muy fina en lo que se refiere a la sociedad: tienen que involucrarse completa y compasivamente en los problemas sociales de su tiempo, pero sin permitir que la cultura que provocó esos problemas tenga algún impacto en su vida de santidad. En palabras de Santiago, deben "guardarse sin mancha en el mundo", y al hablar de eso se está refiriendo al sistema que está bajo el control de Satanás y en oposición al propósito de Dios. John Henry Jowett dijo: "Es la vida sin vocación suprema, sin ideales sublimes. Su mirada siempre es horizontal, nunca vertical. Su lema es 'adelante', nunca 'hacia arriba'. Tiene ambición, pero no aspiración"[15].

Los cristianos deben llevar una vida en el mundo de la cual no se avergüencen en caso de encontrar a su Señor. Pedro dijo que debemos tener *empeño* en cuanto a esto: "Por tanto, oh amados, estando a la espera de estas cosas, procuren con empeño ser hallados en paz por él, sin mancha e irreprensibles" (2 Pedro 3:14).

Cuando nos acercamos a escuchar o leer la Palabra de Dios con el corazón preparado adecuadamente, examinando cuidadosamente su verdad, con una aplicación decidida de su mensaje, y cuando meditamos en eso y guardamos sus palabras en el corazón, algo dramático ocurrirá en nuestra vida. ¡Vamos a cambiar! Es la promesa de Dios: "…así será mi palabra que sale de mi boca: No volverá a mí vacía, sino que hará lo que yo quiero, y será prosperada en aquello para lo cual la envié" (Isaías 55:11).

Probablemente no exista un ejemplo más sensacional del poder transformador de la Biblia que la legendaria historia del motín del Bounty. En 1788, el Bounty, un navío capitaneado por William Bligh, salió de la isla de Tahití, en el Pacífico Sur. Después de un viaje de diez meses, el barco llegó a una de las islas de Tonga (conocidas como islas Friendly), y los marineros quedaron encantados con las jóvenes nativas. En abril de 1789, al recibir la orden de embarcar, se amotinaron, pusieron al capitán y a algunos hombres a bordo de una balsa y los mandaron al mar, mientras ellos regresaron a la isla.

El capitán Bligh sobrevivió y logró regresar a Inglaterra. Se organizó una expedición para castigar a los amotinados y capturaron a catorce de ellos, pero nueve se habían mudado a otra isla donde habían formado una nueva colonia. Ahí se habían degenerado rápidamente y se habían convertido en fieras que habían hecho que la vida en la colonia fuera un infierno; la principal razón era que destilaban whiskey a partir de una planta nativa. Los pleitos, las orgías y los asesinatos eran aspectos comunes de su vida cotidiana. Finalmente, todos los hombres excepto uno ya habían sido asesinados o habían muerto de otra forma.

Alexander Smith, el único sobreviviente, quedó solo con una multitud de mujeres nativas y los hijos que estas habían tenido con los marineros. Entonces ocurrió algo extraño: en un cofre encontró una Biblia; la leyó, la creyó y comenzó a vivirla. Decidido a corregir su vida pasada de maldad, reunió a las mujeres y a los niños alrededor de él y les enseñó. El tiempo pasó, los niños crecieron y se hicieron cristianos; la comunidad prosperó mucho. Casi veinte años después, un barco estadounidense visitó la isla y trajo a Europa y a Inglaterra noticias de su estado apacible: esta isla era una comunidad cristiana donde no había enfermedades, locuras, crimen, analfabetismo o alcoholismo. La vida y la propiedad estaban seguras, y los estándares morales de la gente eran tan altos como en cualquier otro lugar del mundo. Era una verdadera utopía en pequeña escala. ¿Qué fue lo que logró esta sorprendente transformación? Nada más la lectura de un libro, la Biblia [16].

4

QUÉ HACER CUANDO LA JUSTICIA NO ES CIEGA

(SANTIAGO 2:1-13)

*…si hacen distinción de personas cometen pecado
y son reprobados por la ley como transgresores.*

Joel Engel, un escritor que reside en Los Ángeles y es columnista del periódico New York Times, relata una experiencia que tuvo en un autobús de esa ciudad:

El autobús llevaba mucha gente, pero me sorprendió el silencio; solo se oía el susurro de las páginas de los periódicos y el motor a diésel del vehículo. Varios hombres bien vestidos estaban de pie en el pasillo de modo que pensé que no quedaban asientos disponibles. Pero al avanzar hacia atrás vi un lugar vacío en un asiento doble y enseguida me di cuenta de por qué estaba disponible.

El joven que ocupaba el lado de la ventanilla era increíblemente feo y su grotesca cara aparentemente se debía a tumores fibroides. Pero no era solo su cara: su cabello, largo, sucio y enmarañado, y su ropa andrajosa advertían y espantaban a todos. Evidentemente era un vagabundo, y era fácil averiguar por qué. Estaba sentado con sus hombros encorvados y sus ojos fijos a través de la ventanilla... verdaderamente la imagen de una bestia, desamparado y dolorosamente solo.

Casi paralizado por el sentimiento de lástima agradecí en silencio que mi hija pequeña no viniera conmigo, preguntando inevitablemente sobre el joven en una voz no muy discreta (o peor aún, expresando su asco), pero fue por ella que finalmente me senté. El tipo de hombre que quiero que sea el padre de mi hija se sienta en un autobús junto a alguien cuyo único crimen es ser extremadamente feo.

No puedo decir que me relajé, porque mi hombro y brazo izquierdos se encogían involuntariamente y todo mi torso se inclinaba como la torre de Pisa para no tocarlo, mientras él seguía mirando hacia afuera por la ventanilla, sin darse cuenta de mi presencia.

El autobús se detuvo una vez más antes de entrar a la autopista y se subieron varias personas. Una mujer anciana caminó hacia la parte de atrás y yo esperé a ver si alguien, hombre o mujer, le ofrecía un asiento. Nadie lo hizo, así que me puse de pie y le señalé mi asiento con la mano, pero ella dijo en voz alta: "No, no quiero sentarme ahí junto a él"[1].

Resulta doloroso leer esta historia: sentimos enojo al pensar en el rechazo que vivió este hombre desafortunado; nos horroriza la insensibilidad de la mujer anciana; nos impacta que esto pueda pasar hoy en día en un autobús público. ¿Pero qué pensarías si te digo que esto pasa a veces en la iglesia?

De hecho, estaba pasando tan seguido en las iglesias a las que Santiago dirigió su carta, que este tuvo que dedicar una sección entera de su epístola al problema. En 2:1-13, Santiago confronta la discriminación social y se concentra en los ricos y los pobres, pero los principios que nos da son de aplicación mucho más amplia. Rick Warren sugiere al menos cinco áreas en las que los creyentes podemos sentirnos tentados a discriminar:

- Por la *apariencia*.
- Por el *origen étnico*.
- Por la *edad*.
- Por los *logros*.
- Por la *riqueza*[2].

Lewis Smedes nos recuerda que todos podemos llegar a discriminar a alguien a menos que desarrollemos la clase de amor que va más allá de las etiquetas que nos gusta colocar en las personas:

Ponemos etiquetas en la gente, igual que los diseñadores cosen sus etiquetas en la ropa, y luego dejamos que ellas nos digan lo que son las personas y lo que valen. Si valoramos la inteligencia en los niños, los etiquetamos como de aprendizaje rápido o lento y la primera pregunta que hacemos sobre ellos es cómo les va en la escuela. Si valoramos el dinero, etiquetamos a la gente como acomodada o pobre y la primera cosa que queremos averiguar de alguien es cuánto gana. Si valoramos la apariencia física, etiquetamos a las personas como atractivas o no atractivas y lo primero que preguntamos sobre alguien es cómo se ve. Aquí tenemos a un grupo de iglesia que valora las familias estables y los matrimonios duraderos: cuando una mujer en esa iglesia se divorcia, la iglesia la etiqueta como mujer divorciada y se vuelve ciega a su realidad, a sus dolores, a sus dones, a sus necesidades… Cuando llega a la iglesia gente con discapacidad física, los etiquetamos como discapacitados y nos cegamos al tesoro infinito que nos vienen a ofrecer[3].

En este capítulo, las razones de Santiago para rechazar el espíritu discriminatorio se presentan de manera clara e irresistible y nos retan a examinar nuestro corazón para ver si tal vez estamos albergando un prejuicio o un odio secreto.

LA DISCRIMINACIÓN SOCIAL ES INCOMPATIBLE CON LA FE CRISTIANA

Santiago se dirige a sus lectores como "mis hermanos" para recordarles así que el problema que va a discutir es un asunto de familia. Cada vez que usa ese término para identificar a los lectores se prepara a señalar algo que necesita cambiar en nuestra vida, y en este caso está a punto de desatar una denuncia mordaz contra toda forma de prejuicio, favoritismo, arrogancia y acepción de personas. Este tema resultaría familiar a muchos de sus lectores judíos porque conocían muy bien las advertencias contra la discriminación del Antiguo Testamento:

> No harás injusticia en el juicio. No favorecerás al pobre ni tratarás con deferencia al poderoso (Levítico 19:15).

> No hagan distinción de personas en el juicio; oirán tanto al pequeño como al grande (Deuteronomio 1:17).

> Porque el SEÑOR su Dios es Dios de dioses y Señor de señores. Es Dios grande, poderoso y temible, que no hace distinción de personas ni acepta soborno (Deuteronomio 10:17).

> No tuerzas el derecho; no hagas distinción de personas ni aceptes soborno, porque el soborno ciega

los ojos de los sabios y pervierte las palabras de los justos (Deuteronomio 16:19).

No es bueno hacer distinción de personas en el juicio (Proverbios 24:23).

No es bueno hacer distinción de personas, pues un hombre puede delinquir hasta por un bocado de pan (Proverbios 28:21).

La palabra "distinción" significa literalmente "recibir una cara" y describe el favoritismo injusto que se mostraba a los visitantes ricos a la asamblea mientras se prestaba poca atención a los más pobres. Según Santiago, esa conducta deshonraba al Señor, que nunca hace acepción de personas.

La distinción se menciona varias veces en el Nuevo Testamento y la mayoría de las veces se refiere a la falta de parcialidad en el trato de Dios con las personas:

Entonces Pedro, abriendo su boca, dijo: "De veras, me doy cuenta de que Dios no hace distinción de personas…" (Hechos 10:34).

Pues no hay distinción de personas delante de Dios (Romanos 2:11).

Y ustedes, amos, hagan con ellos lo mismo, dejando las amenazas porque ustedes saben que el mismo

Señor de ellos y de ustedes está en los cielos, y que no hay distinción de personas delante de él (Efesios 6:9).

Pero el que comete injusticia recibirá la injusticia que haga porque no hay distinción de personas (Colosenses 3:25).

Y si invocan como Padre a aquel que juzga según la obra de cada uno sin hacer distinción de personas, condúzcanse en temor todo el tiempo de su peregrinación (1 Pedro 1:17).

La referencia que hace Santiago al Señor Jesucristo como "nuestro glorioso Señor" establece un contraste muy dramático entre la gloria verdadera del Señor Jesucristo y la gloria falsa de las riquezas centelleantes que habían captado tanto la atención de los ujieres en la asamblea.

Es el Señor Jesucristo mismo quien nos mostró que estuvo dispuesto a dejar las comodidades del cielo para peregrinar por esta tierra. Se hizo humano y fue a la cruz, un hecho que debe desarmar a cualquiera que tenga pensamientos de prejuicio social en la iglesia (Filipenses 2:5-8). La cruz es una demostración visual de nuestra necesidad de amar a toda la gente:

Veamos así a la cruz: el poste vertical es más largo que el horizontal, porque se estira hacia arriba, hacia Dios;

el poste horizontal se estira hacia afuera al nivel de toda la humanidad. En la cruz alcanzamos cierta altura pero nos quedamos al nivel en que podamos ministrar a toda la humanidad. Cuando creemos en el Cristo de esta cruz, nuestra preocupación, nuestro amor y nuestro servicio deben estar dispuestos a alcanzar a toda la humanidad porque todos estamos al mismo nivel, sin pensar en nuestra condición de vida o en nuestra raza[4].

LA DISCRIMINACIÓN SOCIAL ES INSENSIBLE AL LLAMADO DE LA IGLESIA

La paráfrasis de J. B. Phillips del pasaje de Santiago 2:2-4 hace que este problema suene como si acabara de ocurrir el domingo pasado:

Supongamos que un hombre entra a su reunión bien vestido y con un anillo de oro en su dedo, y otro hombre, obviamente pobre, llega en ropas andrajosas. Si le prestan atención especial al hombre bien vestido y le dicen "Siéntese aquí, por favor, es un asiento excelente", pero le dicen al pobre "Tú párate allá, o si te vas a sentar, siéntate en el suelo", ¿no es prueba de que están haciendo distinciones de clase en su corazón y predisponiéndose para evaluar la calidad de un ser humano?

Entra un hombre a la asamblea local y vemos que es un extraño porque no sabe dónde sentarse. Podría ser cristiano o no porque en las iglesias del Nuevo Testamento era común que visitaran los inconversos (1 Corintios 14:23, 24). Como el hombre tiene un anillo de oro y lleva ropas finas resulta obvio que es rico, así que se le ofrece trato preferente y se le lleva a un asiento prominente en la asamblea. El pobre que entró detrás de él a la reunión es empujado a un lado del salón y tratado con desprecio.

La palabra "congregación" del versículo 2 es la palabra griega *synagogen*, el término que designa a la sinagoga judía. Esta es la única ocasión en todo el Nuevo Testamento que la palabra se usa para referirse a una reunión cristiana, lo cual es un indicio de la influencia judía sobre las primeras iglesias ya que en la sinagoga los escribas y fariseos ocupaban los lugares más importantes: "Aman los primeros asientos en los banquetes y las primeras sillas en las sinagogas" (Mateo 23:6; ver también Marcos 12:39; Lucas 11:43; 20:46).

La pregunta de Santiago a quienes muestran favoritismo es retórica y anticipa una respuesta afirmativa: "¿… no hacen distinción entre ustedes, y no vienen a ser jueces con malos criterios?". Si un juez en la corte juzgara de manera diferente según la ropa del acusado, ¿no estaría violando la justicia? ¡Por eso mismo está mal que un cristiano acepte o rechace a alguien dependiendo de su apariencia!

Un poco más delante en su carta, Santiago dirigirá unas fuertes palabras al hombre rico, pero en este punto está reprendiendo a la gente de la asamblea por la forma en que lo trataron cuando llegó. El asunto es mucho más profundo que solo el trato preferencial, pues se trata de un barómetro del corazón de la congregación: estaban más preocupados por el dinero y las posesiones que por las personas. En vez de sentirse arrebatados por la gloria del Señor, estaban cautivados por el esplendor del anillo de oro y las ropas finas; en vez de honrar a Jesucristo, estaban dando sus respetos al rico y despreciando al pobre; en vez de aceptar a la gente según su fe en Cristo, estaban mostrando favoritismo según la apariencia y el estatus.

Leí el caso de una mujer que vivía en un barrio marginal y quería unirse a la membresía de una iglesia elegante, así que habló con el pastor, quien le sugirió que volviera a casa y pensara el asunto durante una semana. Después de ese tiempo, la mujer regresó y el pastor le dijo: "No nos apresuremos. Vuelva a casa y lea su Biblia una hora diaria durante esta semana. Luego venga y dígame si siente que debe unirse a esta iglesia". Aunque ella no quedó contenta con eso, estuvo de acuerdo. La siguiente semana regresó, asegurándole al pastor que quería ser miembro de la iglesia. Exasperado, él dijo: "Tengo una sugerencia más. Póngase a orar todos los días de esta semana y pregúntele al Señor si quiere que usted sea parte de nuestra membresía". El pastor no volvió a ver a la mujer por seis meses. Luego la encontró un día en la calle y le preguntó qué había decidido. Ella dijo: "Hice lo que usted me pidió, fui a casa y me puse a orar. Un día mientras estaba orando el Señor me dijo: 'No te preocupes si no entras a esa iglesia. Yo también he estado intentando entrar ahí por veinte años'".

No sé cuán exacta sea esa historia, pero Tom Eisenman relata algo que ocurrió un domingo en la Iglesia Presbiteriana Bel Air:

> Cuando asistían ahí, el gobernador Ronald Reagan y
> su esposa casi siempre se sentaban en el mismo lugar:

cerca del pasillo central, por la mitad del santuario. En esta mañana en particular, el gobernador y su esposa iban tarde y, para cuando llegaron había dos estudiantes universitarios ocupando sus lugares. Un ujier vino y les pidió a los estudiantes que buscaran otros asientos más al costado y una vez que ellos se movieron los Reagan se sentaron en sus lugares. Cabe reconocer el mérito del pastor, que se levantó de su lugar en la plataforma, caminó hacia los estudiantes universitarios y les dijo: "Mientras yo sea pastor de esta iglesia, esto nunca más volverá a ocurrirles"[5].

LA DISCRIMINACIÓN SOCIAL IGNORA LA ELECCIÓN DE DIOS

Santiago subraya que al rechazar al pobre y favorecer al rico, los cristianos han deshonrado a la gente que Dios ha señalado para una bendición especial, pues los pobres son preciosos ante sus ojos. Las Sagradas Escrituras son claras al respecto (énfasis añadidos):

El Espíritu del SEÑOR Dios está sobre mí, porque me ha ungido el SEÑOR. Me ha enviado para *anunciar buenas nuevas a los pobres...* (Isaías 61:1).

Y respondiendo, les dijo: "Vayan y hagan saber a Juan lo que han visto y oído: Los ciegos ven, los cojos andan, los leprosos son hechos limpios, los sordos oyen, los muertos son resucitados y *a los pobres se les anuncia el evangelio*" (Lucas 7:22).

Y alzando él los ojos hacia sus discípulos, decía: "*Bienaventurados ustedes los pobres* porque de ustedes es el reino de Dios..." (Lucas 6:20).

Él libra al desolado de la boca de ellos, y al pobre de la mano del fuerte. Así habrá esperanza para el necesitado, y la perversidad cerrará su boca (Job 5:15, 16).

Porque el necesitado no será olvidado para siempre *ni la esperanza de los pobres perecerá eternamente* (Salmo 9:18).

Dice el SEÑOR: "Por *la opresión de los pobres*, por el gemido de los necesitados me levantaré ahora. Los pondré a salvo del que se ensaña contra ellos" (Salmo 12:5).

El que oprime al necesitado afrenta a su Hacedor, pero el que tiene misericordia del pobre lo honra (Proverbios 14:31).

El que da al pobre presta al SEÑOR, y él le dará su recompensa (Proverbios 19:17).

El que cierra su oído *al clamor del pobre* también clamará, y no se le responderá (Proverbios 21:13).

No robes al pobre, porque es pobre; ni oprimas al afligido en las puertas de la ciudad. Porque el SEÑOR defenderá la causa de ellos y despojará al alma de quienes los despojan (Proverbios 22:22, 23).

Mejor es el pobre que camina en su integridad que el de caminos torcidos aunque sea rico (Proverbios 28:6).

Ni Santiago ni los autores del Antiguo Testamento están diciendo que Dios salva solo a los pobres, tampoco que los pobres automáticamente deben ser considerados justos y los ricos injustos. Sin embargo están en sintonía con las palabras de Pablo cuando escribe a los creyentes corintios:

Pues consideren, hermanos, su llamamiento: No son muchos sabios según la carne, ni muchos poderosos, ni muchos nobles. Más bien, Dios ha elegido lo necio del mundo para avergonzar a los sabios, y lo débil del mundo Dios ha elegido para avergonzar a lo fuerte. Dios ha elegido lo vil del mundo y lo menospreciado; lo que no es, para deshacer lo que es, a fin de que nadie se jacte delante de Dios. Por él están ustedes en Cristo Jesús, a quien Dios hizo para nosotros sabiduría, justificación, santificación y redención; para que, como está escrito: El que se gloría, gloríese en el Señor (1 Corintios 1:26-31).

Dios no ama a los pobres más que a los ricos, pero han respondido al evangelio muchos más pobres que ricos y poderosos, algo que se reconocía tan ampliamente entre los judíos que "los pobres" era casi siempre otra forma de llamar a "los piadosos".

El evangelio siempre ha tenido un fuerte atractivo para quienes son pobres en bienes materiales... lo cual no debe forzarse para que signifique que todos los pobres serán salvos, ni significa tampoco que haya algo meritorio en la pobreza, pero sí afirma que los pobres no están en desventaja para aceptar la salvación provista por el Señor. Además, el evangelio demuestra vivamente que quienes son casi siempre rechazados por el ser humano, han sido elegidos por Dios[6].

LA DISCRIMINACIÓN SOCIAL ES INCONGRUENTE DADA LA CONDUCTA DE LOS RICOS

Santiago continúa su argumento recordando a sus lectores que ellos están mostrando un trato especial precisamente a la clase de personas que están abusando de ellos. Para aclarar su punto, les hace tres preguntas.

¿QUIÉN LOS ESTÁ OPRIMIENDO?

Santiago ruega a sus lectores que pongan atención al sufrimiento que están experimentando y que identifiquen la fuente principal del mismo. En 2:6, en esencia les está preguntando: "¿No son los causantes de su sufrimiento esa clase de gente que ustedes adulan en sus reuniones?". Según el Antiguo Testamento la opresión de los ricos a los pobres era una situación conocida en Israel:

> Oigan esto, los que pisotean a los necesitados y arruinan a los pobres de la tierra… (Amós 8:4).

> Codician los campos y los roban; codician las casas y las toman. Oprimen al hombre y a su casa, al hombre y a su heredad (Miqueas 2:2).

> No extorsionen a la viuda, al huérfano, al extranjero y al pobre; ni ninguno piense en su corazón el mal contra su hermano (Zacarías 7:10).

El escritor de Hebreos reconoce que este tipo de opresión también lo había experimentado mucha gente en tiempos del Nuevo Testamento por su fe en Cristo:

> Traigan a la memoria los días del pasado en los cuales, después de haber sido iluminados, soportaron gran conflicto y aflicciones. Por una parte, fueron hechos

espectáculo público con reproches y tribulaciones. Por otra parte, fueron hechos compañeros de los que han estado en tal situación. También se compadecieron de los presos y con gozo padecieron al ser despojados de sus bienes, sabiendo que ustedes mismos tienen una posesión superior y perdurable (10:32-34).

¿QUIÉN LOS ARRASTRA A LOS TRIBUNALES?

Los ricos no solamente oprimían a los creyentes, sino que también litigaban en su contra y trataban de robarles por medios legales. Los arrastraban a los tribunales para demandarlos. En el juicio de Esteban, que culminó con su martirio, se nos dice que sus acusadores "presentaron testigos falsos" contra él (Hechos 6:13). Jesús advirtió a sus discípulos que esperaran esta clase de trato por parte del mundo: "Guárdense de los hombres, porque los entregarán a los tribunales y en sus sinagogas los azotarán. Serán llevados aun ante gobernadores y reyes por mi causa, para dar testimonio a ellos y a los gentiles" (Mateo 10:17, 18).

Sin darse cuenta, estos creyentes que recibieron la carta de Santiago estaban complaciendo a la misma gente que les causaba tanto daño. Más adelante, Santiago reprenderá a los ricos por este tipo de maltrato hacia los pobres:

¡Vamos pues ahora, oh ricos! Lloren y aúllen por las miserias que vienen sobre ustedes. Sus riquezas se han podrido, y sus ropas están comidas de polilla. Su oro y plata están enmohecidos; su moho servirá de testimonio contra ustedes y devorará su carne como fuego. ¡Han amontonado tesoros en los últimos días! He aquí clama el jornal de los obreros que segaron sus campos, el que fraudulentamente ha sido retenido por ustedes. Y los clamores de los que segaron han llegado a los oídos del Señor de los Ejércitos. Han vivido en placeres sobre la tierra y han sido disolutos. Han engordado su corazón en el día de matanza. Han condenado y han dado muerte al justo. Él no les ofrece resistencia (5:1-6).

Probablemente los destinatarios originales de la carta de Santiago no eran ni ricos ni pobres, sino de clase media, de modo que eran culpables de oprimir a los pobres y, al mismo tiempo, estaban siendo oprimidos por los ricos. En otras palabras, experimentaban el mismo tipo de trato que dispensaban.

¿QUIÉN BLASFEMA EL BUEN NOMBRE INVOCADO SOBRE USTEDES?

Los ricos no solo oprimían a los cristianos y los arrastraban a los tribunales, sino que también despreciaban a Aquel a quien los cristianos amaban y servían. Al revisar estas tres preguntas de Santiago, el resumen de Homero Kent es muy útil:

Santiago no estaba denunciando la riqueza en sí ni tampoco estaba proponiendo una discriminación inversa en la que los pobres fueran favorecidos a

105

expensas de los ricos, más bien estaba argumentando en contra del favoritismo de cualquier tipo al mostrar lo ilógico y moralmente inapropiado del tipo particular de discriminación de sus lectores. Puede resultarnos útil comprender que Santiago tal vez usaba el término "ricos" en el mismo sentido que el Señor Jesús cuando se refería a "los que confían en las riquezas" (Marcos 10:24 RVR-1960), en lugar de simplemente aquellos que tienen dinero[7].

LA DISCRIMINACIÓN SOCIAL ES INDIFERENTE AL CARÁCTER DE LA LEY

En esta sección del argumento Santiago saca el problema de la discriminación social de la categoría de simple inadvertencia para ubicarlo plenamente en el círculo de la transgresión. Declara enfáticamente que el trato erróneo hacia el pobre es una violación de la ley de Dios, la cual identifica con las Escrituras, así que considera cualquier violación como pecado y transgresión (2:9). En otras palabras, quienes practican el prejuicio y la discriminación no son solo desconsiderados sino también transgresores de la ley y pecadores.

Santiago se refiere a la ley real y la define así: "Amarás a tu prójimo como a ti mismo" (v. 8). Esta ley del amor es la ley del reino de Dios, la ley que el Señor Jesucristo promovió durante todo su ministerio terrenal. En una ocasión un fariseo, que también era doctor de la ley, le presentó a Jesús una pregunta difícil para hacerlo caer: "Maestro, ¿cuál es el gran mandamiento de la ley?" (Mateo 22:36). Aquí está la respuesta de Jesús:

Jesús le dijo: "Amarás al Señor tu Dios con todo tu corazón y con toda tu alma y con toda tu mente. Este es el grande y el primer mandamiento. Y el segundo es semejante a él: Amarás a tu prójimo como a ti mismo. De estos dos mandamientos dependen toda la Ley y los Profetas (Mateo 22:37-40).

La definición que Santiago presenta de la ley real es una cita directa de las palabras de Cristo Jesús. Nuestro Señor tomó sus palabras de dos declaraciones sumarias de la ley que se encuentran en el Antiguo Testamento. La primera define nuestras responsabilidades verticales: "Escucha, Israel: el SEÑOR nuestro Dios, el SEÑOR uno es. Y amarás al SEÑOR tu Dios con todo tu corazón, con toda tu alma y con todas tus fuerzas" (Deuteronomio 6:4, 5).

Esta declaración cubre los cuatro primeros de los Diez Mandamientos. La persona que ama al Señor Dios con todo su corazón, toda su alma y todas sus fuerzas:

- No tendrá dioses ajenos delante del SEÑOR Dios (primer mandamiento).
- No se hará imágenes para adorarlas (segundo mandamiento).
- No tomará el nombre del SEÑOR en vano (tercer mandamiento).
- Guardará el día de reposo (cuarto mandamiento).

La segunda declaración define nuestras responsabilidades horizontales: "No te vengarás ni guardarás rencor a los hijos de tu pueblo. Más bien, amarás a tu prójimo como a ti mismo. Yo, el SEÑOR" (Levítico 19:18).

Esto se repite en el Nuevo Testamento con un fuerte énfasis:

Amarás al Señor tu Dios con todo tu corazón, con toda tu alma, con todas tus fuerzas y con toda tu mente; y a tu prójimo como a ti mismo (Lucas 10:27).

...porque toda la ley se ha resumido en un solo precepto: Amarás a tu prójimo como a ti mismo (Gálatas 5:14).

Esta declaración sumaria cubre los seis últimos de los Diez Mandamientos. La persona que ama a su prójimo como a sí misma:

- Honrará a su padre y a su madre (quinto mandamiento).
- No matará (sexto mandamiento).
- No cometerá adulterio (séptimo mandamiento).
- No robará (octavo mandamiento).
- No dará contra su prójimo falso testimonio (noveno mandamiento).
- No codiciará nada de su prójimo (décimo mandamiento).

En la parábola del buen samaritano Jesús explicó que un prójimo es cualquier ser humano en necesidad a quien tenemos oportunidad de ayudar. También elevó el estándar del amor al prójimo de un amar como a nosotros mismos a amar como él nos ha amado (ver Juan 15:12).

Esta es verdaderamente la ley real, la ley suprema de las relaciones humanas, dada por el Rey mismo, que incluye el resto de mandamientos sobre nuestras relaciones humanas.

La Biblia enseña que este mandamiento forma parte de la ley entera, y que esta se sostiene como un todo unificado del cual la discriminación, el asesinato y el adulterio son consideradas partes. Fallar en un mandamiento, dejar de tratar al prójimo como a uno mismo, es ser culpable de dar la espalda a la ley de Dios. Santiago no está diciendo que todos los pecados son iguales en magnitud y en resultados, pero sí está señalando que el incumplimiento de uno de los mandamientos pone al infractor en la misma categoría que los transgresores.

D. L. Moody comparó la ley de Dios con una cadena de diez eslabones suspendiendo a un hombre sobre el precipicio: si todos los eslabones se rompen, el hombre caerá y morirá; si se rompen cinco, el hombre caerá y morirá; y si solo uno de ellos se rompe, de igual manera el hombre caerá y morirá[8].

La unidad de la ley emana de la unidad del Legislador (Santiago 2:11). El mismo Dios promulgó tanto el séptimo mandamiento ("No cometerás adulterio", Éxodo 20:14), como el sexto ("No matarás", Éxodo 20:13), de modo que violar cualquiera de los dos es violar la ley del amor hacia el prójimo. Es ilógico pensar que alguien pueda obedecer uno de los mandamientos y violar cualquier otro con total impunidad... Puede que una persona nunca haya matado a nadie ni haya sido infiel en su matrimonio, pero el albergar resentimientos contra un hermano o hermana como quiera la hace transgresora. El prejuicio contra el pobre nos hace culpables[9].

La verdad más grande que Santiago enseña es que una persona puede aparentar ser muy buena en todos los aspectos y aun así echar todo a perder frente a Dios por una falta, incluso una considerada respetable o por la cual muchas veces se le alaba. Alguien puede aparentar ser moral en su acción, puro en su hablar y fiel en su adoración; pero quizá sea orgulloso y juzgue a los demás o puede que sea inflexible y sin sentimientos; cuando las cosas son así, su supuesta bondad se echa a perder por esas faltas subyacentes[10].

LA DISCRIMINACIÓN SOCIAL IGNORA EL JUICIO FUTURO

Santiago 2:12 está diciendo en otras palabras: "Continúen hablando y actuando como quienes serán juzgados por la perfecta ley de la libertad". Santiago enfoca de nuevo nuestra atención en su tema central, la integridad: lo que decimos debe ir acompañado de acciones coherentes (1:26, 27).

Se nos recuerda que enfrentaremos un juicio en tres áreas de nuestra vida.

¡Nuestras *palabras* serán juzgadas! El corazón de los ujieres se manifestó en las palabras de preferencia por los ricos y el desprecio por los pobres.

¡Nuestras *acciones* serán juzgadas! También debemos conducirnos como quienes algún día serán juzgados por la perfecta ley de la libertad.

¡Nuestras *actitudes* serán juzgadas! Hayamos mostrado o no misericordia, algún día se conocerá la verdad de nuestras palabras, acciones y actitudes. El escritor de Hebreos nos recuerda que todas las criaturas "están desnudas y expuestas ante los ojos de aquel a quien tenemos que dar cuenta" (4:13).

La medida del juicio se identifica como la "ley de la libertad", o "la ley que nos hace libres", un término que Santiago ya había usado antes como sinónimo de la Palabra de Dios (1:25). A primera vista parece una contradicción: ¿Cómo puede llamarse "ley de la libertad"? ¿No se supone que la ley restringe la libertad? Para quien cree sinceramente, no.

> El hijo de Dios florece en la libertad de la ley del amor, por tanto el cristiano no vive en el miedo a la ley sino en el gozo de los preceptos de Dios. Mientras permanezca dentro de los límites de su ley disfruta de completa libertad, pero en el momento en que cruza uno de esos límites se convierte en esclavo del pecado y la pierde[11].

Santiago termina su sermón sobre la discriminación con una nota triunfante en el versículo 13: "Porque habrá juicio sin misericordia contra aquel que no hace misericordia. ¡La misericordia se gloría triunfante sobre el juicio!". Jesús también enseñó esta verdad:

Bienaventurados los misericordiosos, porque ellos recibirán misericordia (Mateo 5:7).

Porque si perdonan a los hombres sus ofensas, su Padre celestial también les perdonará a ustedes. Pero si no perdonan a los hombres, tampoco su Padre les perdonará sus ofensas (Mateo 6:14, 15).

No juzguen, para que no sean juzgados. Porque con el juicio con que juzguen serán juzgados, y con la medida con que midan se les medirá (Mateo 7:1, 2).

Obviamente, Santiago no está diciendo que Dios va a rechazar a los creyentes en el juicio final: cuando los cristianos estén frente a él ante el tribunal de Cristo su salvación no estará en juego, aunque de todas formas rendirán cuentas de las obras hechas en la carne, hayan sido buenas o malas (2 Corintios 5:10).

¡Esto no es salvación por obras! Simplemente está en la misma línea de todo el argumento de este libro. El punto que Santiago enfatiza casi en cada página es que demostramos la realidad de nuestra fe por medio de nuestra manera de vivir: quienes hemos sido cambiados de veras por la gracia de Dios hemos tenido cambios dramáticos en nuestras actitudes hacia los demás; ya no vemos a la gente según las distinciones de clase porque el milagro del nuevo nacimiento ha cambiado radicalmente nuestra perspectiva.

Comenzamos este capítulo en un autobús lleno en Los Ángeles y lo terminaremos en un vagón del metro de Nueva York. En su libro *Los siete hábitos de la gente altamente efectiva*, Stephen Covey nos habla de una experiencia que tuvo y que le provocó un "cambio de paradigma" significativo, un ajuste dramático de sus actitudes.

> Recuerdo… un domingo por la mañana en el metro de Nueva York. La gente estaba tranquilamente sentada, leyendo el periódico, perdida en sus pensamientos o descansando con los ojos cerrados. La escena era tranquila y pacífica.
>
> Entonces, de pronto, entraron en el vagón un hombre y sus hijos. Los niños eran tan alborotadores e ingobernables que de inmediato se modificó todo el clima.
>
> El hombre se sentó junto a mí y cerró los ojos, en apariencia ignorando y abstrayéndose de la situación. Los niños vociferaban de aquí para allá, arrojando objetos, incluso arrebatando los periódicos de la gente. Era muy molesto. Pero el hombre sentado junto a mí no hacía nada.
>
> Resultaba difícil no sentirse irritado. Yo no podía creer que fuera tan insensible como para permitir que los chicos corrieran salvajemente, sin impedirlo

ni asumir ninguna responsabilidad. Se veía que las otras personas que estaban allí se sentían igualmente irritadas. De modo que, finalmente, con lo que me parecía una paciencia y contención inusuales, me volví hacia él y le dije: "Señor, sus hijos están molestando a muchas personas. ¿No puede controlarlos un poco más?".

El hombre alzó los ojos como si solo entonces hubiera tomado conciencia de la situación, y dijo con suavidad: "Oh, tiene razón. Supongo que yo tendría que hacer algo. Volvemos del hospital donde su madre ha muerto hace más o menos una hora. No sé qué pensar, y supongo que tampoco ellos saben cómo reaccionar" [12].

¡Nos avergonzamos junto con Stephen Covey y también por todas esas veces en que hemos juzgado insensiblemente a los demás!

QUÉ HACER CUANDO LA FE NO FUNCIONA

(SANTIAGO 2:14-26)

Porque tal como el cuerpo sin el espíritu está muerto,
así también la fe sin obras está muerta.

James Patterson y Peter Kim hicieron una encuesta monumental en la que se basó el libro *The Day America Told the Truth* (El día que Estados Unidos dijo la verdad), que presenta la opinión de los estadounidenses sobre muchos temas, entre ellos la relevancia de sus creencias religiosas. En el capítulo titulado "¿Quién cree de verdad en Dios hoy en día?" encontramos esto:

> ¿Qué está pasando en las congregaciones, parroquias y sinagogas de Estados Unidos? Hay buenas y malas noticias.
>
> Dios está vivo y activo, pero hoy en día en nuestro país cada vez menos gente está escuchando lo que Dios tiene que decir.

90 % de los encuestados dijeron que realmente creen en Dios, así que sería lógico pensar que él es un factor importante en Estados Unidos hoy en día. Sin embargo, cuando profundizamos en nuestras preguntas llegamos a una conclusión diferente.

En todas las regiones del país, cuando preguntamos a las personas cómo toman sus decisiones sobre lo que está bien o mal, encontramos que simplemente no tienen en cuenta a Dios ni a la religión para ayudarles a decidir sobre asuntos morales o fundamentales de actualidad.

Para la mayoría de la gente la religión no tiene un papel relevante en sus opiniones sobre una larga lista de cuestiones públicas importantes, incluso para asuntos que podrían estar relacionados con la religión (por ejemplo el control de la natalidad, el aborto, la enseñanza del creacionismo y el papel de la mujer en el liderazgo religioso).

La mayoría nunca buscó la dirección de la religión para responder a ninguna de estas cuestiones y ni siquiera conocen la posición de su iglesia en cuanto a los temas importantes…

Solo 1 de cada 5 personas consulta a un ministro, sacerdote o rabino para cuestiones personales.

La mitad de los encuestados no ha asistido a un servicio religioso al menos en tres meses y 1 de cada 3 no lo ha hecho en más de un año.

Más de la mitad (58 %) asistía a servicios religiosos regularmente cuando eran niños, pero menos de la mitad de ellos (27 %) lo siguen haciendo hoy.

Solo 1 de cada 10 cree en todos los Diez Mandamientos. 40 % cree en cinco o menos Mandamientos[1].

Charles Colson observa el impacto de esta fe superficial en nuestras iglesias hoy en día:

La gente revolotea buscando lo que se acomode a su gusto del momento. Es lo que algunos han llamado la mentalidad "McIglesia": hoy puede ser una Big Mac de McDonald's, mañana será la ensalada de Wendy's o tal vez un maravilloso emparedado de pollo en Chick-fil-A... Los consumistas espirituales no están interesados en lo que la iglesia representa sino en la satisfacción que les pueda brindar... El resultado es una era de espiritualidad a gusto del consumidor, como si de un buffet se tratara[2].

Aparentemente en el tiempo de Santiago también había quienes hablaban el idioma del cristianismo pero no reflejaban la realidad de su verdad en la vida. Esta sección de su carta enfrenta ese problema, y no es la primera vez que ha tocado el tema:

Toda su epístola consiste en las pruebas de la verdadera fe, todas las cuales son los frutos prácticos de la justicia en la vida del creyente: perseverancia en las pruebas (1:1-12), obediencia a la Palabra (vv. 13-25), religión pura e incontaminada (vv. 26, 27), imparcialidad (2:1-13); obras justas (vv. 14-26), control de la lengua (3:1-12), la sabiduría verdadera (vv. 13-18), odio al orgullo y a la mundanalidad (4:1-6), humildad y sumisión a Dios (vv. 7-17), y comportamiento justo en la congregación de creyentes (5:1-20)[3].

En los trece versículos de esta sección, la fe y las obras se mencionan juntas en diez ocasiones. Santiago está a punto de decir con toda claridad la principal idea de su carta: toda su epístola puede resumirse en las palabras "La fe sin obras está muerta". La fe que no se demuestra con una vida de integridad no es fe bíblica en absoluto, pues para Santiago las obras no son un "extra añadido a la fe, sino una expresión esencial de la misma"[4].

La lección es clara: si decimos tener fe, entonces debe haber alguna evidencia en nuestra vida que sustente esa declaración. El escritor nos pide que revisemos algunos de los tipos de fe que son falsos a fin de poder discernir mejor cuál es la verdadera: ¡la fe con integridad!

LA VERDADERA FE ES MÁS QUE UNA CONFIRMACIÓN DE PALABRA

Este es uno de los pasajes más polémicos del Nuevo Testamento y si no se comprende con cuidado puede llevar a errores doctrinales serios. En el versículo 14 y de nuevo en el 16, Santiago se refiere a lo que la gente "dice" acerca de su propia fe y rechaza la fe falsa que solo habla, señalando varias razones que explican la falla de esta clase de confirmación de palabra.

LA FE DE PALABRA NO SALVA

Aquí Santiago utiliza dos preguntas retóricas para dejar claro su punto: "Hermanos míos, si alguno dice que tiene fe y no tiene obras, ¿de qué sirve? ¿Puede acaso su fe salvarle?". En ambos casos la respuesta esperada es negativa. A. T. Robertson explica: "La pregunta de Santiago 2:14, iniciada por la partícula griega *me*, gramaticalmente presupone una respuesta negativa: '¿Acaso esa fue puede salvarle? ¡Claro que no!'"[5].

En otras palabras, una fe que no demuestra su autenticidad por medio de buenas obras no es verdadera. Un poco más adelante dice: "Porque tal como el cuerpo sin el espíritu está muerto, así también la fe sin obras está muerta" (2:26). Sobre este asunto, John MacArthur concluye con exactitud:

No toda fe es redentora. Santiago 2:14-26 dice que la fe sin obras es muerta y no puede salvar y describe la fe espuria como pura hipocresía (v. 16), un simple acuerdo cognitivo (v. 19), carente de cualquier obra que la justifique (vv. 17, 18) o de diferencia alguna a la creencia de los demonios (v. 19). Obviamente, la fe que salva consiste en algo más que la mera aceptación de una serie de hechos[6].

Santiago simplemente está diciendo que si alguien realmente ha nacido de nuevo, la vida de esa persona va a cambiar. "Santiago estaba enfrentando el conflicto permanente que hay entre la simple aceptación de un credo y la fe vital que se muestra en acción"[7].

Lo que Santiago y todos los que estén cerca de Cristo simplemente no pueden aceptar es la idea de que se puede hacer una gran profesión con palabras pero sin producir una acción constructiva. El mundo de hoy tampoco puede aceptar esa hipocresía[8].

Parte de la confusión sobre la segunda pregunta en el versículo 14 es producto de la traducción que se hizo del Nuevo Testamento, pues al trabajar en ese versículo, los eruditos decidieron ignorar el determinante griego delante de la palabra *fe*. En otras palabras, la pregunta no es "¿Puede la fe salvarle?" sino "¿Puede *esa* fe salvarle?". Santiago no está contradiciendo a Pablo ni creando una nueva manera de hallar justificación ante Dios. Esta es su pregunta:

"Si un hombre dice que tiene fe y esta no se demuestra por medio de sus obras, ¿puede salvarle ese tipo de fe?" La respuesta esperada: "No". No está hablando de la fe en general, sino de "la fe" que dice que tiene la persona del ejemplo[9].

Alexander Maclaren hace una observación muy válida cuando escribe: "La gente que menos vive sus creencias es... la gente que habla más alto sobre sí misma. La parálisis que afecta a sus brazos no interfiere con su lengua"[10].

LA FE DE PALABRA NO SIRVE

Como la fe de palabra no tiene el poder de salvar tampoco es capaz de servir. Santiago utiliza de nuevo un ejemplo provocador para reforzar su punto al relatar una pequeña parábola que para muchos representa algo que ocurría comúnmente en la iglesia primitiva. Santiago pide a sus lectores que imaginen una situación en la que encuentran a un hermano o hermana cristiano sin suficiente comida ni ropas adecuadas y esta persona llega a la casa de un creyente pidiendo ayuda.

Si en lugar de ayudar al hermano necesitado ese creyente le dice "Ve en paz, caliéntate y sáciate" pero no le da lo que necesita, ese que profesa ser cristiano ha puesto en duda la integridad de su fe. Esto es lo que dice el apóstol Juan en su primera epístola: "Pero el que tiene bienes de este mundo y ve que su hermano padece necesidad y le cierra su corazón, ¿cómo morará el amor de Dios en él? Hijitos, no amemos de palabra ni de lengua, sino de hecho y de verdad" (1 Juan 3:17, 18).

De modo que si la fe no se expresa en el estilo de vida, entonces, según Santiago, tal vez no sea una fe genuina. La siguiente sátira, que grabó la lección de Santiago en mi corazón, tal vez tenga el mismo impacto en ti:

Tuve hambre, y formaste un club humanitario para discutir mi problema.

Estuve en la prisión, y te retiraste silenciosamente a tu linda capilla en el sótano para orar por mi liberación.

Estuve desnudo, y en tu mente dudaste de la moralidad de mi apariencia.

Estuve enfermo, y tú te arrodillaste para agradecerle a Dios por tu salud.

Estuve desamparado, y me predicaste sobre el refugio espiritual del amor de Dios.

Estuve solo, y me dejaste para irte a orar por mí.

Parecías tan santo, tan cercano a Dios, pero todavía estoy hambriento, solo, enfermo y con frío[11].

Bonhoeffer también expresó algo similar:

El hambriento necesita pan, el indigente, habitación, el privado de derechos derecho el aislado, sociedad, el indisciplinado, orden, el esclavo, libertad. Sería una blasfemia contra Dios y el prójimo dejar hambrientos a los que sufren hambre, porque precisamente la necesidad del prójimo toca muy de cerca a Dios. Por el amor de Cristo, que pertenece tanto al hambriento como a mí, partimos el pan con él (cf. Isa. 58, 7), compartimos la habitación. Si el hambriento no llega a la fe, la culpa recae sobre los que le negaron el pan. Proporcionar pan al hambriento es preparar el camino para la venida de la gracia[12].

LA FE DE PALABRA NO SOBREVIVE

En el versículo 17 Santiago hace una declaración muy fuerte para resumir el tema, cuando afirma que la fe que no está acompañada de obras está muerta. En otras palabras, nunca estuvo viva, y la falta de fruto en la vida es evidencia de una fe solamente "de profesión". James Adamson dice: "Aunque tiene forma, a esta fe le falta fuerza. Externamente no es operativa porque internamente está muerta"[13]. Santiago 2:18 dice que tenemos el derecho de ver la evidencia de que una fe es genuina. Jesús dijo lo mismo:

> Por sus frutos los conocerán. ¿Acaso se recogen uvas de los espinos o higos de los abrojos? Así también, todo árbol sano da buenos frutos, pero el árbol podrido da malos frutos. El árbol sano no puede dar malos frutos, ni tampoco puede el árbol podrido dar buenos frutos. Todo árbol que no lleva buen fruto es cortado y echado en el fuego. Así que, por sus frutos los conocerán. "No todo el que me dice 'Señor, Señor' entrará en el reino de los cielos, sino el que hace la voluntad de mi Padre que está en los cielos (Mateo 7:16-21).

Incluso Martín Lutero, a quien a veces se le menciona como enemigo de las enseñanzas de Santiago, escribió lo siguiente:

> Oh, la fe es algo vivo, activo y poderoso… No cuestiona si las buenas obras tienen que llevarse a cabo,

sino que antes que se pueda formular la pregunta ya las ha realizado y siempre está haciéndolas. Quien no hace buenas obras es un hombre sin fe… Sí, es imposible separar las obras y la fe, tan imposible como separar al fuego de la combustión y el brillo[14].

Antes de cambiar de rumbo, Santiago propone otra situación hipotética cuando imagina a alguien que razona así sobre este tema: "Sé que a ti te gustan las buenas obras, pero a mí me gusta más la fe. Los dos tenemos razón… solo enfatizamos cosas diferentes en nuestra vida espiritual". Aunque se trata de una paráfrasis muy libre, esta es una buena representación de lo que esta persona está diciendo.

R. V. G. Tasker dice que este desconocido está sugiriendo que "un cristiano puede decir que tiene el don de la fe y otro el don de hacer buenas obras… que los dos aspectos pueden existir y que cada posición es legítima"[15].

Santiago explota en su reacción ante esa lógica: "¡Muéstrame tu fe sin obras, y yo te mostraré mi fe por mis obras!". Se podría decir también así: "Tú tienes fe y yo tengo obras. Yo puedo demostrar mi fe por mis obras, pero te reto a exhibir tu fe sin obras"[16].

En efecto, Santiago está diciendo: "Dices que tienes 'fe' y yo digo que tengo 'obras', acciones, conducta. Yo puedo probar la existencia y la calidad de mi 'fe' por mis obras (acciones y conducta) pero te desafío a comprobarle al mundo entero la existencia y/o la calidad de tu fe. Porque yo no creo que se pueda tener fe genuina sin obras, acciones y conducta"[17].

Santiago no está hablando contra la importancia de la fe en la experiencia cristiana, sino que está atacando la validez de una "fe profesada" que no produce resultados visibles en la conducta.

LA VERDADERA FE ES MÁS QUE UN ASENTIMIENTO MENTAL

El segundo punto de Santiago acerca de la fe es que la verdadera fe es algo más que una simple aceptación mental de un sistema de hechos, y usa a los demonios como su ejemplo: "Tú crees Dios es uno. Bien haces. También los demonios creen y tiemblan".

Según Santiago, no hay ateos entre los demonios, que tiemblan, se espantan y se estremecen cuando piensan en el Dios verdadero. Durante su ministerio Jesús encontró gente poseída por demonios (sus discípulos también) y estos siempre reconocieron su divinidad y le hablaron con el debido respeto (Mateo 8:29; Marcos 1:24; 5:7; Lucas 8:28; Hechos 16:17). ¡Fueron sinceros pero eso no era suficiente!

En la historia del endemoniado gadareno (Marcos 5:1-10; Lucas 8:26-33), tenemos un ejemplo claro de esa fe por parte de los demonios. Esos espíritus sobrenaturales y maliciosos, que pretendían tomar posesión de las personas para atormentarlas, confesaban la existencia y la omnipotencia de Dios, además de reconocer que él es su enemigo total y constante. Sin embargo la "fe" de ellos no transforma su carácter y su conducta, ni cambia el panorama de su futuro, por eso dejan clara esta triste verdad: "La creencia quizá sea ortodoxa, pero el carácter es malo"[18].

William Barclay nos recuerda lo siguiente:

Existe una creencia que es puramente intelectual: por ejemplo, creo que el cuadrado de la hipotenusa de un triángulo rectángulo es igual a la suma de los cuadrados de los catetos. Si tuviera que comprobarlo, lo podría hacer, pero no tiene nada que ver con mi vida, con mi manera de vivir. Lo acepto, pero no tiene ningún efecto en mí…

Pero existe otro tipo de creencia: creo que cinco y cinco suman diez y, por lo tanto, me niego en redondo a pagar más de diez pesos por dos barras de chocolate de cinco pesos cada una, porque no solo llevo esa información en mi mente sino también en mi vida y acciones. Lo que Santiago está atacando es el primer tipo de creencia: la aceptación de un hecho sin permitir que el mismo tenga influencia alguna sobre la vida[19].

Nadie mejor que John Wesley para ilustrar la inutilidad de la fe del asentimiento mental:

Antes de ser creyente, John Wesley fue un clérigo y misionero que trabajó con todo lo que tenía: memorizó casi todo el Nuevo Testamento en griego; tenía una vida devocional disciplinada; como misionero a los indígenas americanos, dormía en el piso para incrementar sus méritos con la esperanza de ser aceptado por Dios… Pero luego llegó ese célebre día en que confió solo en Cristo para su salvación. Fue entonces que comenzó una vida llena de buenas obras… Predicó en la capilla de Oxford, en las iglesias, en las minas, en las calles, a caballo, incluso sobre la tumba de su padre. John Wesley predicó 42.000 sermones, recorrió un promedio de 7.200 kilómetros por año, viajaba de 95 a 110 kilómetros diarios y predicaba tres sermones por día en promedio. A los 83 años de edad escribió en su diario: "Me asombro de mí mismo. Nunca estoy cansado, ni de predicar, ni de escribir ni de viajar"[20].

LA FE VERDADERA ES MÁS QUE UNA ACTITUD POSITIVA

Santiago sigue demostrando que la fe sin acción es inútil. Hoy en día hay muchos que la han definido como "una actitud mental positiva", pero la fe es más que una actitud: es una acción. Según Santiago, la fe se perfecciona por medio de las obras, lo cual no contradice la doctrina paulina de justificación por fe. Manford George Gutzke integra los conceptos de fe y obras cuando escribe:

La fe tiene sentido solo cuando promueve la acción, pues sin ella es inútil. Este es el principio básico de todo en todas partes, y es verdad en todos los casos: es verdad en el mundo de las granjas, en el mundo de los seguros para vivienda y en el mundo de los negocios. Si decimos que tenemos fe en algo y no hacemos nada al respecto, nuestra fe no vale nada. La fe sin acción es inútil[21].

A continuación, Santiago menciona a dos personajes del Antiguo Testamento: el patriarca Abraham y la prostituta Rajab.

EL PATRIARCA ABRAHAM

¿No fue justificado por las obras nuestro padre Abraham, cuando ofreció a su hijo Isaac sobre el altar? Puedes ver que la fe actuaba juntamente con sus obras y que la fe fue completada por las obras. Y se cumplió la Escritura que dice: *Y creyó Abraham a Dios, y le fue contado por justicia*; y fue llamado amigo de Dios. Pueden ver, pues, que el hombre es justificado por las obras y no solamente por la fe (Santiago 2:21-24).

Abraham era el ejemplo más poderoso que podría haber elegido Santiago. El padre Abraham era respetado como un hombre de fe que había disfrutado una relación estrecha con Dios y nada podría considerarse verdad legítima si contradecía su experiencia. En Génesis

15 vemos la promesa de Dios al patriarca en cuanto al futuro y a su hijo, cuando al mostrarle las estrellas del cielo le dijo que su simiente sería así de numerosa. Y Génesis 15:6, citado por Santiago, dice: "Él creyó al SEÑOR, y le fue contado por justicia". ¡Ese es el primer uso de la palabra *creer* en la Biblia!

La historia de Abraham demuestra que somos justificados solo por fe, pero esta nunca está sola porque siempre va acompañada de buenas obras. Cuando Dios le dijo que llevara al monte Moriah a Isaac, el hijo de la promesa, y que lo preparara como sacrificio sobre el altar, ¡Abraham hizo lo que él le había mandado! ¿Cómo lo hizo? ¿Y por qué fue honrado por Dios al hacerlo?

Abraham había mostrado confianza en Dios en su vida al viajar a la tierra prometida, al esperar durante décadas la llegada de su hijo prometido, Isaac, y finalmente al demostrar su obediencia por estar dispuesto a sacrificarlo. Esta prueba suprema no consistía tanto en viajar o en esperar, sino en prepararse para sacrificar a Isaac. Matar a su propio hijo significaba que la promesa terminaría, pero como dice el autor de Hebreos: "Él consideraba que Dios era poderoso para levantar aun de entre los muertos. De allí que, hablando figuradamente, lo volvió a recibir" (Hebreos 11:19)[22].

Abraham tuvo que arribar a ciertas conclusiones, y es en ellas que se encuentra la naturaleza de su fe. En el pasaje de Génesis, se nos dice que creía que regresaría con Isaac de la montaña: "Al tercer día Abraham alzó sus ojos y divisó el lugar de lejos. Entonces Abraham dijo a sus siervos: 'Esperen aquí con el asno. Yo y el muchacho iremos hasta allá, adoraremos y volveremos a ustedes'" (Génesis 22:4, 5).

Si Abraham hubiese dicho "Yo creo a Dios" pero no hubiera obedecido su mandato, habría tenido una fe de asentimiento mental pero no una fe verdadera; la diferencia estuvo en su viaje a la montaña y su intención evidente de realizar el sacrificio. Somos justificados por la sola fe, pero no por la fe que está sola.

La declaración de Santiago sobre las obras a menudo se ha utilizado para ejemplificar las diferencias entre Santiago y Pablo: aquí Santiago dice claramente que Abraham fue justificado por las obras y luego cita Génesis para probar su punto; Pablo también se refiere a Génesis y lo usa para concluir que Abraham no fue justificado por obras.

> ¿Qué diremos, pues, que ha encontrado Abraham, nuestro progenitor según la carne? Porque si Abraham fue justificado por las obras tiene de qué gloriarse, pero no delante de Dios. Pues ¿qué dice la Escritura? *Y creyó Abraham a Dios, y le fue contado por justicia.* Al que obra, no se le considera el salario como gracia sino como obligación. Pero al que no obra sino que cree en aquel que justifica al impío, se considera su fe como justicia (Romanos 4:1-5).

De la misma manera, Abraham *creyó a Dios, y le fue contado por justicia.* Por lo tanto, sepan que los que se basan en la fe son hijos de Abraham (Gálatas 3:6, 7).

Aunque pareciera una contradicción, no lo es cuando entendemos lo que están diciendo ambos autores:

Pablo y Santiago están citando incidentes diferentes en la vida de Abraham para ilustrar el punto que cada uno está enfatizando. Pablo se refiere a la confianza absoluta de Abraham en la promesa de Dios, aunque pareciera totalmente improbable (Romanos 4:1-12); la fe de Abraham fue tomada en cuenta como justicia (Génesis 15:6), y esto produjo una relación correcta con Dios. Santiago (2:21) se está refiriendo a la ocasión en que Abraham estaba preparado para sacrificar a Isaac, el hijo milagroso de la promesa, en el monte Moriah (Génesis 22). En el ejemplo de Pablo a Abraham se le contó por justicia su rectitud y su salvación (Génesis 15:6), lo cual produjo una relación correcta con Dios. En el ejemplo usado por Santiago Abraham demostró la naturaleza transformadora de su experiencia anterior al prepararse para ofrecer a su hijo en obediencia a Dios. En otras palabras, Pablo mira el asunto desde la perspectiva celestial o divina, y asegura que somos justificados en sentido legal o posicional, y que la fe es la base de esa justificación; pero Santiago mira la situación desde la perspectiva terrenal o humana, y asegura que las obras son la evidencia ante todo el mundo de que la salvación ha ocurrido sin lugar a dudas. Una fe que salva producirá buenas obras. Efesios 2:8-10 revela claramente el acuerdo que existe entre Pablo y Santiago: no somos salvos por fe más obras, sino por una fe que realiza obras[23].

Debido a este pasaje, Martín Lutero rechazó toda la epístola de Santiago y la llamó una "epístola de paja", sin carácter evangélico[24], pero hoy en día son muy pocos los que ven algún conflicto entre las enseñanzas de Pablo y las de Santiago: "No son antagonistas enfrentándose con espadas; están hombro a hombro, confrontando diferentes enemigos del evangelio"[25]. Pablo atacaba la creencia de que las obras eran necesarias para la salvación y Santiago una fe verbal que no producía cambios en la vida, pero ambos concuerdan en que las obras son la prueba de la salvación y no el camino hacia la salvación.

No hay dudas… como algunos quisieran imaginarse al enfrentar las "obras" contra la fe como base de la justificación. Nadie puede, por medio de un emprendimiento general o una buena obra específica… ganarse la salvación. La acción nunca será un rival de la fe. No podemos ganar la bendición de Dios presentándole la obra de nuestras manos, como quería Caín. La fe sola es el requisito de Dios, la única condición para justificar al impío, y esa fe siempre va de la mano con la obediencia... siempre está dando fruto. Una relación con él siempre transforma la vida... Los hombres y las mujeres de Dios manifestarán esa realidad con hechos piadosos. La fe siempre encuentra su expresión en obras, pero obras de fe, no simplemente en hacer el bien. En cada caso, Dios revelará al creyente cuáles deben ser esas obras en su vida[26].

LA PROSTITUTA RAJAB

El segundo ejemplo de fe es Rajab. No podría haber un mayor contraste entre dos personas que el existente entre Abraham y ella:

Abraham es hebreo, llamado por Dios para convertirse en el padre de los creyentes. Rajab es gentil, habitante de la antigua Jericó, destinada a destrucción por mano del ejército israelita. Como hombre Abraham es el representante del pueblo del pacto con Dios (Génesis 15:17), pero Rajab es una mujer únicamente conocida como prostituta... Abraham... dio pruebas de su obediencia a Dios durante al menos tres décadas... Rajab solo conocía al Dios de Israel de oídas pero mostró su fe al identificarse a sí misma con su pueblo[27].

Juan Calvino enseñaba que Santiago había puesto juntas a "dos personas tan diferentes en su carácter para mostrar con más claridad que nadie, sin importar su condición, nación, o clase en la sociedad, ha logrado ser justificado sin buenas obras"[28].

Santiago regresa a una pregunta retórica al investigar sobre Rajab, pero en este caso implica una respuesta positiva: "De igual manera, ¿no fue justificada también la prostituta Rajab por las obras cuando recibió a los mensajeros y los envió por otro camino?" (2:25).

Lo que Santiago no menciona en su declaración es el contenido de la fe de Rajab, aunque ella había creído de verdad en Dios:

Sé que el SEÑOR les ha dado esta tierra, porque el miedo a ustedes ha caído sobre nosotros. Todos los habitantes de esta tierra se han desmoralizado a causa de ustedes. Porque hemos oído que el SEÑOR hizo que las aguas del mar Rojo se secaran delante de ustedes cuando salieron de Egipto, y lo que han hecho a los dos reyes de los amorreos al otro lado del Jordán: a Sejón y a Og, a los cuales han destruido por completo. Al oír esto, nuestro corazón desfalleció. No ha quedado más aliento en ninguno a causa de ustedes, porque el SEÑOR su Dios es Dios arriba en los cielos y abajo en la tierra (Josué 2:9-11).

Por su fe Rajab entró en acción, escondió a los espías y les aconsejó a dónde huir, arriesgando su vida por ellos. Por su fe activa fue librada de la muerte cuando cayeron las murallas de Jericó: "Por la fe no pereció la prostituta Rajab junto con los incrédulos, porque recibió en paz a los espías" (Hebreos 11:31).

Las obras de Rajab fueron muy diferentes a las de Abraham, pero tuvieron el mismo efecto: probaron que tenía una fe viva y activa, que era una mujer de integridad espiritual.

La declaración con la que cierra Santiago es una ilustración más de la interrelación entre la fe y las obras: "Porque tal como el cuerpo sin el espíritu está muerto, así también la fe sin obras está muerta" (2:26).

El cuerpo humano es un ejemplo perfecto para la conclusión de Santiago, pues así como el cuerpo sin espíritu está muerto, la fe que no se demuestra con obras también está muerta: "Una fe inactiva, sepultada en un credo aprobado intelectualmente, no tiene más valor que un cadáver. Una fe salvadora es una fe activa"[29].

Frank Gaebelein nos habla de la importancia de esta prueba de fe para esta generación de creyentes y la describe como "un correctivo muy necesario para el tipo de religión irreal y de palabra que exige lealtad a la doctrina pero produce formas de vida de nivel muy bajo y egoísta"[30].

Gaebelein escribió esta advertencia antes que se conocieran los resultados de una encuesta entre las principales denominaciones, gracias a la cual se supo que solo el 32 % creía que su fe tenía algo que ver con su vida fuera de la iglesia[31].

Muchos han pensado que Santiago 2:14-16 es el pasaje más difícil de interpretar del Nuevo Testamento, una idea que no discuto aunque no puedo evitar preguntarme si la dificultad estriba en una dirección diferente. Al considerar estas palabras del medio hermano de nuestro Señor, he encontrado que para mí la dificultad está en aquello que entiendo claramente. ¡La vida cristiana debe tener integridad! Como seguidores de Jesucristo, debemos estar separados del estilo de vida de nuestro mundo contemporáneo. Por encima de todo, si comprendemos la ilustración clave de Santiago, debemos ser hombres y mujeres de compasión y no rechazar a nuestros hermanos y hermanas cuando vienen a nuestra puerta y necesitan algo que nosotros podemos suplir.

Nuestro mensaje al mundo debe ser más que palabras. Como dijo Francisco de Asís: "Predica el evangelio todo el tiempo y de ser necesario, utiliza palabras". Charles Haddon Spurgeon, en un sermón predicado el 7 de septiembre de 1867, recordó a su congregación que el cristiano…

…sirve a su Señor simplemente por gratitud; no tiene salvación que ganar, ni cielo que perder… ahora, por amor al Dios que lo eligió y que pagó tan alto precio por su redención, desea ponerse completamente al servicio de su Maestro… El hijo de Dios no obra *para* la vida, sino *desde* la vida; no obra para ser salvo, sino *porque* ya es salvo[32].

Con dirección clara, Os Guinness nos acompaña hasta el final de este capítulo con un compromiso profundo a la integridad de nuestra fe:

> La obediencia separada de la fe produce legalismo y la fe separada de la obediencia produce gracia barata. Para la persona que acepta a Cristo, el momento de comprensión lleva a una sola conclusión: compromiso. En ese punto el costo ya ha sido calculado... y se ha firmado un contrato de discipulado. La decisión es irreversible. No se trata de que la fe camine una segunda milla, sino de que dé su primer paso completo, y no hay vuelta atrás[33].

QUÉ HACER CUANDO NO SE TE TRABA LA LENGUA

(SANTIAGO 3:1-12)

Pero ningún hombre puede domar su lengua;
porque es un mal incontrolable, lleno de veneno mortal.

A cierto diácono le indicaron con antelación cuál sería su función durante un banquete misionero y le dijeron que debía ser sensible a la presencia de invitados provenientes de otros países que no estaban acostumbrados a la cultura estadounidense.

Durante el banquete el diácono se encontró sentado junto a un hombre africano que estaba devorando su pieza de pollo. El diácono estaba intentando hallar alguna forma de comunicarse con aquel hombre. Se inclinó y dijo: "Ñam, ñam, bueno, ¿eh?". El hombre, mirando al diácono simplemente respondió: "¡Mmm, bueno!".

Unos minutos después, el visitante africano estaba saboreando una deliciosa taza de café, y el diácono se acercó y comentó: "Glu, glu, glu, bueno, ¿eh?". El hombre respondió como dudando: "¡Mmm, bueno!". Para sorpresa del diácono, cuando anunciaron quién sería el orador de la noche, resultó ser el hombre africano sentado a su lado, que se levantó y dio un discurso impecable en un inglés con acento de Oxford. Al concluir, el orador se dirigió hacia el diácono, que tenía la cara roja de vergüenza. El orador simplemente dijo: "Bla, bla, bla, bueno, ¿eh?".

¿Te hace pensar esta anécdota en la cosa más vergonzosa que has dicho en tu vida? ¿Acaso no son increíbles los problemas que nos puede crear la lengua? Ese pequeñito músculo puede comenzar guerras y detenerlas, crear estrés y también aliviarlo, expresar amor y negarlo, construir amistades para luego deshacerlas. Con nuestra lengua podemos alabar y adorar a Dios, y con ese mismo instrumento podemos maldecirle y negar su existencia. Es verdad lo que afirma el proverbio: "La muerte y la vida están en poder de la lengua…" (Proverbios 18:21).

El doctor W. A. Criswell describe gráficamente el potencial de maldad que reside en la lengua:

Hay mucha gente que nunca le ha prendido fuego a un ser humano para quemarlo en la hoguera ni ha aplaudido ante los gritos de quienes están en agonía siendo devorados por un león feroz en la arena de un coliseo; hay gente que nunca ha golpeado los tambores para ahogar los llantos agonizantes de quienes estaban siendo ofrecidos a la furia del dios Moloc. Sin embargo hay infinidad de gente que asesina a amigos, vecinos y conocidos con sus historias de mentira, sus palabras malas y viciosas... No creo que exista nadie entre nosotros que nunca haya sentido el aguijón de unas palabras hirientes[1].

Curtis Vaughan añade estos interesantes pensamientos sobre el tema de la lengua:

Puede motivar a la violencia o bien motivar a la gente a realizar los actos más nobles; puede instruir al ignorante, animar al abatido, consolar al que sufre y calmar al que agoniza; o puede aplastar al espíritu humano, destruir reputaciones, sembrar desconfianza y odio y poner a naciones enteras al borde de la guerra[2].

Obviamente, el problema no es la lengua en sí misma, sino la habilidad de la persona para controlarla bien. Joseph Butler opina que se trata de un miembro renegado de nuestro cuerpo y define la falta de control sobre ella así:

Es la disposición a hablar sin poner atención a lo que se está diciendo, con poco respeto o consideración por hacer bien o mal. Una persona así no puede continuar siempre hablando de nada, y por eso sigue hablando para difamar, chismear y escandalizar en vez de estar en silencio. Es como un torrente que fluye sin control y la más mínima cosa puede darle una u otra dirección[3].

Roxane S. Lulofs dice que los que hablan sin disciplina tienen una "boca de PYE" (es decir, una boca que "**p**ega **y e**scapa"):

Es una persona que, por el motivo que sea, se siente obligada a decirte lo que piensa de ti y de tus acciones, sin importar cuánto te conozca de verdad. Su deseo es ser escuchada sin escuchar, ser conocida sin conocer. No le importa si tiene la información correcta porque lo que quiere es atención[4].

Incluso muchos de nuestros héroes de la Biblia batallaron para controlar su lengua:

Moisés. "También le indignaron en las aguas de Meriba y por causa de ellos le fue mal a Moisés; porque hicieron que su espíritu se amargara y él habló precipitadamente con sus labios" (Salmo 106:32, 33).

Isaías. "Entonces dije: '¡Ay de mí, pues soy muerto! Porque siendo un hombre de labios impuros y habitando en medio de un pueblo de labios impuros, mis ojos han visto al Rey, al SEÑOR de los Ejércitos'. Entonces voló hacia mí uno de los serafines trayendo en su mano, con unas tenazas, un carbón encendido tomado del altar. Y tocó con él mi boca, diciendo: 'He aquí que esto ha tocado tus labios; tu culpa ha sido quitada, y tu pecado ha sido perdonado'" (Isaías 6:5-7).

Job. "He aquí que yo soy insignificante. ¿Qué te he de responder? Pongo mi mano sobre mi boca" (Job 40:4).

Pedro. Este discípulo del Señor un día presumió así: "Respondiéndole Pedro dijo: 'Aunque todos se escandalicen de ti, yo nunca me escandalizaré'" (Mateo 26:33). Pero esa noche, Pedro pecó con su lengua al negar a su Señor y maldecir (vv. 69-75).

¡Ahora sabemos por qué cuando Pablo hace una lista de cinco partes del cuerpo que son los vehículos más comunes para el pecado (garganta, lengua, labios, boca y pies; Romanos 3:13-15) cuatro de ellos tienen que ver con hablar!

Junto a una capilla en la campiña inglesa hay un cementerio donde una de las lápidas dice así:

> Debajo de esta piedra, ya cortado el tallo,
> Arabella Young descansa.
> Un 24 de mayo
> su lengua por fin se hizo mansa.

Si Santiago está en lo correcto, hay muchos que no lograrán amansar su lengua hasta que estén bajo tierra como Arabella. ¡Pero hay esperanza! Es posible aprender a controlar la boca. En cada uno de los cinco capítulos de la carta de Santiago, incluyendo esta sección del capítulo 3, hay algo sobre la lengua:

Sepan, mis amados hermanos: Todo hombre sea pronto para oír, lento para hablar y lento para la ira (1:19).

Si alguien parece ser religioso y no refrena su lengua sino que engaña a su corazón, la religión del tal es vana (1:26).

Así hablen y así actúen, como quienes están a punto de ser juzgados por la ley de la libertad (2:12).

Hermanos, no hablen mal los unos de los otros. El que habla mal de su hermano o juzga a su hermano habla mal de la ley y juzga a la ley. Y si tú juzgas a la ley, entonces no eres hacedor de la ley sino juez (4:11).

Pero sobre todo, hermanos míos, no juren ni por el cielo ni por la tierra ni por ningún otro juramento. Más bien, sea su sí, sí; y su no, no, para que no caigan bajo condenación (5:12).

Muchos han dicho que la epístola de Santiago es el libro de Proverbios del Nuevo Testamento, por eso no debe sorprendernos encontrar mucho más material sobre el uso de la lengua en ese libro del Antiguo Testamento:

En las muchas palabras no falta pecado, pero el que refrena sus labios es prudente (10:19).

Los labios mentirosos son abominación al SEÑOR,
pero le agradan los que actúan con verdad (12:22).

El que guarda su boca guarda su vida, pero al que
mucho abre sus labios le vendrá ruina (13:3).

La suave respuesta quita la ira, pero la palabra áspera
aumenta el furor (15:1).

Estas son solo unas cuantas referencias de las muchas que hay sobre el tema de la lengua en el libro de Proverbios. Un estudio detallado de su sabiduría nos ayudaría mucho a incrementar nuestra disciplina de la lengua, pero por ahora vamos a concentrar nuestra atención en las palabras de instrucción de Santiago a sus hermanos cristianos en la diáspora.

EL PODER DE LA LENGUA PARA INFLUIR A MUCHOS

Santiago comienza en los lugares más altos de la jerarquía religiosa judía, pues sus primeras palabras son para los maestros, quienes se destacan por su uso de la lengua. Al comenzar así, Santiago demuestra que este asunto es una amenaza para todos, comenzando desde los de más alta posición. Les advierte que aquellos que enseñan recibirán un juicio más severo, porque tienen el poder de influir sobre los demás (muchas veces cuando leo este versículo siento un poco de temor en mi corazón). Veamos lo que dijo el Señor Jesús sobre la responsabilidad de la influencia: "Y a cualquiera que haga tropezar a uno de estos pequeños que creen en mí, mejor le fuera que se le atara al cuello una gran piedra de molino y que se le hundiera en lo profundo del mar" (Mateo 18:6).

William Barclay dice que un maestro lucha durante toda su vida para evitar dos errores:

> Debe tener mucho cuidado de enseñar siempre la verdad y no sus propias opiniones o incluso sus prejuicios. Es fatalmente fácil que un maestro distorsione la verdad y enseñe una versión que no es la de Dios sino la suya propia. Debe tener mucho cuidado de no contradecir su enseñanza con su vida… Nunca debe hallarse en una posición en la que sus colegas y estudiantes no puedan escuchar lo que dice por estar escuchando lo que es[5].

Esta precaución en la enseñanza refleja el principio del Nuevo Testamento de que un conocimiento mayor supone una mayor responsabilidad: "Porque de todo aquel a quien le ha sido dado mucho, mucho se demandará de él; y de aquel a quien confiaron mucho, se le pedirá más" (Lucas 12:48).

EL POTENCIAL DE LA LENGUA PARA INDICAR MADUREZ

Santiago dice que todos tropezamos en muchas cosas. ¡Todos podemos estar de acuerdo en eso! Sin embargo, él señala que si no tropezamos en cuanto al uso de la lengua somos "cabales" y capaces de controlar todo el cuerpo.

En otras palabras, si podemos controlar la lengua no vamos a tener problema alguno para controlar el resto del cuerpo porque el control de ese órgano es la tarea más difícil. La palabra *cabal* aquí significa "maduro": la verdadera marca de la madurez cristiana es el control de la lengua. Dado que los maestros usan su lengua más que los demás, son particularmente vulnerables:

> Cuanto más decimos más propensos somos a tropezar. Cuanto más trabajamos para Cristo podemos llegar a cometer más errores y recibir más críticas. La persona más criticada en la casa de Dios es la más activa en palabras y hechos, pero el que no hace nada casi nunca es criticado[6].

IMÁGENES DE LA LENGUA QUE ILUSTRAN SU PODER

En un capítulo anterior ya mencionamos el gusto de Santiago por las ilustraciones: cada sección de esta epístola está sazonada con imágenes de la vida cotidiana. Para subrayar su enseñanza sobre la lengua, emplea cuatro ejemplos.

EL CABALLO Y EL FRENO

Las primeras ilustraciones son dos cosas que la gente de aquellos días controlaba, guiaba o conducía: el caballo y el barco: "He aquí, ponemos freno en la boca de los caballos para que nos obedezcan y dirigimos también su cuerpo entero" (3:3).

Un caballo sin dirección no sirve para nada, solo cuando se le coloca un freno en la boca puede ser disciplinado y dirigido. El caballo no se puede frenar a sí mismo, así que debe controlarlo una persona.

A. B. Simpson, fundador de la denominación Alianza Cristiana y Misionera, captura el mensaje de Santiago:

> Así como la boca de un ser humano es la prueba de su carácter, la boca del caballo es el lugar para controlarlo. Cuando le ponemos ahí el freno podemos controlar todo su cuerpo, de modo que ese pedacito de metal y una correa de cuero pueden mantener quieto a un brioso corcel y dirigirlo con la suavidad de una mano femenina. Así pues la lengua es como un freno que puede ser colocado en nuestro cuerpo. En el caso del brioso corcel se coloca un bordillo en su freno, por si acaso quisiera tirar de este: la idea es provocarle dolor. Así Dios nos ha dado controles sobre la lengua que provocan consecuencias dolorosas en caso de que hablemos sin sabiduría[7].

Así que del mismo modo una persona sin freno en su lengua no sirve para nada en los propósitos de Dios, pues tropieza con muchas cosas, especialmente el mal uso de su boca. Alguien ha observado que casi todos los pecados tienen algo que ver con el abuso de la lengua, pero cuando esta se coloca bajo el control de Dios se puede controlar la persona entera. La construcción griega en este párrafo va mucho más allá de la idea de restringir el movimiento de un caballo o de una persona, ya que el concepto original describe el proceso de ser dirigidos hacia una meta positiva.

EL BARCO Y EL TIMÓN

Ahora Santiago pasa del caballo al barco: "Consideren también los barcos: Aunque son tan grandes y son llevados por impetuosos vientos, son dirigidos con un timón muy pequeño a dondequiera según el antojo del que los conduce" (3:4).

La mayoría de los lectores originales de Santiago conocían los grandes barcos de carga de su tiempo, ya que Israel estaba a orillas del Mediterráneo. Probablemente sintieran el mismo asombro que nosotros cuando estamos en un puerto y vemos los gigantescos cruceros. Tal vez también se preguntaban: *¿Cómo puede flotar algo así, tan enorme?*

Por supuesto, los barcos de aquel tiempo no eran tan grandes como los de ahora, pero de todas formas eran grandes: el barco egipcio cargado de trigo en el que Pablo naufragó llevaba 276 pasajeros además de la carga (Hechos 27:37). Ya que se trataba de embarcaciones grandes, la dificultad para controlarlos estaba no solo en el tamaño del barco sino también en el poder de los vientos. ¡Y aun así eran controlados por un pequeño timón!

El 21 de mayo de 1941, el buque de guerra alemán Bismarck, que muchos consideraban imposible de hundir, fue avistado en el Atlántico Norte e inmediatamente llegaron allí aviones y barcos británicos. El Bismark se dirigía a la costa francesa, controlada por Alemania, donde estaría seguro contra los ataques. Sin embargo, para el asombro de todos, el enorme barco de pronto cambió de rumbo y volvió a entrar a la zona donde estaban los barcos británicos en todo su poderío. Al mismo tiempo comenzó a seguir un curso errático y zigzagueante, lo cual facilitó el trabajo de los británicos para vencerlo. Resulta que un torpedo había dañado su timón y sin el control del mismo el Bismark, imposible de hundir, fue hundido. Así como el timón controla al barco, la lengua controla a una persona.

EL INCENDIO FORESTAL Y LA CHISPA

De la misma manera que el pequeño freno controla a un gran caballo y el pequeño timón gobierna al enorme barco, un gran incendio puede comenzar con una chispa diminuta. En otras palabras, aunque la lengua sea algo muy pequeñito, no debemos permitir que su tamaño nos lleve a subestimar su potencial.

Aquí encontramos las palabras de advertencia más directas de Santiago: "Y la lengua es un fuego; es un mundo de maldad. La lengua está puesta entre nuestros miembros y es la que contamina el cuerpo entero. Prende fuego al curso de nuestra vida y es inflamada por el infierno" (3:6).

El Gran Incendio de Chicago en 1871 quemó una tercera parte de la ciudad, destruyó 17.450 edificaciones, mató a alrededor de 300 personas y dejó a 100.000 personas sin vivienda. En 1953, una sartén de arroz hirviendo cayó sobre una estufa de carbón en una pequeña casa en Corea, y en menos de 24 horas, casi 3.000 edificaciones habían quedado completamente destruidas en un área de 2,5 km cuadrados. La gente que vive en el sur de California sabe que se pueden destruir muy rápido miles de hectáreas de terreno con una pequeña chispa de alguna persona descuidada que esté acampando. Simon J. Kistemaker escribe:

> Una chispa es suficiente para incendiar todo un bosque (robles imponentes, cedros majestuosos y pinos altísimos quedan reducidos a desagradables muñones de madera ennegrecida), y esa chispa casi siempre puede atribuirse al descuido e indiferencia de los humanos. Cuando calculamos el daño anual que los incendios provocan a nuestros bosques, la cantidad alcanza los millones de dólares, además del sufrimiento indecible y la muerte que llega a todas las especies que habitan la zona afectada[8].

Cuando Santiago dice que la lengua "prende fuego al curso de nuestra vida", utiliza una expresión muy especial. En algunas versiones se traduce "prende fuego al ciclo de la existencia". Vernon Doerksen explica: "Todo el ciclo de nuestra vida, desde el nacimiento hasta la muerte, es incendiado por nuestra lengua: los ciclos o las rutinas de la vida cotidiana son incendiados por la lengua descontrolada y venenosa"[9].

¡Según Santiago este fuego en la lengua es inflamado por el infierno! La palabra traducida como "infierno" es *gehena*, descrita por Cristo en Mateo 5:22 como "infierno de fuego"; Santiago es el único texto fuera de los Evangelios en el que aparece la palabra *gehena*. Spiros Zodhiates elabora gráficamente el significado del término:

Es una palabra caldea, el nombre de un valle al sudeste de Jerusalén donde moraba Moloc, ídolo en forma de toro que recibía en sus brazos de metal al rojo vivo a bebés arrojados ahí como parte de un sacrificio pagano. Literalmente significa "valle de lamentación", y los judíos aborrecían ese lugar debido a esos horribles sacrificios, de modo que después de que el rey Josías aboliera esos sacrificios (2 Reyes 23:10) arrojaban ahí no solamente toda clase de desechos, sino también los cuerpos muertos de animales y de los criminales que habían sido ejecutados y quedaban sin sepultura (como siempre se requería del fuego para consumir los cadáveres, el lugar llegó a ser conocido como "el gehena de fuego"). En los Evangelios la palabra aparece unas diez veces de labios del Señor Jesús para describir el destino de los malvados, *"donde su gusano no muere, y el fuego nunca se apaga"* (Marcos 9:48).

Como alguien ha dicho: "El infierno es el quemadero de basura del universo". Santiago ha usado las figuras simbólicas con sumo cuidado. Nos dice que la lengua mala contamina y profana todo el cuerpo. Cuando el cuerpo es profanado totalmente, ¿para qué otra cosa puede servir sino para ser arrojado al montón de desechos en el quemadero de basura? Toda conversación malvada, dice Santiago, tiene su origen en el infierno y provocará que todo el cuerpo, toda la persona, se queme ahí en el infierno. Estas son palabras muy serias y haremos bien en ponerles atención. El fuego que comenzamos con nuestra lengua proviene del infierno y para allá nos llevará con seguridad[10].

EL ANIMAL Y SU DOMADOR

Ahora llegamos a la última ilustración: Santiago dice que somos capaces de controlar cualquier clase de bestia y animal, pero que todavía no hemos aprendido a controlar la lengua, una declaración cuyo trasfondo es la creación. Los humanos recibimos el encargo de señorear sobre los peces, las aves, el ganado y toda cosa que se arrastra (Génesis 1:26). Cuando Noé salió del arca, Dios le repitió su propósito: "El temor y el miedo de ustedes estarán en todos los animales de la tierra, en todas las aves del cielo, en todo lo que se desplaza en la tierra y en todos los peces del mar. En sus manos son entregados" (Génesis 9:2).

Hoy día la naturaleza animal ha sido domada por la naturaleza humana: tenemos osos que bailan, focas entrenadas, delfines que hablan, pájaros acróbatas, serpientes encantadas, perros que saltan por aros, leones que abren sus fauces con la cabeza del entrenador adentro, incluso elefantes que marchan en fila unos detrás de otros cargando a sus jinetes. Todas estas cosas son posibles, pero la lengua es indomada e indomable sin la ayuda de Dios, pues al caer en pecado perdimos la capacidad de gobernarnos a nosotros mismos.

EL VENENO DE LA LENGUA QUE INFECTA LA BOCA

La acusación final contra la lengua viene en el versículo 8: "...porque es un mal incontrolable, lleno de veneno mortal"; "Es la imagen de una víbora venenosa cuya lengua nunca está en calma y cuyos colmillos están llenos de veneno letal. La lengua del ser humano es inestable, escurridiza, inquieta y además está llena de un veneno mortal"[11].

La palabra griega que se traduce como "veneno" también significa "flecha", así que la lengua muchas veces se usa para tirar flechas a los demás con resultados mortales. Alguien hizo el siguiente cálculo: por cada palabra del libro de Hitler *Mi lucha* murieron 125 personas en la Segunda Guerra Mundial. Los salmos nos recuerdan que nunca debemos subestimar el daño que puede causar la lengua:

> ...tu lengua maquina agravios; como navaja afilada
> produce engaño. Has amado el mal más que el bien;
> la mentira, más que el hablar justicia. Has amado toda
> palabra perversa; oh, lengua engañosa (Salmo 52:2-4).

Ellos ablandan su boca más que mantequilla, pero en su corazón hay contienda. Suavizan sus palabras más que el aceite, pero son como espadas desenvainadas (Salmo 55:21).

Ellos afilan su lengua como espadas, y disponen palabras amargas como flechas para tirarlas a escondidas contra el inocente. De repente tiran contra él, y no temen (Salmo 64:3, 4).

Agudizan su lengua como una serpiente; veneno de víbora hay debajo de sus labios (Salmo 140:3).

Aquí encontramos dos tipos de veneno que puede infectar la boca.

EL VENENO DEL CHISME

El chisme ha sido nombrado el deporte favorito de muchos que se llaman a sí mismos cristianos, pero no lo llamamos chisme sino que decimos que estamos "compartiendo motivos de oración". El comentarista deportivo Morgan Blake escribe sobre el chisme de esta manera:

Soy más mortal que una silbante bomba voladora. Gano sin matar, destruyo hogares, quebranto corazones y arruino vidas; viajo en las alas del viento.

Ninguna inocencia es tan fuerte como para intimidarme, ninguna pureza tan pura como para asustarme. No me interesa la verdad, no respeto la justicia, no tengo misericordia con los indefensos. Mis víctimas son tan numerosas como las arenas del mar y muchas veces igual de inocentes. Nunca olvido y casi nunca perdono. Mi nombre es Chisme[12].

John Dryden, un dramaturgo y poeta inglés del siglo XVII, comentó lo siguiente sobre la inclinación humana al chisme:

En el hombre hay una lujuria que ningún encanto
puede domar,
la de publicar a voz en cuello lo que al otro
hizo avergonzar.
Por eso, sobre alas de águila los escándalos
vuelan inmortales,
mientras que nacen y mueren
las acciones virtuosas y morales[13].

He aquí una muestra de cómo se trata en los Proverbios el tema de este feo pasatiempo:

El hombre indigno trama el mal, y en sus labios hay como fuego abrasador. El hombre perverso provoca la contienda, y el chismoso aparta los mejores amigos (16:27, 28).

...el que divulga el asunto aparta al amigo (17:9).

Las palabras del chismoso parecen suaves, pero penetran hasta lo recóndito del ser (18:8).

Como el que enloquece y arroja dardos y flechas de muerte, así es el hombre que defrauda a su amigo y dice: "¿Acaso no estaba yo bromeando?". Sin leña se apaga el fuego; y donde no hay chismoso cesa la contienda (26:18-20).

Una mujer dijo muchos chismes sobre otra, llegando a tal grado que esta segunda quedó casi totalmente destruida. Cuando después la primera mujer descubrió que todo lo que había dicho no era cierto fue a hablar con su sabio pastor para preguntarle qué podía hacer a fin de corregir la situación. Él le dijo que tomara una almohada de plumas, que la abriera y que esparciera las plumas por las calles del pueblo, y luego que regresara a verlo al día siguiente.

Aunque este consejo parecía un poco extraño, siguió las instrucciones. Cuando volvió, el pastor le dijo que regresara por las calles del pueblo y recogiera todas las plumas que había esparcido el día anterior. La mujer protestó:

—Nunca voy a poder encontrarlas porque el viento las ha esparcido por todas partes.

A lo que el pastor contestó:

—Tampoco puedes recoger todas las palabras que dijiste sobre la otra mujer.

Antes de dejar el tema del chisme, necesitamos recordar que la persona que lo escucha también tiene una responsabilidad: el chisme moriría pronto si todos nos negáramos a repetirlo en nuestras conversaciones.

EL VENENO DE LA ADULACIÓN

"Si el chisme es hablar de alguien a sus espaldas diciendo lo que nunca le dirías a la cara, la adulación es decirle a alguien a la cara lo que nunca dirías a sus espaldas"[14]. Y una vez más los salmos refuerzan esta advertencia:

> Porque no hay sinceridad en su boca; sus entrañas están llenas de destrucción. Su garganta es un sepulcro abierto, y con su lengua hablan lisonjas (Salmo 5:9).

> Cada uno habla falsedad con su prójimo, con labios lisonjeros; hablan con doblez de corazón. El SEÑOR destruirá todos los labios lisonjeros, la lengua que habla grandezas (Salmo 12:2, 3).

Santiago tiene una conclusión poderosa para su sermón sobre la lengua, pues no puede concebir que haya gente que la use para alabar al Señor en un momento y luego para destruirse unos a otros al momento siguiente: "Con ella bendecimos al Señor y Padre, y con ella maldecimos a los hombres que han sido creados a la semejanza de Dios. De la misma boca salen bendición y maldición. No puede ser, hermanos míos, que estas cosas sean así" (3:9, 10).

Robert Brow piensa que la clave para entender estos versículos radica en el uso de la palabra *logos* en Santiago 3:2 ("Si alguno no ofende en palabra [*logos*], este es hombre cabal, capaz también de frenar al cuerpo entero"), y explica que en griego clásico *logos* era tanto la palabra hablada como el pensamiento interno que está detrás de esa palabra hablada. Él cree que "no se puede controlar la lengua, si el *logos* es malo"[15].

Se dice que el general George Patton era violentamente profano y al mismo tiempo profundamente religioso: oraba antes de las batallas y se arrodillaba junto a la cama de los heridos para interceder por ellos, pero si encontraba a un cobarde o si el curso de la batalla iba en contra de lo planeado, comenzaba a proferir blasfemias y groserías que avergonzarían al mismo diablo. Independientemente del concepto que se tenga de Patton, una cosa es cierta: no era un hombre piadoso porque su *logos* era esencialmente malo.

Algunas personas van por la vida maldiciendo a su suerte, a sus jefes, a sus cónyuges, a los judíos o a los árabes, a la liberación femenina o al machismo, a las grandes corporaciones o a los sindicatos. Cuando el logos de maldecir infecta tu mente, no hay forma de que tu lengua se endulce. La maldición se hará evidente en la expresión de tu rostro.

La alternativa es el logos de la bendición: alabas a Dios por lo que hará en tu país; lo alabas porque incluso lo que hagan los políticos será objeto de la acción de la providencia; lo alabas por cada miembro de tu familia, y por cada espina en la carne en tu trabajo; lo alabas incluso por esas molestias hipócritas y tercas en la iglesia.

Si estás alabando por algo o alguien, es poco probable que tu lengua diga una mala palabra[16].

Según Santiago, así como un manantial no puede producir al mismo tiempo agua dulce y amarga, tampoco nuestra lengua debiera ser capaz de bendecir y maldecir: "Expresar bendición y maldición en la misma fuente es incongruente… indica que algo está completamente fuera de lugar, que está sucediendo algo totalmente incongruente que no debiera suceder"[17].

La bendición y la maldición no son más compatibles que las higueras y las aceitunas, o que la vid y los higos, o que el agua salada y el agua dulce. Jesús expresó esta idea en una ocasión: "Por sus frutos los conocerán. ¿Acaso se recogen uvas de los espinos o higos de los abrojos?" (Mateo 7:16).

Dietrich Bonhoeffer era un pastor y teólogo luterano alemán que criticó abiertamente a Hitler y a sus políticas antijudías, razón por la cual fue ejecutado el 9 de abril de 1945. Aunque utilizó su lengua como arma poderosa contra los males del nazismo, también habló contra aquellos cristianos que la usaban para herirse unos a otros injustamente. En su clásico *El precio de la gracia*, escribió palabras que podrían haber nacido en el tercer capítulo de Santiago:

La palabra que se nos escapa, a la que damos tan poca importancia, revela que no respetamos al otro, nos creemos superiores a él y valoramos nuestra vida por encima de la suya. Esta palabra es un ataque contra el hermano, un golpe en su corazón, que repercute en él, le hiere y destruye. El insulto premeditado roba al hermano su honra incluso en público, quiere hacerlo despreciable ante los demás, busca con odio el aniquilamiento de su existencia interna y externa. Ejecuta un juicio sobre él, lo que constituye un asesinato. Y el asesino también es digno de ser juzgado[18].

QUÉ HACER CUANDO LA SABIDURÍA ES LOCURA

(SANTIAGO 3:13-18)

¿Quién es sabio y entendido entre ustedes?
¡Que demuestre por su buena conducta sus obras en… sabiduría!

En un artículo titulado "Los últimos hombres de Estados Unidos y su magnífica terapia del habla", Os Guinness habla de un momento secreto en la historia que pudo haber sido el presagio de algunas de las luchas más volátiles del cristianismo actual:

> En 1909, en el clímax de uno de los períodos de inmigración más intensos en la historia de Estados Unidos, dos hombres provenientes de Europa estaban en la barandilla de su barco al pasar por la Estatua de la Libertad y entrar a la bahía de Nueva York. El mayor, un judío de 53 años nacido en Moravia, le palmeó la espalda al más joven, de Suiza, y le dijo con

entusiasmo: "¿No se sorprenderán cuando oigan lo que vamos a decirles?".

…El que hablaba era Sigmund Freud. Su acompañante era su amigo y discípulo Carl Gustav Jung. Y en lo que se refiere al psicoanálisis y su legado, "lo que vamos a decirles" tuvo un gran impacto en los Estados Unidos en el siglo XX, como ningún otro conjunto de ideas y palabras humanas… Seis años después de su llegada, sus ideas ya habían desencadenado un impacto en el pensamiento y la conducta cuyas consecuencias pocos se han atrevido a predecir.

…Lo que una vez fueron ideas esotéricas de una elite pequeña y polémica en Europa ahora han prosperado en Estados Unidos y se han convertido en una disciplina académica, además de una industria enorme y muy lucrativa. Ahora, más de 500 terapias registradas compiten por millones de clientes en un mercado en expansión de franquicias McFreud y puntos de venta independientes con ganancias de más de 4.000 millones de dólares al año… El diván se ha convertido en algo tan estadounidense como el diamante de béisbol y los arcos dorados de McDonald's.

…Mientras tanto, Estados Unidos se convirtió en la capital mundial de la psicología y de la empresa de terapias… Con solo el 6 % de la población mundial, Estados Unidos se enorgullece de tener una tercera parte de los psiquiatras del mundo y más de la mitad de los psicólogos clínicos…

Ahora hay 80 millones de estadounidenses que han buscado ayuda en los terapeutas y se estima que cada año hay 10 millones de pacientes[1].

Este capítulo no es un alegato contra la psiquiatría y la psicología, sino una mirada honesta a la fuerte censura que hace Santiago de la sabiduría del mundo (sin duda muchas de las ideas de Freud y Jung entrarían aquí como ejemplos). Santiago quiere señalar de manera positiva que la sabiduría que se necesita para tener un fundamento sólido en la vida no es la sabiduría del mundo sino la que viene solo de Dios. El apóstol Pablo escribe que el mundo no puede conocer a Dios por medio de su sabiduría (1 Corintios 1:21). Esta sabiduría es la que guía a un ser humano hacia su Creador y le permite ver la vida desde una perspectiva eterna. Lloyd John Ogilvie nos ayuda a entender lo especial de la sabiduría de Dios cuando escribe así:

La sabiduría es el regalo especial que el Señor nos da por nuestra búsqueda de su voluntad y que está más allá del intelecto y del conocimiento. En una mente dispuesta, la sabiduría le permite a la persona escuchar con los oídos de Dios y ver con sus ojos: la sabiduría es una percepción inspirada y profunda de la gente y las situaciones; es el empuje vertical de su mente en nuestra mente que hace posible el discernimiento en el nivel horizontal de los asuntos humanos. Con sabiduría podemos penetrar los misterios de Dios: su naturaleza, su plan y su propósito… Si anhelamos conocer su deseo supremo para nuestra vida, la sabiduría es el don que necesitamos y queremos para hacer su voluntad[2].

En el capítulo anterior examinamos las advertencias de Santiago sobre nuestro uso de la lengua y aprendimos que esta refleja el corazón, que nuestro hablar demuestra la calidad interna de nuestra vida. Ahora Santiago se ocupa de esa realidad interna al presentar el dramático contraste entre la sabiduría del mundo y la del cielo. Esto es lo que dice sobre la primera:

¿Quién es sabio y entendido entre ustedes? ¡Que demuestre por su buena conducta sus obras en la mansedumbre de la sabiduría! Pero si en su corazón ustedes tienen amargos celos y contiendas, no se jacten ni mientan contra la verdad. Esta no es la sabiduría que desciende de lo alto sino que es terrenal, animal y diabólica. Porque donde hay celos y contiendas, allí hay desorden y toda práctica perversa (3:13-16).

Vamos a observar cuidadosamente el origen, el funcionamiento y el resultado de la sabiduría terrenal y de la celestial a fin de examinar las diferencias entre ambas.

EL ORIGEN DE LA SABIDURÍA DEL MUNDO

La sabiduría consiste en tener introspección y pericia para llegar a conclusiones correctas, algo que un antiguo proverbio dice de esta manera: "La previsión es mejor que la retrospección, pero la introspección es lo mejor". Santiago define la mejor introspección que el mundo puede ofrecer como algo terrenal, animal (o natural) y diabólico.

SABIDURÍA TERRENAL

¿Dónde está el sabio? ¿Dónde el escriba? ¿Dónde el disputador de esta edad presente? ¿No es cierto que Dios ha transformado en locura la sabiduría de este mundo? Puesto que en la sabiduría de Dios, el mundo no ha conocido a Dios mediante la sabiduría, a Dios le pareció bien salvar a los creyentes por la locura de la predicación (1 Corintios 1:20, 21).

Estas palabras del apóstol Pablo hacen eco de la postura sobre la sabiduría que presenta Santiago. En los dos primeros capítulos de su primera carta a la iglesia de Corinto, Pablo provee un contraste entre la sabiduría del mundo y la de Dios. Veamos las diferencias:

La sabiduría del mundo es sabiduría de palabras (1:17-24); la sabiduría de Dios es sabiduría de poder (2:4, 5).

La sabiduría del mundo interviene por las palabras de seres humanos (2:4); la sabiduría de Dios interviene por las palabras del Espíritu (2:13).

La sabiduría del mundo es enarbolada por el espíritu del mundo

(2:12); la sabiduría de Dios es enarbolada por el Espíritu de Dios (2:12).

La sabiduría del mundo es locura para Dios (1:20); la sabiduría de Dios es locura para el mundo (2:14).

La sabiduría del mundo es declarada por el filósofo (1:20); la sabiduría de Dios es declarada por el predicador (1:21; 2:4).

La sabiduría del mundo trae ignorancia (1:21); la sabiduría de Dios trae conocimiento (2:12).

La sabiduría del mundo lleva a la condenación (1:18); la sabiduría de Dios lleva a la salvación (1:18; 2:7).

Desde el principio la gente ha estado tratando de alcanzar a Dios por medio de su propia sabiduría pero siempre ha fracasado, como explica Pablo en su carta a los cristianos en Roma: "Porque habiendo conocido a Dios, no lo glorificaron como a Dios ni le dieron gracias; más bien, se hicieron vanos en sus razonamientos, y su insensato corazón fue entenebrecido. Profesando ser sabios se hicieron fatuos" (Romanos 1:21, 22).

Incluso los cristianos deben luchar contra la tentación de construir su vida sobre el fundamento de la sabiduría del mundo. Pablo advirtió a los colosenses: "Miren que nadie los lleve cautivos por medio de filosofías y vanas sutilezas, conforme a la tradición de hombres, conforme a los principios elementales del mundo y no conforme a Cristo" (Colosenses 2:8).

Cada vez que alguien ha tratado de edificar su vida sobre el fundamento de la sabiduría del mundo, ha terminado en derrota, desánimo y desilusión. Revisemos desde los comienzos la historia bíblica y observemos ese patrón consistente de fracasos.

La torre de Babel fue un intento humano de alcanzar a Dios por medio de la sabiduría del mundo cuyo resultado fue una total confusión.

Abraham siguió la sabiduría del mundo cuando dejó el lugar señalado por Dios durante un tiempo de escasez. Según el sentido común lo más sensato era ir a Egipto, pero el resultado para Abraham fue la complicación de su vida familiar debido a su relación con la egipcia Agar y el nacimiento de Ismael.

Lot siguió la sabiduría del mundo y eligió los terrenos buenos, una elección que tenía mucho sentido pero cuyo resultado fue su perdición espiritual y la pérdida de su esposa.

Así podríamos seguir por las páginas del Antiguo y del Nuevo Testamento, citando ejemplo tras ejemplo del efecto maléfico de la sabiduría del mundo. Sin embargo, en vez de avanzar hacia adelante en las Escrituras, quisiera invitarte a regresar hasta el mismo comienzo de la Biblia: al hermoso jardín del Edén donde nació la sabiduría del mundo.

El pasaje es Génesis 3, donde aparece por primera vez la sabiduría del mundo. Estas son las palabras del tentador prometiéndole al ser humano este nuevo tipo de sabiduría y la respuesta de este:

> Entonces la serpiente dijo a la mujer: "Ciertamente no morirán. Es que Dios sabe que el día que coman de él, los ojos les serán abiertos, y serán como Dios, conociendo el bien y el mal". Entonces la mujer vio que el árbol era bueno para comer, que era atractivo a

la vista y que era árbol codiciable para alcanzar
sabiduría. Tomó, pues, de su fruto y comió. Y también
dio a su marido que estaba con ella, y él comió
(Génesis 3:4-6).

La sabiduría que recibieron Adán y Eva cuando desobedecieron a
Dios siguiendo las palabras del tentador fue la del mundo, que según
dice Santiago, es terrenal, animal y diabólica.

SABIDURÍA NATURAL

La palabra traducida como *animal* en este texto es la palabra griega
psychikós, que significa "natural" y en 1 Corintios 2:14 aparece como
"el hombre natural"; las palabras *psicología* y *psiquiatría* derivan de la
misma raíz. Cuando se usa *psychikós* para describir la sabiduría del
mundo se refiere a lo "natural" en oposición a lo "espiritual". El doctor
James Boyer dice que hay cuatro cosas que siempre son verdad en el
hombre natural:

1. Su naturaleza es limitada. Su espíritu está muerto
y, por lo tanto, no puede relacionarse con Dios.
2. Tiene prejuicios. Las cosas de Dios no son recibidas
gratamente en su vida.
3. Tiene el juicio distorsionado. Las cosas de Dios en
su opinión son tonterías.
4. Tiene habilidades inadecuadas. Le falta los compo-
nentes necesarios para examinar las cosas espirituales:

es como una persona con ceguera en una galería de arte… como una persona con sordera en un concierto sinfónico[3].

SABIDURÍA DIABÓLICA

Al utilizarse la palabra "diabólica" para describir la sabiduría del mundo, se deja clara de una vez por todas la identidad de la mente que está detrás del sistema del mundo: es el mismo Satanás.

La sabiduría de Satanás está viva y activa, y tú y yo somos afectados por ella más de lo que nos damos cuenta: es la influencia dominante en nuestro mundo; se infiltra en nuestro hogar un promedio de siete horas al día y sin una vigilancia constante sus principios nos intimidarán.

El apóstol Juan explica cómo la sabiduría del mundo puede socavar la integridad del creyente:

> No amen al mundo ni las cosas que están en el mundo. Si alguno ama al mundo, el amor del Padre no está en él porque todo lo que hay en el mundo —los deseos de la carne, los deseos de los ojos y la soberbia de la vida— no proviene del Padre sino del mundo. Y el mundo está pasando y sus deseos; pero el que hace la voluntad de Dios permanece para siempre (1 Juan 2:15-17).

La sabiduría del mundo interviene mediante "los deseos de la carne, los deseos de los ojos y la soberbia de la vida", las tres cosas que utilizó el tentador en el episodio del jardín (Génesis 3:1-7), la misma estrategia que intentó implementar cuando tentó a Jesucristo (Mateo 4:1-11) y el mismo plan de batalla que todavía utiliza hoy contigo y conmigo.

Lo que hay que tener en mente, de importancia crucial si eres creyente, es esto: la sabiduría del mundo pertenece a la vida antigua, la vida "a. de J.C.", antes de Jesucristo; no debe caracterizarte como nueva persona, porque ahora debes vivir en un nuevo reino. Eso es lo que Pablo estaba tratando de comunicar a los creyentes efesios cuando escribió:

> En cuanto a ustedes, estaban muertos en sus delitos y pecados, en los cuales anduvieron en otro tiempo conforme a la corriente de este mundo y al príncipe de la potestad del aire, el espíritu que ahora actúa en los hijos de desobediencia. En otro tiempo todos nosotros vivimos entre ellos en las pasiones de nuestra carne, haciendo la voluntad de la carne y de la mente; y por naturaleza éramos hijos de ira, como los demás. Pero Dios, quien es rico en misericordia, a causa de su gran amor con que nos amó, aun estando nosotros muertos en delitos, nos dio vida juntamente con Cristo. ¡Por gracia son salvos! (Efesios 2:1-5).

EL FUNCIONAMIENTO DE LA SABIDURÍA MUNDANA

Santiago presenta cuatro características de la sabiduría del mundo.

AMARGOS CELOS

La sabiduría del mundo exalta a la gente y trata de glorificarla, de modo que quienes viven basados en ella siempre están buscando promoverse a sí mismos (como la discusión que tenían los apóstoles sobre el lugar de honor en el reino). La táctica número uno de una persona así es el viejo juego de ir subiendo posiciones mientras va dejando a los demás por debajo.

Los vendedores de libros seculares ya no tratan de esconder esta filosofía egoísta. ¡Ahora todo se muestra al público! Los éxitos en ventas son ahora los libros sobre cómo ser el número uno y cómo intimidar a tus oponentes, a tus empleados, a tu esposa o a la persona que sale contigo. Es la sabiduría del mundo, enlatada y lista para el mercado: la gente compra los libros y se cree las ideas.

CONTIENDAS

La palabra "contienda" es la traducción más utilizada en las Biblias en español para este término, que en tiempos del Nuevo Testamento se usaba para describir a un político que estaba postulando un puesto, aunque más tarde llegó a significar "espíritu de partido" y hoy usaríamos la palabra "manipulación". Manipulamos para lograr que nuestro candidato obtenga el puesto; manipulamos para ser elegidos; tratamos de ganarnos la amistad de gente influyente para poder manipular a otros a través de ellos.

A diferencia de la sabiduría de Dios, que es pura y apacible, esta sabiduría del mundo tiene motivaciones ocultas (no olvidemos que esas prácticas provienen de Satanás). William Barclay nos recuerda lo siguiente:

> Podemos saber cómo es la relación de una persona con Dios si nos fijamos en su relación con los demás. Si alguien es propenso a la riña, pendenciero, competitivo, problemático, es posible que sea muy diligente en su asistencia a la iglesia, incluso podría tener un cargo de liderazgo en ella, pero no es un hombre de Dios. Si un hombre está distante de sus prójimos, es una buena prueba de que está distante de Dios: si está separado de sus semejantes, está separado de Dios[4].

Pablo define el asunto para los cristianos cuando dice: "No hagan nada por rivalidad ni por vanagloria, sino estimen humildemente a los demás como superiores a ustedes mismos" (Filipenses 2:3).

JACTANCIA ARROGANTE

La frase "no se jacten" (Santiago 3:14) es una advertencia contra la arrogancia y el orgullo. La sabiduría del mundo se identifica por medio de la arrogancia de quien se encuentra bajo su embrujo: al orgullo le encanta presumir.

Pablo estaba lidiando con esto cuando escribió 2 Corintios, algo que hizo porque constantemente recibía ataques de los corintios. En este pasaje tan conmovedor, explica por qué algunas personas se jactan y luego señala por qué jactarse es algo tan absurdo: "Porque no osamos clasificarnos o compararnos con algunos que se recomiendan a sí mismos. Pero ellos, midiéndose y comparándose consigo mismos, no son juiciosos" (10:12).

Según Pablo, esa jactancia no es juiciosa porque se basa en lo absurdo de la comparación. Todo esto me recuerda una oración que escribió en broma Glenda Palmer, una de las mujeres de nuestra iglesia después de una predicación mía sobre el problema del orgullo. Su poema está lleno de sarcasmo, pero no se aleja mucho de la actitud que describe Santiago:

Te agradezco, Señor, por darme
una apariencia excelente, una mente sin igual
y una efervescente personalidad
centrada en lo espiritual.

Amo a mis hijos, a mi cristiano esposo,
a la Escuela Dominical a y nuestra iglesia hermosa,
nuestro hogar estilo rústico con patio
y la piscina rodeada de arbustos de rosa.

Sé que mis talentos vienen de ti;
la gente me alaba por mi voz angelical
que canta y enseña a los más débiles
cómo seguir el camino ideal.

Y gracias por mi prestigioso empleo
por ese regalo adicional que me has dado:
que todo lo que mi mano escribe y anota
se convierte en texto inspirado.

Deberías bendecir a cada cristiano;
algunos lo necesitan mucho, la verdad,
pero me enorgullecen tus bendiciones;
supongo que es por mi humildad.

ACCIONES ENGAÑOSAS

Ahora veamos la manera en que encajan todas estas características: los amargos celos llevan a un espíritu de contienda o a un intento de elevarse a uno mismo, y para lograrlo se debe hacer uso de la jactancia arrogante, que inevitablemente conduce al engaño y a la mentira.

EL RESULTADO DE LA SABIDURÍA MUNDANA

Las dos consecuencias de la sabiduría del mundo están claramente marcadas: "desorden y toda práctica perversa" (Santiago 3:16).

DESORDEN

La palabra "desorden" significa "alteración" y a veces se usa para describir el caos. Fijémonos en las otras dos ocasiones en que Santiago utiliza esta palabra.

"El hombre de doble ánimo es inestable en todos sus caminos" (1:8). La palabra "inestable" tiene la misma raíz que "desorden" en el texto que estamos estudiando.

"Pero ningún hombre puede domar su lengua; porque es un mal incontrolable, lleno de veneno mortal" (3:8). La palabra "incontrolable" también tiene la misma raíz que "desorden" en nuestro texto.

Dondequiera que obre la sabiduría del mundo, el resultado será siempre inestabilidad, caos y condiciones de desorden.

TODA PRÁCTICA PERVERSA

La palabra "perversa" aquí no significa "mala" sino literalmente "sin valor" o "buena para nada": la sabiduría del mundo no llega a nada ni tiene valor alguno. El profeta Isaías declara: "Entonces perecerá la sabiduría de sus sabios, y el entendimiento de sus entendidos se eclipsará" (29:14).

William Barclay resume así este pasaje de Santiago:

Santiago describe esta sabiduría arrogante y amarga según sus efectos. Lo más notable sobre esto es que genera desorden: es decir, en vez de lograr que la gente tenga comunidad, los separa; en vez de producir paz, produce contienda; en vez de producir una fraternidad, produce disrupción en las relaciones personales. Hay una cierta clase de personas que sin duda son inteligentes, tienen un cerebro agudo y una lengua muy habilidosa, pero su efecto en cualquier comité, iglesia o grupo es causar problemas, separaciones, contiendas, relaciones personales alteradas. Es preocupante darse cuenta de que lo que esa persona

posee es diabólico y no divino, y de que está com-
prometida con el trabajo del diablo en lugar de con
la obra de Dios[5].

Pablo tenía temor de que esa fuera la clase de sabiduría que había
en Corinto, algo que les dijo cuando les escribió:

> Pero me temo que quizás, cuando llegue, no les ha-
> lle tales como quiero, y que yo sea hallado por uste-
> des tal como no quieren. Temo que haya entre
> ustedes contiendas, celos, iras, enojos, disensiones,
> calumnias, murmuraciones, insolencias y desórdenes
> (2 Corintios 12:20).

El apóstol Juan describió así a otra iglesia, la de Laodicea, donde
obraba la sabiduría del mundo:

> Así, porque eres tibio, y no frío ni caliente, estoy por
> vomitarte de mi boca. Ya que tú dices: 'Soy rico; me
> he enriquecido y no tengo ninguna necesidad', y no
> sabes que tú eres desgraciado, miserable, pobre, ciego
> y desnudo… (Apocalipsis 3:16, 17).

Esta falsa sabiduría que hemos estado examinando es envidiosa y
causa divisiones, es ambiciosa y egoísta, es jactanciosa y arrogante, y es
engañosa en las apariencias. El producto de esta caricaturesca imitación

de la sabiduría divina es desorden y toda práctica perversa. Quienes elijan la sabiduría del mundo y no la de Dios, pasarán su vida en frustración y sin servir para nada.

Guy King, en su comentario sobre este pasaje, advierte lo siguiente:

> Cuando se permite que el señor Sabiomundano esté en la iglesia, la renovación espiritual se detiene: se ha obstaculizado la santa tarea de rescatar personas, la voz del testimonio cristiano ha sido silenciada y la experiencia de bendición en la intimidad con Dios se ha interrumpido. Sí, y muchos otros efectos deplorables tienen lugar cuando a la sabiduría mundana se le permite prevalecer[6].

Cuando Santiago pregunta "¿Quién es sabio y entendido entre ustedes?" (3:13) está formulando una pregunta muy importante, a la que responde diciendo que la persona sabia demuestra con su vida que tiene una relación adecuada con Dios. En otras palabras, su vida va a reflejar que su sabiduría no es la sabiduría del mundo sino la de Dios.

EL ORIGEN DE LA SABIDURÍA CELESTIAL

"La sabiduría que procede de lo alto…" (3:17): Santiago utiliza un participio en tiempo presente para señalar su idea, así que está diciendo algo como "…la sabiduría está viniendo de lo alto". La sabiduría de lo alto no se presenta de un solo impulso, ni tampoco en entregas periódicas, por eso Santiago expresa que hay un flujo continuo que sale de

Dios hacia sus hijos e hijas. El suministro de sabiduría divina nunca se extingue, nos llega continuamente desde lo alto para cubrir las demandas de cada momento.

Santiago 1:5 nos enseña que la sabiduría viene de Dios en respuesta a nuestra oración: "Y si a alguno de ustedes le falta sabiduría, pídala a Dios —quien da a todos con liberalidad y sin reprochar— y le será dada".

Santiago 1:17 presenta un escenario más amplio al recordarnos lo siguiente: "Toda buena dádiva y todo don perfecto proviene de lo alto y desciende del Padre de las luces en quien no hay cambio ni sombra de variación". Esta sabiduría se manifiesta por medio de su Hijo, se hace accesible por medio de su Espíritu Santo y está escrita en su Libro Sagrado, la Biblia.

Los sabios son personas que se han entregado a Jesucristo y que con la ayuda del Espíritu Santo mantienen su intelecto en sumisión a la voluntad de Dios.

EL FUNCIONAMIENTO DE LA SABIDURÍA CELESTIAL

El inventario que hace Santiago de las características de la sabiduría divina es similar a otras listas en el Nuevo Testamento que también hablan de la vida cristiana: "La descripción del amor verdadero (1 Corintios 13:4-7), el fruto del Espíritu (Gálatas 5:22, 23), la mente piadosa (Filipenses 4:8) y el estilo de vida del hombre nuevo (Colosenses 3:12-15): nuestro Señor 'a quien Dios hizo para nosotros sabiduría' (1 Corintios 1:30), fue el ejemplo perfecto de todas estas características"[7].

LA SABIDURÍA CELESTIAL ES PURA

La pureza ocupa el primer lugar en la lista de Santiago porque la sabiduría de Dios, igual que su naturaleza, está fundada en su santidad. En el mandamiento de Santiago 4:8 se nos dice que debemos purificar nuestro corazón y dejar la duplicidad.

En la sabiduría de Dios no hay motivaciones escondidas, pues es transparente y limpia y no hay nada bajo la superficie, todo está a la vista. La sabiduría de Dios, que se hace evidente en nuestra buena conducta, es ante todo pura.

LA SABIDURÍA CELESTIAL ES PACÍFICA

Esta característica es importante para el hilo argumental de Santiago debido a la disensión que se trata en los capítulos 3 y 4. La paz verdadera siempre es una derivación de la pureza, ya que esta es una bendición otorgada por Dios que viene solamente de él. La pureza siempre trae paz, de modo que la falta de pureza siempre vendrá acompañada por falta de paz. Fíjate en la advertencia de Isaías: "Pero los impíos son como el mar agitado que no puede estar quieto y cuyas aguas arrojan cieno y lodo. '¡No hay paz para los malos!', dice mi Dios" (57:20, 21).

Cuando sigue a la pureza de la sabiduría de Dios en nuestra vida y nuestro corazón, su paz afectará a quienes nos rodean. Podremos "[seguir] la paz con todos" (Hebreos 12:14) porque Cristo, quien es nuestra paz y vino a este mundo como el Príncipe de Paz, estará en el trono de nuestro corazón. La dulzura de esta paz hará que seamos personas accesibles, dadas al diálogo y dispuestas a ceder ante los demás. Esta paz no nos permitirá llevar arrastrando nuestra personalidad ni poner excusas a la hora de lidiar con problemas.

John White cree que la persona que tiene esta clase de paz va a sobresalir en este mundo:

> La paz es como un faro en medio de la tormenta: los vientos aúllan, las olas chocan y los relámpagos caen por todos lados, pero dentro del faro los niños están jugando mientras los papás se dedican a sus labores. Tal vez se asomen por la ventana para maravillarse de los poderes que están en toda su furia, pero tienen paz, la paz de saber que la fuerza que les rodea es mayor que la fuerza de la tormenta[8].

Esto es lo que tenía en mente el profeta Isaías cuando escribió: "Tú guardarás en completa paz a aquel cuyo pensamiento en ti persevera, porque en ti ha confiado" (26:3).

Pablo comunicó la misma idea cuando describió su tranquilidad a los filipenses: "...la paz de Dios, que sobrepasa todo entendimiento..." (Filipenses 4:7). El salmista nos regresa a la fuente de toda paz al decir: "Mucha paz tienen los que aman tu ley, y no hay para ellos tropiezo" (Salmo 119:165).

LA SABIDURÍA CELESTIAL ES TOLERANTE

La sabiduría de Dios primero es pura, después pacífica y luego tolerante. Según Matthew Arnold, "la tolerancia consiste en ser dulcemente razonable". Homer Kent describe esta cualidad como:

Ser considerado con los demás y dar espacio a sus sentimientos, a su debilidad y a sus necesidades. Cualidades como ser equitativo, justo, razonable y comprensivo… sin insistir en la letra de la ley sino mostrando la disposición a ceder. Esta característica ha sido manifestada por Dios, por reyes o dueños de esclavos que mostraron moderación o clemencia hacia un subordinado cuando tenían el poder de insistir en sus derechos[9].

La tolerancia es una característica de los siervos: Jesús decía que él era "manso y humilde de corazón" (Mateo 11:29); Pablo hablaba de "la mansedumbre y ternura de Cristo" (2 Corintios 10:1) y dio instrucciones a Tito al respecto cuando le dijo "…que no hablen mal de nadie, que no sean contenciosos sino amables demostrando toda consideración por todos los hombres" (Tito 3:2); Timoteo también recibió la misma recomendación: "Pues el siervo del Señor no debe ser contencioso sino amable para con todos, apto para enseñar y sufrido" (2 Timoteo 2:24).

La contienda es la sabiduría de este mundo, pero la tolerancia es una característica de la sabiduría que viene de lo alto. Aristóteles lo explica así:

[La tolerancia] es el ser indulgente con las acciones humanas, y el mirar no a la ley, sino al legislador, y no a la palabra sino a la intención de legislador; y no a la acción sino a la elección; y no a la parte, sino al todo; ni cuál es alguien ahora, sino cuál sería alguien siempre u ordinariamente. Y hacer memoria más de los bienes que sufrió, que de los males[10].

Carl Sandburg describió a Abraham Lincoln como un hombre de "acero de terciopelo". La gente que obra en la sabiduría de Dios puede ser fuerte y agresiva, pero mostrará una dulce tolerancia en su trato con los demás.

LA SABIDURÍA CELESTIAL ES COMPLACIENTE

La sabiduría de Dios tiene espíritu conciliador y escucha a la razón. Este es el único lugar del Nuevo Testamento en el que aparece la palabra griega que se traduce como "complaciente", un término militar que significa "estar dispuesto a recibir instrucciones". Cuando una persona con sabiduría espiritual está al mando debe tener gentileza, pero cuando está bajo autoridad debe estar dispuesta a ceder y a recibir instrucciones.

LA SABIDURÍA CELESTIAL ESTÁ LLENA DE MISERICORDIA Y DE BUENOS FRUTOS

La siguiente característica de la sabiduría de Dios es que está "llena de misericordia y de buenos frutos", lo cual nos recuerda que nuestra sabiduría se demuestra por medio de nuestra conducta (Santiago 3:3). Nuestra sabiduría divina debe ser como nuestro amor, que se demuestre de hecho y en verdad: nuestra vida tiene que respaldar a nuestro testimonio.

Cuando Santiago menciona las buenas obras, enfatiza un punto muy necesario entre el pueblo de Dios hoy en día. En nuestra determinación por tener un evangelio puro y no contaminado con "buenas obras", hemos eliminado casi por completo esa expresión de nuestro vocabulario, aunque es muy importante que el cristiano entienda y practique esa doctrina. El Nuevo Testamento enfatiza constantemente este punto:

Y poderoso es Dios para hacer que abunde en ustedes toda gracia, a fin de que, teniendo siempre en todas las cosas todo lo necesario, abunden para toda buena obra (2 Corintios 9:8).

...para que anden como es digno del Señor a fin de agradarle en todo; de manera que produzcan fruto en toda buena obra y que crezcan en el conocimiento de Dios (Colosenses 1:10).

...nuestro Padre Dios... anime el corazón de ustedes y los confirme en toda obra y palabra buena (2 Tesalonicenses 2:16, 17).

Asimismo, que las mujeres se vistan con ropa decorosa,... con buenas obras, como conviene a mujeres que profesan reverencia a Dios (1 Timoteo 2:9, 10).

Sea incluida en la lista la viuda que haya cumplido por lo menos sesenta años, que haya sido esposa de un solo marido, que tenga testimonio de buenas obras… (1 Timoteo 5:9, 10).

A los ricos de la edad presente… Que hagan el bien, que sean ricos en buenas obras… (1 Timoteo 6:17, 18).

Toda la Escritura es inspirada por Dios… a fin de que el hombre de Dios sea perfecto, enteramente capacitado para toda buena obra (2 Timoteo 3:16, 17).

…mostrándote en todo como ejemplo de buenas obras (Tito 2:7).

…quien se dio a sí mismo por nosotros para redimirnos de toda iniquidad y purificar para sí mismo un pueblo propio, celoso de buenas obras (Tito 2:14).

Recuérdales que se sujeten a los gobernantes y a las autoridades, que obedezcan, que estén dispuestos para toda buena obra… (Tito 3:1).

Fiel es esta palabra. Acerca de estas cosas, quiero que hables con firmeza para que los que han creído en

Dios procuren ocuparse en buenas obras. Estas cosas son buenas y útiles a los hombres (Tito 3:8).

Considerémonos los unos a los otros para estimularnos al amor y a las buenas obras (Hebreos 10:24).

El mensaje constante de Santiago es este: "...la fe sin obras es muerta" (2:20).

LA SABIDURÍA CELESTIAL ES IMPARCIAL

El término traducido como "imparcial" se refiere a la persona que no discrimina a los demás ni es insegura consigo misma, que no asume una postura en una situación y luego la cambia según las circunstancias. El capítulo 4 de este libro está dedicado al tema de la parcialidad y del trato discriminatorio a los demás (Santiago 2:1-13). R. W. Dale describe así a quien tiene sabiduría mundana:

Lo hace ser tan cambiante como un político, que ajusta sus velas según vaya soplando el viento. Hoy habla bien de alguien de quien ayer habló mal, pero no porque esa persona cambiara sino porque ayer no ganaba nada por hablar bien de ella y hoy sí[11].

LA SABIDURÍA CELESTIAL NO ES HIPÓCRITA

Hipocresía es una palabra que proviene del mundo de la actuación: en tiempos del Nuevo Testamento se llamaba *hipócrita* a la persona que representaba un papel en el escenario con una máscara, pero el término acabó asociándose también con la gente que está actuando fuera del escenario. Hoy en día un hipócrita es alguien que no es real sino falso y que no se representa a sí mismo de verdad.

Cuando Pablo escribió a los romanos les instruyó que amaran sin hipocresía (Romanos 12:9).

EL RESULTADO DE LA SABIDURÍA CELESTIAL

La comparación entre la sabiduría celestial y la terrenal nos enseña mucho: la sabiduría del mundo da como resultado "desorden" (Santiago 3:16), pero la sabiduría de Dios trae "paz" (v. 18); el resultado de la sabiduría del mundo es "toda práctica perversa" (v. 16; ya hemos señalado que esta frase significa "toda obra buena para nada"), pero la sabiduría de Dios produce fruto. En ese fruto están las semillas que dan más fruto, de modo que cuando el fruto de justicia se siembra en paz (v. 18), la sabiduría de Dios automáticamente se multiplica.

En el Centro Rockefeller de la ciudad de Nueva York hay cuatro pinturas murales: la primera muestra a un hombre primitivo que está trabajando con sus manos, tratando de sobrevivir en su ambiente hostil; luego está la imagen del hombre, que ha creado herramientas, y las comodidades de la civilización se han multiplicado; el tercer mural muestra al hombre como amo y a la vez como siervo de la máquina, pues las grandes fuerzas del mundo material ahora están bajo su dirección y control. Nuestra mirada se dirige hacia el último mural con una sensación de gran sorpresa, pues parece muy fuera de contexto y distinto a las otros tres: el tema es Jesucristo en la escena del Sermón del monte, y hay una multitud de hombres, mujeres y niños que está intentando llegar hasta él. Debajo del cuarto mural, el mural de Cristo, están estas palabras:

> El destino final del ser humano no depende de si puede aprender nuevas lecciones o realizar nuevos descubrimientos o conquistas, sino en su aceptación de la lección que escuchó hace más de 2.000 años[12].

Puedo oír a Jesús diciendo "¡Amén!".

8

QUÉ HACER CUANDO LA ADORACIÓN SE CONVIERTE EN GUERRA

(SANTIAGO 4:1-12)

Dios resiste a los soberbios pero da gracia a los humildes.

Los lectores del *Chicago Tribune* quedaron asombrados con este encabezado: "Iglesia de Tennessee destruida por un incendio después de una pelea entre sus miembros durante una junta", una historia sobre una iglesia en Tazewell (Tennessee) que había estado pasando por ciertos problemas. El conflicto se encendió durante un culto y se llegaron a los puños, como dijo un miembro: "Los ánimos se soltaron". Luego la iglesia se incendió por completo y ahora la policía estaba llevando a cabo una investigación. El pastor, entristecido, comentó por televisión: "Es la casa de Dios, no es lugar para darse de puñetazos, tirar balazos unos contra otros o para hablar de dispararle a la gente; es para bendecir al Señor".

191

Ahora la congregación se reúne en el garaje de uno de los miembros[1].

Lamentablemente, en la historia cristiana este tipo de sucesos han tenido lugar con frecuencia. Los visitantes a la catedral de San Giles en Edimburgo (Escocia), suelen detenerse en el lugar donde una mujer enojada llamada Jenny Geddes arrojó una jarra de leche al obispo mientras este estaba leyendo un libro de oración publicado en Inglaterra, algo que ocurrió hace 400 años pero cuya leyenda ha perdurado.

Muchos hemos asistido a reuniones tensas en la iglesia, por eso sabemos lo desagradables que pueden ser: los asuntos espirituales son emocionales y la mayoría de congregaciones están formadas por personas que tienen distintos niveles de madurez; todos venimos de trasfondos diversos y vemos las cosas de modo diferente; a veces se hieren nuestros sentimientos, nos expresamos incorrectamente, nos enojamos con el pastor, nos sentimos ofendidos por los líderes o nos preocupamos porque nuestra opinión no está siendo tomada en cuenta.

¡Y no olvidemos al diablo! Él asiste a la iglesia con regularidad con bastante leña bajo el brazo para echarla en cualquier polémica. Cuando pienso en todo esto recuerdo una parábola que alguien me compartió y que nos recuerda que la fe y los puñetazos no siempre se excluyen mutuamente.

Los invitados a la boda se han reunido con gran emoción, pues la ceremonia que se realiza hoy ha sido esperada mucho tiempo. Los músicos comienzan a tocar un himno y el coro se levanta con precisión. El novio y sus padrinos están parados al frente. Una señora con sombrero se inclina hacia su acompañante y le dice en voz baja: "Está muy guapo, ¿verdad?". La respuesta que recibe es: "Claro que sí, es el más guapo de todos…".

El órgano sube de volumen, anunciando que la novia está a punto de entrar, así que todos se ponen de pie y tratan de alcanzar a contemplar la belleza de esta. Luego estalla una expresión de asombro entre toda la congregación. Se trata de una novia como ninguna otra.

Entra tropezando. ¡Ha pasado algo terrible! Tiene una pierna retorcida y viene cojeando mucho; su vestido está descosido y lleno de lodo, y tiene rasgaduras que dejan ver partes de su piel; sus brazos están amoratados y le sangra la nariz; tiene un ojo hinchado, entre amarillento y morado; en algunas partes de su cabeza parece como si le hubieran arrancado puñados de cabello.

Impactado por la sorpresa, el organista comete errores y tiene que volver a comenzar la pieza después de una pausa. Los asistentes bajan la mirada y la congregación entra en un luto silencioso. ¡Ciertamente el novio merecía algo mejor! Ese príncipe apuesto que se ha mantenido fiel a su amor debería encontrar la consumación de su felicidad con la mujer más bella de todas, no con esta. Su novia, la iglesia, ha estado peleando otra vez[2].

Nuestra nueva conciencia de las peleas en la iglesia actual no debe llevarnos a la conclusión errónea de que este problema es exclusivo de nuestra generación. Cuando Pablo escribió su segunda carta a la iglesia en Corinto, mencionó el tipo de problemas que frecuentemente surgen en una iglesia:

> Pero me temo que quizás, cuando llegue, no les halle tales como quiero, y que yo sea hallado por ustedes tal como no quieren. Temo que haya entre ustedes contiendas, celos, iras, enojos, disensiones, calumnias, murmuraciones, insolencias y desórdenes (2 Corintios 12:20).

Sí, siempre ha habido conflicto en el pueblo de Dios, y obviamente Santiago tenía conocimiento de primera mano de tales divisiones en las iglesias a las que escribió su carta.

Es importante hacer la conexión entre Santiago 3 y 4. "Y el fruto de justicia se siembra en paz para aquellos que hacen la paz. ¿De dónde vienen las guerras y de dónde los pleitos entre ustedes? ¿No surgen de sus mismas pasiones que combaten en sus miembros?" (3:18-4:1).

Santiago ha documentado los resultados de la sabiduría de Dios operando en nuestra vida: son la paz y la justicia y otras virtudes piadosas. Sin embargo la sabiduría del mundo también tiene su consecuencia: cuando se le da libertad en la iglesia del Señor Jesucristo, produce todos los resultados malignos que vamos a describir a continuación.

LA CAUSA DEL CONFLICTO EN LA IGLESIA

En la introducción al tema, Santiago utiliza dos preguntas para sondear a sus lectores y la segunda pregunta responde a la primera. Primero pide a sus lectores que identifiquen la fuente de sus pleitos y disputas ("¿De dónde vienen las guerras y de dónde los pleitos entre ustedes?") pero luego, antes de que puedan contestar, les da la respuesta: "¿No surgen de sus mismas pasiones que combaten en sus miembros?" (4:1).

Algunas versiones traducen "en sus miembros" como "en su interior", pues insisten en que no se trata de peleas *entre* la gente, sino de una lucha *dentro de* ellos. Sin embargo, estas dos ideas no pueden ser aisladas por completo la una de la otra, ya que las luchas externas son a menudo un síntoma de las luchas internas: "Una persona que no está en paz consigo misma seguramente no puede estar en paz con los que le rodean"[3].

Al decir que estas luchas vienen de dentro de cada persona, Santiago se mete en el terreno de muchos psicólogos que han tratado de encontrar la razón de la hostilidad humana en cualquier cosa, desde la herencia genética hasta el medio ambiente.

Cuando dice que el problema está en deseos de placer que la gente tiene, utiliza la palabra griega *hedoné*.

Deseos (*hedonon*), término del cual procede la palabra *hedonismo*, denota el gozo derivado del cumplimiento de un deseo o... del hambre de placer. Este hedonismo, "la filosofía playboy que pone al placer como fin más importante de la humanidad", todavía sigue librando batallas en el corazón de la gente[4].

Es imposible exagerar el poder que tiene esta fuerza sobre las personas:

La lujuria es la "energía atómica" dentro de la personalidad humana. No puede ser definida con precisión porque en ella se incluye un amplio rango de deseos y anhelos, aspiraciones y búsquedas, placeres y emociones... comunica cierta potencialidad volcánica; las terribles capacidades inherentes del león agazapado, listo para saltar sobre su presa[5].

La Biblia dice algunas cosas fuertes en contra de la búsqueda del placer como fin último: Moisés aprendió que recibir maltrato junto con el pueblo de Dios era mejor que "gozar por un tiempo de los placeres del pecado" (Hebreos 11:24, 25); Jesús dijo que los "placeres de la vida" son espinos que ahogan la Palabra de Dios en el corazón humano (Lucas 8:14); para el apóstol Pablo las "diversas pasiones y placeres" caracterizan la vida del incrédulo (Tito 3:3); según Pedro una de las maneras de identificar a un falso maestro era si la persona consideraba un placer "el gozar en pleno día de placeres sensuales" (2 Pedro 2:13).

CARACTERÍSTICAS DEL CONFLICTO EN LA IGLESIA

Vernon Doerksen escribió una paráfrasis libre de Santiago 4:2, 3 para mostrar el ciclo de causa y efecto:

> Codician
> y no tienen.
> Matan y envidian
> y no pueden obtener.
> Luchan y pelean
> y no tienen porque no piden.
> Piden y no reciben
> porque piden mal,
> para poder gastar en sus placeres[6].

Si seguimos la organización que Doerksen propone para este pasaje, podemos ver claramente cuatro características que tiene todo conflicto entre el pueblo de Dios.

PLACER INSATISFECHO — "CODICIAN Y NO TIENEN"

En el versículo 2 se nos dice tres veces que quienes buscaron placer quedaron frustrados en su intento, pues el placer nunca otorga satisfacción plena:

QUÉ HACER CUANDO NO SABES QUÉ HACER

Si tenemos dos coches, queremos un tercero; si tenemos uno, queremos un segundo. Si nos podemos permitir una bella casita en la ciudad, nos gustaría tener también una en el campo. Si tenemos un millón, queremos dos; si tenemos quinientos millones, queremos mil. Los más avaros y deseosos de dinero son los ricos, que se expanden cada vez más, pero cuanto más tienen, más desean[7].

PASIÓN DESCONTROLADA — "MATAN Y ARDEN DE ENVIDIA PERO NO PUEDEN OBTENER"

A pesar de la terrible pelea que ocurrió hace varios años en una iglesia de Newton (Massachusetts), todavía resulta difícil de comprender que ocurran homicidios en una congregación, por eso muchos comentaristas han tratado de disminuir el impacto de este versículo y lo han traducido de otra forma. Vernon Doerksen explica sus razones para luego rechazar esa postura:

"Ustedes cometen homicidio" no encaja bien en el pasaje, por lo tanto es mejor cambiar el texto y en vez de "matan" (*phoneuete*) que diga "tienen envidia" (*phthoneite*). Moffatt traduce así: "Ustedes desean y no tienen lo que quieren; envidian y codician; pero no pueden adquirir: luchan y se pelean". *Sin embargo, no hay apoyo textual en absoluto para esta conjetura*[8].

Pero la historia ha demostrado que el deseo insaciable por tener más y más puede conducir al asesinato: David asesinó a Urías por su lujuria hacia Betsabé (2 Samuel 11:2-17), y Acab asesinó a Nabot por su deseo de tener su viña (1 Reyes 21:1-13). ¡El asesinato es extremo al que puede llegar el deseo frustrado!

> Los pasos del proceso son simples y terribles. Una persona se permite a sí misma desear algo y eso comienza a dominar sus pensamientos, llegando al punto en que involuntariamente es lo único en que piensa todo el día y con que sueña cuando duerme: se convierte en su pasión dominante. La persona comienza a formar planes imaginarios para obtenerlo, entre los que se pueden incluir formas de eliminar a quienes le estorban. Esta idea continúa en la mente por suficiente tiempo, pero un día las imaginaciones se convierten en acciones y esta persona se encuentra dando los terribles pasos necesarios para obtener su deseo. Todos los crímenes en este mundo provienen de un deseo que comenzó siendo un simple senti-miento en el corazón pero que, al ser alimentado por bastante tiempo, llegó a desembocar en acción[9].

POTENCIAL SIN EXPLOTAR — "COMBATEN Y HACEN GUERRA. NO TIENEN PORQUE NO PIDEN"

La condición espiritual de los lectores originales de Santiago se resume en esta oración: "No [tenían] porque no [pedían]". En vez de buscar a

Dios como el dador de todo don perfecto trataron de conseguir lo que querían por medio de sus propios planes, pero en el proceso de sus esfuerzos propios lastimaron aún más su práctica de la oración.

> Una y otra vez la Biblia explica claramente que un deseo fuerte de placer arruina la vida de oración... La manera en que sucede es que primero el cristiano que busca su placer, al tener cierta sensibilidad espiritual, se da cuenta de que sus oraciones son incorrectas: de alguna manera siente que su deseo de tener un auto deportivo no es esencialmente espiritual y entonces no pide nada. De hecho, deja de orar porque pocas cosas de las que quiere están en la lista de prioridades divinas[10].

ORACIONES NO CONTESTADAS—"PIDEN Y NO RECIBEN, PORQUE PIDEN MAL"

En el primer caso, no se recibe nada porque no se pide nada, pero en este segundo ejemplo no se recibe nada porque las peticiones se hacen por la razón equivocada. Hay una cierta forma en que debemos orar si queremos ser escuchados y recibir respuesta de Dios, tal como el doctor W. A. Criswell nos recuerda:

> Cuando se trata de orar y de que nuestra oración sea respondida, tenemos que seguir las instrucciones que Dios ha establecido, pues él ha formado este mundo

de manera que funciona según ciertos principios y leyes. Si los obedecemos tendremos respuesta, pero si no lo hacemos nunca la encontraremos… Con un problema de matemáticas la respuesta para ver si lo hicimos correctamente es el resultado final. ¿Es correcto? Con una máquina la respuesta para ver si se ha ensamblado correctamente o no es si hace lo que queremos que haga. ¿Funciona y produce? Así sucede con el tema de la oración, de obtener cosas de Dios: si lo queremos hacer bien tenemos que usar el instrumento de manera correcta[11].

Simon J. Kistemaker añade lo siguiente:

Dios se niega a escuchar a quien solo persigue sus placeres egoístas. La avaricia es idolatría y una abominación ante los ojos de Dios, quien no escucha la oración que viene de un corazón lleno de motivaciones egoístas. La codicia y el egoísmo son insultos contra él[12].

Hay algunos principios en el Nuevo Testamento que nos brindan directrices para que nuestras oraciones sean contestadas. Al repasar esta lista con los cinco puntos básicos que enseña el Nuevo Testamento sobre la oración, tal vez nos sorprendamos al descubrir el porqué de nuestras peticiones sin respuesta:

Al orar, debemos pedir con fe. "Pero pida con fe, no dudando nada. Porque el que duda es semejante a una ola del mar movida por el viento y echada de un lado a otro" (Santiago 1:6).

Cuando oramos, debemos orar en el nombre de Jesús. "Hasta ahora no han pedido nada en mi nombre. Pidan y recibirán, para que su gozo sea completo" (Juan 16:24).

Al orar, debemos hacerlo de acuerdo a la voluntad de Dios. "Y esta es la confianza que tenemos delante de él: que si pedimos algo conforme a su voluntad, él nos oye" (1 Juan 5:14).

Cuando oramos, debemos estar en buenas relaciones con los demás. "Ustedes, maridos, de la misma manera vivan con ellas con comprensión, dando honor a la mujer como a vaso más frágil y como a coherederas de la gracia de la vida, para que las oraciones de ustedes no sean estorbadas" (1 Pedro 3:7).

Al orar, no podemos tener pecados no confesados en nuestra vida. "Si en mi corazón yo hubiera consentido la iniquidad el Señor no me habría escuchado" (Salmo 66:18).

CONDENACIÓN DEL CONFLICTO EN LA IGLESIA

Para los lectores originales no resultaba tan impactante el epíteto de "adúltero" o "adúltera" como lo es el día de hoy, pues debido al trasfondo del Antiguo Testamento lo habrían asociado con los muchos pasajes en los que se usa la metáfora de un matrimonio para describir la relación entre Dios e Israel:

Porque tu marido es tu Hacedor; el SEÑOR de los Ejércitos es su nombre. Tu Redentor, el Santo de Israel, será llamado Dios de toda la tierra (Isaías 54:5).

"Pero como la mujer que traiciona a su compañero, así me han traicionado, oh casa de Israel", dice el SEÑOR (Jeremías 3:20).

No te alegres, oh Israel; no te regocijes como otros pueblos porque te has prostituido apartándote de tu Dios. Has amado la paga de prostituta en todas las eras del grano (Oseas 9:1).

El Señor Jesús también utilizó esta figura retórica en sus enseñanzas:

Él respondió y les dijo: "Una generación malvada y adúltera demanda señal, pero no le será dada ninguna señal, sino la señal del profeta Jonás" (Mateo 12:39; ver también 16:4).

Pues el que se avergüence de mí y de mis palabras en
esta generación adúltera y pecadora, el Hijo del Hombre se avergonzará también de él cuando venga en la
gloria de su Padre con los santos ángeles (Marcos
8:38).

El Nuevo Testamento hace uso de metáforas maritales para
describir la relación entre la iglesia y Cristo: a los esposos se les
instruye amar a su esposa como Cristo amó a la iglesia (Efesios 5:25);
los creyentes son como "una virgen pura" desposada con Jesucristo
(2 Corintios 11:2).

LA AMISTAD CON EL MUNDO DESTRUYE NUESTRA COMUNIÓN CON DIOS

El fuerte lenguaje de Santiago es una llamada de atención para sus
amigos creyentes que han dejado que su amor por el mundo tome el
lugar de su amor por Cristo y se han convertido en "amantes de los
placeres más que de Dios" (2 Timoteo 3:4).

¿A qué se refiere Santiago cuando reprende a sus lectores por amar
al mundo? *Mundo* tiene distintos significados y casi todos se
encuentran en el libro de Santiago: en el primer capítulo se habla de
guardarse sin mancha del mundo (v. 27), con lo cual se refiere al
"sistema del mundo" o los principios malignos que lo gobiernan; en
el capítulo 2 se dice que Dios ha elegido "a los pobres de este mundo"
(v. 5), una referencia al "mundo de las personas"; en el capítulo 3 se
dice que "La lengua es un fuego; es un mundo de maldad" (v. 6), un

uso de la palabra que se emplea mucho hoy en día (el sentido universal o global con que describimos, por ejemplo, "el mundo de los autos", "el mundo de los muebles", etc.) y una manera en que Santiago describe el grandísimo daño que puede hacerse por el mal uso de la lengua.

Aquí en el capítulo 4 Santiago usa la palabra *mundo* dos veces más para hablar de un sistema que está opuesto a Dios. Si la idea del mundo como un sistema no ha quedado clara, aquí está una de las mejores descripciones que he leído:

> El mundo es la naturaleza humana cuando sacrifica lo espiritual por lo material, el futuro por el presente, lo invisible y eterno por lo que se puede tocar y sentir y que perece con el tiempo. El mundo es una gran avalancha de ideas, sentimientos, principios de acción, prejuicios convencionales, disgustos y apegos que se han ido reuniendo alrededor de la vida humana durante siglos, impregnándola, impulsándola, moldeándola, degradándola[13].

El apóstol Juan advierte a los creyentes que no amen al mundo:

> No amen al mundo ni las cosas que están en el mundo. Si alguno ama al mundo, el amor del Padre no está en él porque todo lo que hay en el mundo —los deseos de la carne, los deseos de los ojos y la soberbia de la vida—

no proviene del Padre sino del mundo. Y el mundo está pasando y sus deseos; pero el que hace la voluntad de Dios permanece para siempre (1 Juan 2:15-17).

No resulta exagerado decir que la amistad con el mundo es enemistad con Dios, una línea que está igual de marcada también en otros lugares del Nuevo Testamento: "Ningún siervo puede servir a dos señores porque aborrecerá al uno y amará al otro, o se dedicará al uno y menospreciará al otro. No pueden servir a Dios y a las riquezas" (Lucas 16:13).

Pablo menciona con tristeza acerca de su amigo Demas: "…porque Demas me ha desamparado, habiendo amado el mundo presente…" (2 Timoteo 4:10).

LA AMISTAD CON EL MUNDO NIEGA NUESTRA FE EN LA PALABRA DE DIOS

Uno de los problemas con Santiago 4:5 es la cita de la Escritura que dice: "El Espíritu que él hizo morar en nosotros nos anhela celosamente". En primer lugar, si es una referencia a algún pasaje del Antiguo Testamento nadie ha podido localizarlo todavía.

La mejor forma de entender esta referencia es verla como el caso de algún predicador que quizás afirma: "La Biblia dice", y luego hace referencia a algún concepto que de manera general se enseña en la Palabra de Dios. Santiago simplemente está diciendo que todo el tenor de la Escritura nos enseña que el Espíritu Santo que vive en cada creyente desea celosamente poseernos completamente y controlar nuestra vida. He aquí hay algunos pasajes en los que esta verdad resulta evidente:

> No te harás imagen, ni ninguna semejanza de lo que esté arriba en el cielo ni abajo en la tierra ni en las aguas debajo de la tierra. No te inclinarás ante ellas ni les rendirás culto, porque yo soy el SEÑOR tu Dios, un Dios celoso... (Éxodo 20:4, 5).

> Porque no te postrarás ante otro dios, pues el SEÑOR, cuyo nombre es Celoso, es un Dios celoso (Éxodo 34:14).

> ...porque el SEÑOR tu Dios es un Dios celoso que está en medio de ti (Deuteronomio 6:15).

LA CURA PARA EL CONFLICTO EN LA IGLESIA

¿Cuál es el remedio para el conflicto en la iglesia? ¿Cómo podemos vencer las luchas y los pleitos entre nosotros? Según Santiago, ese remedio se puede encontrar en la comprensión de la gracia de Dios. Los creyentes no tienen por qué abandonarse al ciclo de placeres insatisfechos, pasiones descontroladas, potencial desaprovechado y oraciones sin contestar, ni tampoco ser enemigos de Dios, adúlteros espirituales. La misma gracia que inicia a los creyentes en su relación con Dios también es capaz de sostener esa comunión a pesar de los placeres del mundo, y las buenas noticias son que él "da mayor gracia" y *"da gracia a los humildes"* (Santiago 4:6). El mensaje sólido del Nuevo Testamento es que la gracia de Dios está disponible para cubrir todas nuestras necesidades.

…y me ha dicho: "Bástate mi gracia, porque mi poder se perfecciona en la debilidad". Por tanto, de buena gana me gloriaré más bien en mis debilidades, para que habite en mí el poder de Cristo (2 Corintios 12:9).

Acerquémonos, pues, con confianza al trono de la gracia para que alcancemos misericordia y hallemos gracia para el oportuno socorro (Hebreos 4:16).

…pero en cuanto se agrandó el pecado sobreabundó la gracia (Romanos 5:20).

Joni Eareckson Tada expresa su gran valoración por lo adecuado de la gracia de Dios de esta manera:

Siento que Dios nunca nos dará una carga que no podamos llevar. Al fijarme en algunos de mis amigos que tienen más discapacidad que yo digo: "Yo no podría con eso". Tengo una amiga, Vicki, que solo puede mover su cabeza de lado a lado (yo al menos puedo menear mis brazos y encogerme de hombros, así que ella tiene mucha más discapacidad que yo) y siempre le digo "Vicki, no sé cómo puedes", a lo que ella responde "Pues puedo con la gracia de Dios". Cuando Vicki observa a otros amigos suyos que están conectados a máquinas para respirar no puede entender cómo pueden estar así. Cada uno tiene un grado de sufrimiento y algunos sufrimos más que otros, pero a todos nosotros *Dios nos da su gracia para soportarlo*[14].

Cuando aumenta la presión, cuando los problemas parecen demasiado pesados, cuando los recursos escasean, cuando la salud flaquea, cuando los sueños familiares se despedazan, cuando la flama espiritual es solo una llamita, Dios da más gracia.

Annie Johnson Flint se inspiró en ese pensamiento para darnos estos hermosos versos, que ahora también son un himno maravilloso:

Su gracia es mayor si las cargas aumentan.
Su fuerza es mayor si la prueba es más cruel.
Si grande es la lucha, mayor es su gracia.
Si más son las penas, mayor es su paz.

Su amor no termina, su gracia no acaba.
Un límite no hay al poder de Jesús.
Pues en sus inmensas riquezas en gloria
Abundan sus dones, abunda su amor.

Si nuestros recursos se han agotado,
Si fuerzas nos faltan para terminar,
Si a punto ya estamos de desanimarnos,
El tiempo ha llegado en que Dios obrará[15].

Cuando Santiago incluye las palabras *"Dios resiste a los soberbios pero da gracia a los humildes"*, está citando Proverbios 3:34 ("Ciertamente él se burlará de los que se burlan, pero a los humildes concederá gracia"), una cita que también aparece en Pedro: *"Dios resiste a los soberbios pero da gracia a los humildes"* (1 Pedro 5:5).

De manera que si hemos de recibir la gracia de Dios deberá morir el orgullo:

Los que dan la espalda a Dios con orgullo y eligen ser amigos del mundo deben enfrentar la oposición de él. El mundo con sus recompensas inmediatas sirve y atiende al orgullo de estas personas; con su sabiduría puede alimentar el egoísmo humano y casi siempre impulsar sus ambiciones. Sin embargo, Dios administra su gracia al humilde. Los que estén dispuestos a reconocer su necesidad, a repudiar la ambición egoísta y a dejar que la sabiduría de Dios les dirija encontrarán que la provisión diaria de su gracia será su mayor recurso[16].

PRINCIPIOS PARA LA APROPIACIÓN DE LA GRACIA

Ahora, sostenido por esta gran promesa de gracia, Santiago esboza un programa que permitirá al creyente apropiarse de la gracia de Dios, gracias a la cual estos creyentes de hace 2.000 años fueron capaces de resistir la fuerza gravitacional del sistema del mundo. En los versículos 7 al 12 Santiago usa una serie de verbos en imperativo para comunicar nueve principios clave de la gracia de Dios para el creyente. Conforme vayamos revisándolos, permitamos que el Espíritu Santo los implemente en nuestra vida.

PRINCIPIO DE GRACIA NÚMERO UNO: RENUNCIAR A TENER EL CONTROL DE TU VIDA

Sométanse, pues, a Dios.

La palabra "someterse" significa "asumir un rango inferior", por eso la gente orgullosa recibe este principio como su mayor desafío: lucharán contra ese hábito tan arraigado en ellos de controlar todo y querrán hacerlo su manera. Sin embargo, si los creyentes no se someten al control de Dios en su vida nunca se abrirán a esa gracia que él les ha prometido. Si estoy intentando vivir por mis propios medios, ¿para qué necesito su gracia? Herbert Stevenson define así esta sumisión a Cristo:

> Es rendición al derecho de gobernar nuestra vida
> (pensar, decir y hacer lo que queramos), además de

una dependencia y obediencia permanentes. Es el reconocimiento de que solo Dios puede lidiar con este yo tirano y rebelde y la disposición a que lo haga… Significa reconocerle en todos nuestros caminos para que dirija nuestra senda[17].

PRINCIPIO DE GRACIA NÚMERO DOS: RESISTIR AL DIABLO

Resistan al diablo, y él huirá de ustedes.

Santiago instruye a sus lectores a que resistan al diablo y les promete que su resistencia hará que este huya. Pedro dice algo similar en su primera carta: "Sean sobrios y velen. Su adversario, el diablo, como león rugiente anda alrededor buscando a quién devorar. Resistan al tal estando firmes en la fe…" (1 Pedro 5:8, 9).

Debemos usar la armadura de Dios (Efesios 6:10-18) y saturarnos de su Palabra (Mateo 4:4), además de orar (Juan 15:7; 1 Juan 5:14, 15; Efesios 6:18).

PRINCIPIO DE GRACIA NÚMERO TRES: RESTAURAR LA PRIORIDAD DE LA ADORACIÓN

Acérquense a Dios, y él se acercará a ustedes.

Ya hemos recibido el mandamiento de someternos a Dios como sus siervos y ahora se nos amonesta a que nos acerquemos a él como adoradores. El verbo "acercarse" es la forma que usa el Antiguo Testamento para describir a los sacerdotes levitas acercándose a Dios con sus sacrificios:

Santifíquense también los sacerdotes que se acercan al SEÑOR, no sea que el SEÑOR acometa contra ellos (Éxodo 19:22).

> Entonces Moisés dijo a Aarón: "Esto es lo que habló el SEÑOR diciendo: 'Me he de mostrar como santo en los que se acercan a mí, y he de ser glorificado en presencia de todo el pueblo'" (Levítico 10:3).

En el libro de Hebreos, que exalta el sumo sacerdocio de Jesucristo como superior al sacerdocio del Antiguo Testamento, se nos alienta con estas palabras: "...porque la ley no perfeccionó nada. Sin embargo, se introduce una esperanza superior por la cual nos acercamos a Dios" (7:19).

Todo adorador verdadero ha experimentado la promesa asociada a este mandamiento: cuando nos acercamos en adoración, Dios siempre se acerca a nosotros. He sentido su cercanía en momentos de adoración personal y congregacional, y en esas ocasiones especiales he podido apropiarme de verdad de su gracia.

También es importante comprender que en el acto mismo de llamarnos a acercarnos a él, Dios ya ha iniciado el acercamiento; por su gracia, él nos ha llamado a acercarnos. Calvino escribió: "Pero si alguien concluye que la primera parte de la obra nos pertenece a nosotros, y que después sigue la gracia de Dios, eso no es a lo que se refería el Apóstol... más bien aquello a lo que [el Espíritu de Dios] nos llama, él mismo lo ha cumplido en nosotros"[18].

PRINCIPIO DE GRACIA NÚMERO CUATRO: RENUNCIAR A ACCIONES PECAMINOSAS

Limpien sus manos, pecadores…

Esta instrucción se hace eco de la terminología del tabernáculo, pues el sacerdote tenía que lavar sus manos antes de acercarse al lugar santo del Dios altísimo. El salmista incorpora este pensamiento en uno de sus cánticos: "¿Quién subirá al monte del SEÑOR? ¿Quién permanecerá en su lugar santo? El limpio de manos y puro de corazón que no ha elevado su alma a la vanidad ni ha jurado con engaño" (Salmo 24:3, 4).

Al seguir experimentando la gracia de Dios en nuestra vida ya no podremos continuar con esas acciones que sabemos que violan sus estándares santos y su justicia.

PRINCIPIO DE GRACIA NÚMERO CINCO: RECHAZAR ACTITUDES PECAMINOSAS

…purifiquen su corazón, ustedes de doble ánimo.

Santiago llama a sus lectores gente "de doble ánimo", un término que expresa vacilación e inconstancia y que describe bien a la persona que ama a Dios y es amiga del mundo al mismo tiempo. Esta actitud de doble lealtad no permite que su gracia fluya en la vida del cristiano.

PRINCIPIO DE GRACIA NÚMERO SEIS: REACCIONAR AL PECADO CON TRISTEZA

Aflíjanse, lamenten y lloren.

Santiago es como un profeta del Antiguo Testamento que llama a su

214

pueblo al arrepentimiento, les hace llorar por sus pecados y, en cierto sentido, "sentarse en cilicio y en cenizas" (ver Ester 4:3; Mateo 11:21; Lucas 10:13). Cuando Pablo luchaba contra el pecado en su vida, clamaba: "¡Miserable hombre de mí! ¿Quién me librará de este cuerpo de muerte?" (Romanos 7:24).

PRINCIPIO DE GRACIA NÚMERO SIETE: ABSTENERSE DE UNA ACTITUD FRÍVOLA HACIA EL MAL

Su risa se convierta en llanto, y su gozo en tristeza.

Santiago no está diciendo que un cristiano deba vestirse de negro, andar con rostro sombrío y predicar pesimismo y fatalidad. Los cristianos deben alegrarse en el Señor, ser agradecidos por el don de la salvación, y obedientes en el camino de Dios. Cuando caen en pecado y responden al llamado de Dios para arrepentimiento debe tener lugar un cambio en su vida. La risa y el gozo son silenciados cuando se dan cuenta de lo que han hecho, pues no pueden hacer otra cosa que entristecerse[19].

PRINCIPIO DE GRACIA NÚMERO OCHO: RESPONDER HUMILDEMENTE AL ÉXITO

Humíllense delante del Señor, y él los exaltará.

Alguien ha calculado que este concepto aparece más de cincuenta veces en las Sagradas Escrituras. He aquí algunos pasajes representativos:

> Porque el SEÑOR... a los humildes adornará con salvación (Salmo 149:4).

Ciertamente él… a los humildes concederá gracia (Proverbios 3:34).

Hay que enaltecer al humilde y humillar al altivo (Ezequiel 21:26).

…porque el que se enaltece será humillado, y el que se humilla será enaltecido (Mateo 23:12).

Humíllense, pues, bajo la poderosa mano de Dios para que él los exalte al debido tiempo (1 Pedro 5:6).

PRINCIPIO DE GRACIA NÚMERO NUEVE: NO CALUMNIAR AL HERMANO

Hermanos, no hablen mal los unos de los otros.

En uno de sus salmos David relaciona la calumnia con la falta de humildad: "Al que solapadamente difama a su prójimo, a ese yo lo silenciaré; no soportaré al de ojos altaneros y de corazón arrogante" (Salmo 101:5).

Santiago 4:7 dice que debemos resistir al diablo, un sustantivo que en el original griego es la palabra *diabolos* y que a veces se traduce como "calumniador" (1 Timoteo 3:11; 2 Timoteo 3:3; Tito 2:3), pues la principal obra del diablo es difamar al pueblo de Dios. Pedro usa esta palabra dos veces en su primera epístola para describir una forma en que los incrédulos hablan de los creyentes (2:12; 3:16). Aunque ninguno de nosotros nos dispondríamos a cumplir el trabajo del diablo a sabiendas, eso es exactamente lo que hacemos cuando hablamos mal de nuestros hermanos y hermanas. Mark Littleton describe cómo puede suceder esto en la iglesia:

> "Hablamos en contra" de nuestros hermanos y hermanas cuando nos quejamos de ellos, contamos historias que les hacen quedar mal, juzgamos sus motivos y los condenamos. Todo lo que decimos para destruirlos en lugar de edificarlos es hablar en contra de ellos. Hablar así es uno de los problemas más comunes entre los cristianos hoy[20].

En su carta a los Efesios Pablo escribe consejos fuertes para quienes se sientan tentados a destruir a un hermano: "Ninguna palabra obscena salga de su boca sino la que sea buena para edificación, según sea necesaria, para que imparta gracia a los que oyen" (4:29).

Cuando los miembros en conflicto de la iglesia Emmanuel de Newton (Massachusetts) fueron llevados a la corte, el juez (que era miembro de la sinagoga Beth Shalom de la misma localidad) consultó el reporte policial del incidente y desestimó el caso con estas punzantes palabras:

> En este momento no se presentarán cargos contra nadie, pero les insto a que arreglen este asunto dentro de su iglesia. Tal vez su Jesucristo apruebe este tipo de cosas entre sus seguidores, pero el estado de

Massachusetts no permitirá más peleas a puñetazos como parte regular de ningún servicio religioso[21].

Después de haber examinado las palabras de Santiago en estos doce versículos se nos ha recordado con firmeza que los estándares de Dios son mucho más altos que los nuestros. Nuestro Señor Jesucristo no permite peleas dentro de la comunidad de creyentes, de modo que si tomamos en serio las instrucciones que nos da el hermano de nuestro Señor podremos restaurar la unidad en nuestras iglesias tan afectadas por conflictos personales.

QUÉ HACER CUANDO TUS METAS NO SON LAS DE DIOS

(SANTIAGO 4:13-17)

Ustedes, los que no saben lo que será mañana, ¿qué es su vida? Porque son un vapor que aparece por un poco de tiempo y luego se desvanece.

Russell Chandler, quien fuera periodista de temas religiosos para *Los Angeles Times*, relata un evento que ocurrió en la década de 1970 cuando todavía trabajaba para el periódico:

> Un joven con barba llegó a la recepción del periódico en repetidas ocasiones para pedir una entrevista. Después de ser cortésmente rechazado varias veces, Mesías Ron se volvió más insistente. Una mañana regresó al periódico y me avisó por teléfono que estaba entregando un importante documento escrito

a mano que "debía publicarse de inmediato".

Envié a una asistente a la recepción con esta encomienda: "A ver si puedes lograr que ya no vuelva a venir".

—Tal vez le sorprenda —comenzó a explicar Mesías Ron al entregarle a la asistente un pergamino enrollado—. Yo soy el Mesías.

—Bueno —dijo la dama con aplomo—, tal vez le sorprenda más a usted enterarse de que es el tercer mesías que ha venido al periódico hoy[1].

Mucha gente no cristiana todavía se ríe por el libro de Edgar C. Whisenant *88 Reasons Why the Rapture Will be in 1988* (88 razones por las cuales el rapto ocurrirá en 1988), que se distribuyó prácticamente a todos los pastores en los Estados Unidos y predecía que el arrebatamiento iba a ocurrir el 11, 12 o 13 de septiembre del año 1988.

Durante esos tres días la compañía televisora TBN (Trinity Broadcasting Network) cambió su programación regular y transmitió vídeos con instrucciones a los no creyentes sobre qué hacer si sus seres queridos de pronto desaparecían.

Charles Taylor planeó su tour a Israel en 1988 para que coincidiera con las fechas de Whisenant, usando la expectativa de ser arrebatado desde Tierra Santa como incentivo de ventas… "Solo 1.975 dólares desde Los Ángeles o 1.805 desde Nueva York (y el viaje de vuelta si fuera necesario)", anunciaba su publicación *Bible Prophecy News*. En otro anuncio posterior para el tour declaró: "Nos hospedaremos en el Hotel Intercontinental justo en el monte de los Olivos, donde tendrás la hermosa vista de la Puerta Oriental y el Monte del Templo. Y si este es el año del regreso de nuestro Señor, como esperamos, ascenderás a la gloria en un sitio a pocos metros del lugar desde donde él ascendió"[2].

Los profetas autoproclamados como Whisenant y Taylor provocan mucho interés entre la gente: se distribuyeron más de tres millones de copias del libro de este primero. Mientras escribo este capítulo se acaba de publicar un libro con una nueva fecha para el regreso de Cristo. ¡Cómo quisiéramos saber lo que pasará en el futuro! ¡Qué dispuestos estamos a volvernos tan necios y especular sobre el futuro! Sin embargo, Dios no nos ha permitido ver claramente el futuro; nos ha dado la capacidad de recordar el pasado pero no de conocer el futuro.

Según San Agustín, Dios fue sabio en su decisión de esconder el futuro de nuestros ojos: "Dios no va a soportar al ser humano que sabe las cosas que pasarán, porque si tuviera preconocimiento de su prosperidad se volvería indiferente y si entendiera su adversidad se volvería inconsciente"[3].

Ya en nuestra época W. A. Criswell ha observado lo siguiente:

Debe haber sido por su bondad y amor que Dios escondió el futuro de nuestros ojos, porque si un ser humano supiera lo que le traerá el mañana viviría constantemente con temor y presentimientos; moriría mil muertes antes de morir una vez; se desmayaría mil veces por un infarto que todavía no sucede. Dios esconde el futuro de nuestros ojos para que podamos vivir en confianza y en esperanza[4].

En la conclusión de esta sección del capítulo 4 de Santiago el autor nos invita a recordar que aunque no podemos predecir el futuro, debemos aprender a enfrentarlo con honestidad. No debemos planearlo sin tener en cuenta a Dios ni suponer que tenemos asegurado un futuro que no podemos controlar, ni tampoco posponer lo que Dios nos ha encargado hacer hoy. Los tres errores cometidos por esos primeros cristianos son muchas veces repetidos por los creyentes modernos, así que las advertencias a esa generación siguen vigentes para la presente.

PRIMER ERROR: PLANEAR EL FUTURO SIN DIOS

Los lectores de Santiago ya habían sido amonestados por su espíritu de independencia con respecto a Dios, pues buscaron los placeres del mundo en lugar de buscar su amor (4:1-10). Al juzgarse unos a otros intentaron evadir al Juez eterno, Dios (vv. 11, 12). Ahora se descubre la indiferencia final: han planificado el futuro de sus negocios sin considerar a Dios en esos planes. Con el estudio cuidadoso de este pasaje queda claro que la indiferencia para con Dios es equivalente en esencia a los primeros dos pecados: "Al ignorar a Dios muestran la misma arrogancia de quien calumnia a su prójimo. El pecado de no acercarse a Dios en oración es una de las ofensas más comunes que cometemos los cristianos"[5].

Aunque a menudo no es reconocido como tal, esto también es una forma de mundanalidad: "El tipo de mundanalidad de la que se habla aquí es una confianza arrogante en el futuro, de hacer cálculos para el tiempo por venir sin referencia alguna a la providencia de Dios, como si el futuro y todo lo que viene con él estuviera en nuestras manos"[6].

Para introducir su idea Santiago usa una expresión griega que se encuentra solo en esta epístola (Santiago 5:1) y que se traduce como "Vamos pues, ahora"; otra forma de decirlo sería "¡Ahora escuchen esto!", lo cual generalmente implica desaprobación y comunica cierto sentido de urgencia.

Aunque estos negociantes tienen su parte de culpa por dejar a Dios fuera de sus planes, no se les condena por esa planificación ni se dice nada que nos lleve a creer que haya nada malo en hacer planes. De hecho, en cierta manera, este es un plan de negocio modélico.

1. Se construye *el plan* ("hoy o mañana") – Un buen plan de negocios necesita tener algo de flexibilidad. Este plan podría ser ejecutado hoy o bien mañana.

2. Se elige *el lugar* ("iremos a tal ciudad") – Era una

época de fundación de nuevas ciudades y cuando esto sucedía con frecuencia los fundadores buscaban habitantes para ocuparlas. A los judíos les ofrecían la ciudadanía sin reservas porque donde estos iban les seguían el dinero y el comercio. De manera que nos imaginamos a un hombre mirando un mapa donde señala un punto y dice: "Aquí está una nueva ciudad donde hay muchas oportunidades de negocios. Iré allá, conoceré el terreno, comerciaré por un año más o menos, ganaré dinero y regresaré más rico"[7].

3. Se calcula *el período* ("estaremos allá un año") – Determina que su negocio le llevará un año y asume que podrá llevarlo a cabo. No hay intenciones de reubicarse permanentemente.

4. Se considera *el propósito* ("haremos negocios") – La palabra griega que se usa es *emporeuomai*, de donde viene el término *emporio*, que en la actualidad se refiere a un centro comercial. En este contexto bíblico la palabra significa "viajar con el propósito de hacer negocios".

5. Se calcula *la ganancia* ("y ganaremos") – Para estos negociantes conseguir ganancias se había convertido en su pasión y era la única razón por la que viajaban, comerciaban y vivían… Sus aspiraciones eran altas, pero no lo suficiente, pues a pesar de amontonar las ganancias no tenían tesoros en el cielo[8].

Como negociantes cristianos debían haber tomado en cuenta la eternidad, así como consultar al Dios eterno:

> No debe concluirse que Santiago estaba condenando la planificación juiciosa, pues Jesús mismo enseñó a sus seguidores la imprudencia de no calcular los recursos antes de comenzar una iniciativa (Lucas 14:28-32). La denuncia que aparece aquí es la planificación que deja fuera a Dios, el pensar que solo se necesita la ingenuidad humana[9].

Todos sabemos que está mal *hacer* cosas sin Dios, pero ahora debemos entender que está mal *planear* cosas sin él. Algunos hombres de negocios con quienes he conversado dejan a Dios fuera de sus planes porque tienen miedo del margen de ganancias y temen que él vaya a interferir en sus ingresos. Si nos vemos tentados de manera similar haremos bien en recordar esta promesa de Dios:

> Por tanto, no se afanen diciendo: "¿Qué comeremos?" o "¿Qué beberemos?" o "¿Con qué nos cubriremos?". Porque los gentiles buscan todas estas cosas, pero el Padre de ustedes que está en los cielos sabe que tienen necesidad de todas estas cosas. Más bien, busquen primeramente el reino de Dios y su justicia, y todas estas cosas les serán añadidas (Mateo 6:31-33).

Robert Johnstone transporta la advertencia de Santiago a nuestra era al escribir lo siguiente:

> En una era como la nuestra, en que la ciencia y la tecnología están incrementando cada día más las formas de hacer dinero, cuando el comercio tiene tantas ramificaciones y hay tantas cosas tan emocionantes, estamos frente al gran peligro de perder la idea de Dios y, en el torbellino de la maquinaria comercial, dejar de oír el "sonido apacible y delicado" que nos recuerda que la "vida y aliento y todas las cosas" vienen de Dios. Por lo tanto las palabras del apóstol tienen en nuestros días una fuerza aun mayor que la que tuvieron en su propia época[10].

Es bueno tener metas empresariales, pero para el hombre de negocios cristiano la meta final debe ser la gloria de Dios y el servicio a la humanidad.

SEGUNDO ERROR: PENSAR QUE SE CONOCE EL FUTURO

Al planificar el crecimiento futuro de sus negocios, estas personas cometieron tres errores:

NO COMPRENDIERON LA COMPLEJIDAD DE LA VIDA

Contaban con cumplir muchas cosas (hoy, mañana, estar allá un año, hacer negocios, obtener ganancias), cada una de las cuales llevaba en sí semillas de una gran desilusión. ¿Cuán seguros podemos estar respecto al día de mañana, por no hablar de un año completo? ¿Y si no encontramos compradores? Supongamos que hay una guerra de precios y desaparece el margen de ganancias. ¿Cómo se pueden predecir las complejidades de tales iniciativas?

Recientemente leí algo que me recordó nuestra incapacidad para conocer el futuro:

> Hace treinta años los futuristas se asomaban a sus bolas de cristal para predecir que uno de los principales problemas de las generaciones futuras sería qué hacer con tanto tiempo libre, una predicción que recuerdo haber oído muchas veces. En 1967, en una audiencia ante un subcomité del Senado, se afirmó que para 1985 la gente estaría trabajando solo 22 horas a la semana o 27 semanas al año, o que podría jubilarse a los 38...
>
> Según una encuesta de Harris, la cantidad de tiempo libre que tiene un estadounidense promedio ha disminuido 37 % desde 1973, mientras que en el mismo período la semana media de trabajo (incluyendo tiempos de traslado) ha aumentado de menos de 41 horas a casi 47 horas[11].

Por mucho que lo intentemos nunca podremos comprender las

complejidades de la vida como para predecir con exactitud qué sucederá en el futuro.

NO COMPRENDIERON LO INCIERTO DE LA VIDA

No había forma de que supieran lo que necesitaban saber a fin de hacer una predicción tan audaz, así que su declaración era totalmente arrogante.

> Tanto el patrón repetitivo *iremos... estaremos... haremos negocios... y ganaremos* como la mención de una estancia de un año sugieren una actitud de arrogancia deliberada y calculada. Irían a donde quisieran durante el tiempo que quisieran. Su determinación, además de su rechazo a considerar la posibilidad de la muerte, suenan muy parecidos a los del mundo moderno[12].

La insensatez de esa planificación se me ha presentado a menudo por medio de muchas conversaciones con gente que me dice que la vida les ha dado algunas sorpresas y las cosas no siempre han salido como estaban planeadas: "Cuando era joven era pobre y luego de viejo me hice rico, pero en cada condición encuentro una desilusión. Cuando tenía las facultades para disfrutar no tenía los medios y ahora que llegaron los medios se fueron las facultades"[13].

NO COMPRENDIERON LA BREVEDAD DE LA VIDA

Santiago formula una de las preguntas más profundas de la Biblia:

"¿Qué es su vida?". No se trata de una pregunta sobre el origen o la esencia de la vida, pues en su respuesta es evidente que está hablando del tiempo entre el nacimiento y la muerte. En la Biblia hay al menos 18 metáforas que expresan la brevedad y la incertidumbre de la vida, entre las cuales se encuentran las siguientes:

Nuestros días son como una sombra sobre la tierra...
(1 Crónicas 29:15).

Mis días son más veloces que la lanzadera del tejedor y se acaban sin que haya esperanza (Job 7:6).

Acuérdate, oh Dios, de que mi vida es un soplo...
(Job 7:7).

Como la nube se deshace y se desvanece, así el que desciende al Seol no volverá a subir (Job 7:9).

Pues nosotros somos tan solo de ayer y nada sabemos; nuestros días sobre la tierra son una sombra (Job 8:9).

Mis días son más veloces que un corredor; huyen sin lograr ver el bien. Pasan como embarcaciones de junco, como un águila que se lanza sobre su presa (Job 9:25, 26).

El hombre, nacido de mujer, es corto de días y lleno de tensiones. Brota como una flor y se marchita; huye como una sombra y no se detiene (Job 14:1, 2).

Hazme saber, oh SEÑOR, mi final, y cuál sea la medida de mis días. Sepa yo cuán pasajero soy. He aquí, has hecho que mis días sean breves; mi existencia es como nada delante de ti. De veras, solo vanidad es todo hombre en su gloria (Salmo 39:4, 5).

Porque mis días se han disipado como humo... (Salmo 102:3).

...mis días son como la sombra que se va. Me he secado como la hierba (Salmo 102:11).

El hombre, como la hierba son sus días: Florece como la flor del campo que, cuando pasa el viento, perece y su lugar no la vuelve a conocer (Salmo 103:15, 16).

Pero, amados, una cosa no pasen por alto: que delante del Señor un día es como mil años y mil años como un día (2 Pedro 3:8).

El poema "La cadencia del tiempo", del clérigo y poeta del siglo XIX Henry Twells, capta la forma en que la vida se nos escapa entre los dedos:

De niño, entre risas y llantos, el tiempo pasaba lentamente.

Ya de joven, por ser más audaz, el tiempo caminaba.

Cuando me convertí en adulto, el tiempo corría.

Cuando fui llegando a viejo, el tiempo volaba.

Muy pronto ya no estaré aquí, el tiempo se habrá ido.

El Señor Jesús contó la historia de un granjero muy rico que miró al futuro y decidió que necesitaba construir graneros más grandes para poder hacerse más rico, pues su meta era lograr una jubilación placentera: "…y me diré a mí mismo: Muchos bienes tienes almacenados para muchos años. Descansa, come, bebe, alégrate" (Lucas 12:19).

Dios llama "necio" al hombre de la parábola porque al planificar su futuro pensaba que tenía todo el control, pero esa misma noche, después de haber trazado sus planes con tanto cuidado, murió y se cumplió el proverbio que dice: "No te jactes del día de mañana, porque no sabes qué dará de sí el día" (Proverbios 27:1).

TERCER ERROR: POSPONER LO QUE DEBE HACERSE HOY

Hay una historia maravillosa acerca de un hombre que estaba limpiando su escritorio un día y encontró una boleta de reparación de calzado que ya tenía diez años de antigüedad. Pensando que no tenía nada que perder, fue al taller y le mostró la boleta al zapatero, quien comenzó a buscar en el cuarto de atrás, donde estaban los zapatos olvidados. Después de un rato volvió con el papelito en la mano y se lo regresó al hombre.

—¿Qué pasó? —preguntó el hombre—. ¿No pudo encontrar mis zapatos?

—Oh, sí, los encontré —respondió el zapatero—, y los tendrá listos para el viernes.

Aunque sonreímos ante la exageración de esta historia, no podemos celebrar el mensaje implícito, ya que en la raíz de muchos de nuestros problemas se encuentra el dejar las cosas para después. Al leer el Antiguo Testamento descubrimos que la práctica destructiva de dejar todo para después ha existido desde hace mucho tiempo.

> Dicen: "Vengan; traeré vino, y nos embriagaremos con licor. El día de mañana será como este, o aun mucho mejor" (Isaías 56:12).

> No niegues un bien a quien es debido, teniendo poder para hacerlo. No digas a tu prójimo: "Anda y vuelve; mañana te lo daré", cuando tienes contigo qué darle (Proverbios 3:27, 28).

Sin embargo, la Biblia ha escrito la palabra *ahora* con letras grandes en el mensaje del evangelio: "¡He aquí *ahora* el tiempo más favorable! ¡He aquí *ahora* el día de salvación!" (2 Corintios 6:2, énfasis añadido) ¡El tiempo para obedecer es ahora! No podemos contar con el día de mañana así que debemos aprovechar el de hoy. En términos comerciales, el *ayer* es un cheque cancelado y el *mañana* es un pagaré, pero el *hoy* es el único dinero en efectivo que tenemos.

Si aislamos estas palabras de Santiago encontramos la expresión más clara toda la idea de pecado por omisión: "Por tanto, al que sabe hacer lo bueno y no lo hace, eso le es pecado" (4:17).

También hay otra verdad básica incluida en el versículo 17: Santiago está dejando muy claro que el conocimiento y la responsabilidad van de la mano, así que pecar por ignorancia es una cosa pero pecar con conocimiento de la verdad es algo muy diferente. He aquí dos declaraciones al respecto, una de Pedro y la otra de nuestro Señor:

> Pues mejor les habría sido no haber conocido el camino de justicia que, después de conocerlo, volver atrás del santo mandamiento que les fue dado (2 Pedro 2:21).

> Porque aquel siervo que entendió la voluntad de su señor y no se preparó ni hizo conforme a su voluntad recibirá muchos azotes. Pero el que no entendió, aunque hizo cosas dignas de azotes, recibirá pocos azotes. Porque de todo aquel a quien le ha sido dado mucho, mucho se demandará de él; y de aquel a quien confiaron mucho, se le pedirá más (Lucas 12:47, 48).

Santiago ya había culpado a los negociantes por dejar fuera de sus planes a Dios y ahora les advierte de un pecado igual de serio que el anterior:

El pecado nunca debe tomarse a la ligera, especialmente el de omisión, que a veces tiene la apariencia inofensiva de descuido menor pero no es así. Consideremos el discurso de despedida de Samuel, cuando emite su sentencia frente a todos los israelitas: "En cuanto a mí, ¡lejos esté de mí pecar contra el SEÑOR dejando de rogar por ustedes!" (1 Samuel 12:23). Samuel rechazó el pecado de abandono, el cual es equivalente a ignorar a Dios y al prójimo y es por tanto un pecado contra su ley[14].

ENFRENTAR EL ORGULLO

La clave para comprender por qué esos negociantes transgredían el futuro está en el versículo 16. En pocas palabras, su problema era el orgullo: planificaban sin Dios porque pensaban que eran los amos de su destino; daban por seguro el día de mañana porque pensaban que no podía pasar nada que estuviera fuera de su control; dejaban tareas para después porque asumían que podrían hacer mañana lo que eligieran no hacer hoy. J. B. Phillips hace una paráfrasis del versículo 16 así: "Lo que pasa es que se siente cierto orgullo al planear el futuro con tanta confianza. Esa clase de orgullo está muy mal".

Alec Motyer explica las dos palabras griegas que se usan para definir ese espíritu altanero:

El verbo "jactarse" (*kauchaomai*) casi siempre se usa en el Nuevo Testamento en un sentido positivo, para hablar del gozo abundante por algo (por ejemplo, cuando se nos insta a gloriarnos en nuestra esperanza de la gloria de Dios; Romanos 5:2). ¡Pero se convierte en algo inaceptable y profano cuando surge de nuestra arrogancia! Entonces es una palabra (*alazoneia*) que se usa solo en otro lugar (1 Juan 2:16) y que se traduce como "la vanagloria de la vida". En otras palabras, cuando olvidamos de forma incluso pequeña, secreta y casi irreconocible lo débiles que somos y dejamos de lado nuestra dependencia consciente de nuestro Dios, entonces es un elemento del espíritu humano orgulloso, presumido y jactancioso, el cual ostenta su supuesta independencia y autosuficiencia[15].

Como se dice "toda jactancia", se refiere aquí a diferentes actos de orgullo y presunción por parte de esos comerciantes.

Lewis Smedes dice que este tipo de orgullo sigue tres modelos básicos: orgullo de poder, orgullo de conocimiento, y orgullo de virtud.

Una persona con *orgullo de poder* cree que su poder le da el derecho a hacer todo lo que se le ocurra. Una persona con *orgullo de conocimiento* cree que tiene toda la verdad y nada más que la verdad en su cabeza y que cualquier cosa que la contradiga es mentira.

Una persona con *orgullo de virtud* cree que es el modelo divino de virtud y que cualquiera que no concuerde con su manera de vivir está viviendo en pecado[16].

Los tres modelos de orgullo son inaceptables para la vida cristiana, pero según el apóstol Pablo hay una forma de orgullo que sí es aceptable para el cristiano. Podemos por ejemplo gloriarnos de nuestra debilidad, porque en ella se manifiesta el poder de Cristo:

Si es preciso gloriarse, yo me gloriaré de mi debilidad (2 Corintios 11:30).

¡De aquel hombre me gloriaré! Pero de mí mismo no me gloriaré sino en mis debilidades… y me ha dicho: "Bástate mi gracia, porque mi poder se perfecciona en la debilidad". Por tanto, de buena gana me gloriaré más bien en mis debilidades, para que habite en mí el poder de Cristo (2 Corintios 12:5, 9).

Uno de mis pasajes favoritos del Antiguo Testamento contiene otra posibilidad de orgullo cristiano:

Así ha dicho el SEÑOR: "No se alabe el sabio en su sabiduría, ni se alabe el valiente en su valentía, ni se alabe el rico en sus riquezas. Más bien, alábese en esto el que se alabe: en entenderme y conocerme que yo soy el SEÑOR, que hago misericordia, juicio y justicia en la tierra. Porque estas cosas me agradan, dice el SEÑOR (Jeremías 9:23, 24).

DEO VOLENTE

Si pudiéramos leer cartas y correspondencia entre los cristianos de hace 100 años, veríamos un par de letras mayúsculas al final de la carta: D.V., dos iniciales como abreviatura de las palabras latinas *Deo volente*, las cuales significan "si Dios quiere" o "Dios mediante". En el versículo 15 se encuentra lo que Santiago propone como alternativa al estilo de vida arrogante de los negociantes: "Más bien, deberían decir: 'Si el Señor quiere, viviremos y haremos esto o aquello'". "Si el Señor quiere" debe ser el reconocimiento de que deseamos su dirección y aprobación y que no haremos nada sin ellas.

La sumisión a la voluntad de Dios es el ejemplo que se nos presenta en muchos de los relatos del Nuevo Testamento en los cuales se mencionan planes humanos:

Pablo dijo a los judíos en Éfeso que regresaría para tener un ministerio nuevo entre ellos *"si Dios quiere"* (Hechos 18:21); escribió a los corintios que planeaba visitarles de nuevo *"si el Señor quiere"* (1 Corintios 4:19) y que permanecería con ellos un tiempo considerable *"si el Señor lo permite"* (1 Corintios 16:7); sin duda puede inferirse un razonamiento similar cuando dice que esperaba *"en el Señor"* ir a Filipos pronto (Filipenses 2:24). El escritor de Hebreos expresaba la meta de alcanzar madurez espiritual con sus lectores *"si es que Dios lo permite"* (Hebreos 6:3)[17].

Lo que Santiago pide a sus lectores es que consideren que el único camino para afrontar el futuro consiste en confiar en Dios y no en tener un plan bien delineado para la ganancia material. Les está pidiendo que vivan reconociendo que él tiene el control, no nosotros.

En cuanto a conocer la voluntad de Dios, los cristianos en general creemos que esto implica tres asuntos: primero, debe haber una disposición a hacer su voluntad después de saber de ella; segundo, debemos darnos cuenta de que su voluntad siempre está en armonía con su Palabra; y tercero, debemos acercarnos a él en oración, buscando su dirección. Si hacemos todo esto podremos conocer la voluntad de Dios.

Cuando ya hemos fijado nuestras metas y hemos decidido una fecha como objetivo para que se cumplan las mismas, podemos depender del Señor para que él dirija nuestros pasos. Sin embargo, recordemos de nuevo que para contar con su ayuda es necesario planear específicamente lo que creemos que es su voluntad, ya que Dios es parte de la planeación y por eso nos ayudará a lograr la meta que él haya determinado. Una cosa sí nos debe quedar clara al asimilar la verdad de este pasaje: si nuestras metas son las metas de Dios, seguramente las lograremos más pronto que si seguimos nuestro propio camino.

El empresario cristiano Howard Butt pronunció un discurso titulado "El arte de ser un pez gordo" y entre todas las cosas interesantes que dijo estaba la siguiente declaración sobre el orgullo, que parece como si hubiera sido inspirada después de haber leído Santiago 4:13-17:

Mi orgullo me hace ser independiente de Dios. Me resulta atractivo sentir que soy el dueño de mi destino, que yo gobierno mi vida, que hago lo que quiero y lo hago todo solo. Aunque ese sentimiento es mi deshonestidad fundamental porque no puedo yo solo. Necesito la ayuda de otras personas y no puedo depender únicamente de mí mismo: dependo de Dios para poder respirar. Es poco honesto por mi parte pretender que soy algo más que un ser humano pequeño, débil y limitado, así que vivir independiente de Dios es un autoengaño. No se trata de que el orgullo sea solo un pequeño rasgo desafortunado y la humildad una virtud pequeña y atractiva; lo que está en juego es mi integridad psicológica interna. Cuando soy orgulloso, estoy mintiéndome a mí mismo, estoy fingiendo ser Dios y no hombre. Mi orgullo es la adoración idólatra del yo y esa es la religión nacional del infierno[18].

QUÉ HACER CUANDO TUS BIENES NO TE HACEN BIEN

(SANTIAGO 5:1-6)

¡Vamos pues ahora, oh ricos! Lloren y aúllen por las miserias
que vienen sobre ustedes.

Mi esposa y yo visitamos recientemente la ciudad de Nueva York y mientras nos trasladábamos en un taxi pasamos por delante del Palacio Helmsley. Inmediatamente recordé una de las historias más extrañas de la década de 1980. ¿Quién puede olvidar aquella baronesa de hotel que estaba llena de lujos pero se negaba a pagar impuestos y trataba a sus empleados como basura? No sé cómo reaccionaste tú, pero cuando nosotros estábamos mirando la debacle de la señora Helmsley por televisión, fue muy difícil mantener la compostura.

Hay una razón para que una persona rica y malvada haga que los cabellos de la nuca se ericen. Seguramente pensamos: "Con todo ese dinero, lo menos que podría hacer es tratar a la gente con un poco de decencia".

Pero como aprenderemos en este capítulo, el hecho es que hay algo en el amor al dinero que saca a relucir lo peor de la gente:

> El deseo de dinero y posesiones fue lo causó la muerte de Acán, de su familia y de docenas de hombres en la guerra (Josué 7); Balac le ofreció dinero al profeta Balaam para que maldijera al pueblo de Dios (Números 22:4-25); Dalila traicionó a Sansón y lo entregó a los filisteos por dinero (Jueces 16); La avaricia de Salomón por tener cada vez más riquezas lo llevó a desobedecer flagrantemente las prohibiciones de la ley de Dios sobre la acumulación de grandes cantidades de caballos, oro, plata y esposas (Deuteronomio 17:16, 17); Guejazi mintió a Naamán y luego a Eliseo por ganar dinero, por eso quedó enfermo de lepra (2 Reyes 5:20-27); Ananías y Safira se quedaron con dinero que según ellos habían dado al Señor y cayeron muertos por eso (Hechos 5:1-11); en un acto de traición, el materialista Judas preguntó a los jefes de los sacerdotes: "'¿Qué me quieren dar? Y yo se los entregaré'. Ellos le asignaron treinta piezas de plata; y desde entonces él buscaba la oportunidad para entregarlo" (Mateo 26:14-16, 47-50; 27:3-10)[1].

El amor al dinero no solamente tuvo un efecto maligno en algunos personajes de la Biblia, sino que es la raíz de la mayor parte de la miseria que observamos en la sociedad actual. En uno de los libros más provocadores que he leído últimamente, el médico Richard A. Swenson, después de enumerar los gigantescos pasos que hemos dado hacia la prosperidad, cataloga algunos de los daños colaterales:

> Lamentablemente… estos beneficios no cuentan toda la historia, ya que los resplandecientes avances casi siempre producen sombras oscuras. En el caso de nuestra prosperidad económica, las sombras de la deuda, la vulnerabilidad y la incertidumbre se extienden hacia el futuro. Por cada indicador económico positivo, hay una situación catastrófica correspondiente. Estamos en aguas turbulentas casi en cada frente financiero y nadie puede indicar con confianza una vía de salida. Los expertos económicos serios hacen predicciones pero luego sucede todo lo contrario[2].

Al enfocar su atención en los ricos malvados de su época, las palabras de Santiago son tan fuertes que muchos comentarios solo pasan superficialmente por los primeros seis versículos del capítulo cinco. Otros autores admiten con honestidad que no saben qué hacer con palabras tan mordaces:

Upton Sinclair, el novelista y reformador social, leyó en una ocasión una paráfrasis de esta sección de Santiago a un grupo de ministros después de atribuírselas a Emma Goldman, una activista anarquista. Los ministros se enfurecieron tanto que declararon que esa mujer debía ser deportada[3].

En esta carta ya se ha mencionado a los ricos en tres ocasiones: en 1:9-11 los ricos obviamente son creyentes; en 2:2, 3 y 6 los ricos son no creyentes; aquí en 5:1-6 generalmente se supone que Santiago está hablando a individuos ricos que no pertenecen a la iglesia.

Las palabras dirigidas a los ricos no son en primera instancia para ellos mismos, sino que suponen un estímulo para los cristianos en tiempos de tratos injustos, a fin de disuadirlos de la necedad de asignarle un alto valor a las riquezas, de envidiar a quienes las poseen o de luchar febrilmente por obtenerlas[4].

Al dirigirse a personas que están *fuera* de la iglesia en una carta que tiene como destinatarios a los de *dentro* de la iglesia, Santiago "emplea un recurso retórico conocido como *apóstrofe*, que consiste en alejarse de su audiencia real para dirigirse a algún otro grupo"[5].

Sin duda algunos de esos comerciantes seculares estaban abusando de miembros de la asamblea de creyentes y, al mismo tiempo, diciendo que tenían buena relación con Dios por su amistad con estos fieles seguidores de Cristo.

Un poco antes, cuando estaba enseñando sobre el tema del favoritismo, Santiago les recordó a estos mismos lectores que la gente rica a quienes trataban con preferencia eran los mismos que estaban oprimiéndoles y arrastrándolos a los tribunales (2:6).

¡Ahora Santiago no lo soporta más! Las palabras que usa en este pasaje son de lo más mordaz de toda la Biblia.

No se trata de condenar la riqueza como tal, pues no hay nada en la Biblia que diga que está mal ser rico; de hecho, podemos encontrar lo contrario, por ejemplo en Proverbios dice que "La bendición del SEÑOR es la que enriquece y no añade tristeza con ella" (10:22).

En la Biblia hay muchos ejemplos notables de personas ricas y piadosas: Job, Abraham, Nicodemo, María, Marta, Lázaro, José de Arimatea, Bernabé y Filemón.

Dios no desaprueba a quien tiene dinero, pero sí habla en contra de quienes "confían en sus riquezas": "El que confía en sus riquezas caerá…" (Proverbios 11:28); "Entonces Jesús, mirando alrededor, dijo a sus discípulos: '¡Cuán difícilmente entrarán en el reino de Dios los que tienen riquezas!'" (Marcos 10:23).

Las serias declaraciones de Santiago están dirigidas hacia ese deseo incontrolado de tener riquezas, pues así como Pablo identifica el peligro no en la riqueza misma sino en amarla de tal manera que eclipsa el amor hacia Dios y hacia los demás (1 Timoteo 6:10).

Dios no condenará a alguien por ser rico, pero le hará dos preguntas: Primero, "¿Cómo te hiciste rico?"; y segundo, "¿Cómo usaste tu riqueza?".

LA ANGUSTIA DESESPERADA DE LOS RICOS MALVADOS

De nuevo Santiago utiliza la fuerte exhortación: "¡Vamos pues ahora…!" (5:1; ver 4:13). Estos ricos malvados deben ponerse a llorar y aullar, pero no se trata de lágrimas de arrepentimiento sino por el juicio que seguramente vendrá sobre ellos. En ese momento tal vez piensen que viven bien, pero si tan solo supieran lo que les espera comenzarían inmediatamente a llorar y a lamentarse.

Juan Calvino explica la diferencia entre este tipo de tristeza y la tristeza del arrepentimiento: "El arrepentimiento sin duda tiene su llanto, pero al estar mezclado con la consolación no se convierte en aullido"[6].

Llorar significa "sollozar audiblemente, lamentarse, sollozar amargamente" y se usaba para lamentarse por los muertos (Lucas 7:13; Juan 11:31-33). Pedro "lloró amargamente" después de darse cuenta de lo que había hecho al negar a Cristo (Lucas 22:62).

Aullar es una expresión de dolor intenso que en griego es la forma verbal onomatopéyica (es decir, que la palabra suena como lo que significa) *ololuzontes*, que no se encuentra en ningún otro pasaje del Nuevo Testamento. La imagen que comunica es la del sollozo abierto y audible, con gritos de agonía, de cuando Cristo regrese para realizar el juicio.

EL TEMIBLE JUICIO DE LOS RICOS MALVADOS

Santiago utiliza tres expresiones para ilustrar la naturaleza temporal de la riqueza y en cada caso la construcción griega anticipa su caída futura como si fuera ya una realidad: sus riquezas *se han* podrido, sus ropas *están* comidas de polilla, su oro y plata *están* enmohecidos. ¡Ya están siendo juzgados!

"SUS RIQUEZAS SE HAN PODRIDO"

Al pensar en riquezas casi siempre imaginamos acciones y bonos de la bolsa de valores, enormes cuentas bancarias y grandes posesiones inmobiliarias, pero la riqueza siempre ha sido una expresión cultural: por ejemplo, la riqueza de Job se calculaba en ovejas, camellos, bueyes y asnos (Job 1:3); la riqueza de la iglesia del libro de los Hechos consistía en casas y terrenos (Hechos 4:34, 35). En el tiempo de la carta de Santiago los bienes eran algo distinto.

La mayoría de los comentaristas acepta que la mención de "riquezas" se relaciona con productos alimenticios o granos. En otras palabras, su riqueza se medía por la cantidad de granos, frutos y vegetales que habían almacenado para el futuro.

Sin embargo, todos estos artículos son perecederos y Santiago sugiere que están almacenando riquezas que no podrán durar. ¡Se pudrirán!

"SUS ROPAS ESTÁN COMIDAS DE POLILLA"

Otra manifestación de la riqueza era el vestuario de los ricos, quienes compraban prendas de vestir muy hermosas y sin duda las presumían todo el tiempo. Acán confesó que se sintió atraído por la ropa:

> Vi entre el botín un manto babilónico muy bueno,
> dos kilos de plata y un lingote de oro de medio kilo
> de peso, lo cual codicié y tomé. Todo ello está

escondido bajo tierra en medio de mi tienda, y el dinero está debajo de ello (Josué 7:21).

Jacob le dio a José una túnica con muchos colores (Génesis 37:3); José le regaló a Benjamín cinco cambios de ropa (Génesis 45:22); Sansón prometió treinta mudas de ropa de fiesta a quien adivinara su acertijo (Josué 14:12); Pablo dijo: "No he codiciado ni la plata ni el oro ni el vestido de nadie" (Hechos 20:33).

Aunque fueran ropas muy caras, al ser almacenadas caían presa de las polillas y otros insectos que las destruirían. En aquellos días no había forma de luchar contra la polilla y esos insectos devoraban las telas.

"SU ORO Y PLATA ESTÁN ENMOHECIDOS"

El oro y la plata en su estado puro no pueden enmohecerse. El lenguaje figurativo que se usa aquí expresa lo inútil que es el oro y la plata cuando se guarda para el futuro: valen lo mismo que un pedazo de metal oxidado.

Estos tres enunciados expresan lo inútil que es almacenar esas cosas que deberían ponerse en circulación para la gloria de Dios y el beneficio de la humanidad: las ropas pudieron haber sido entregadas a los pobres pero en vez de eso se entregaron a las polillas; el oro y la plata pudieron haber comprado ayuda y salud para los menos afortunados pero en vez de eso se dejó que se oxidaran. Esta advertencia concuerda con las palabras de nuestro Señor:

No acumulen para ustedes tesoros en la tierra, donde la polilla y el óxido corrompen, y donde los ladrones se meten y roban. Más bien, acumulen para ustedes tesoros en el cielo, donde ni la polilla ni el óxido corrompen, y donde los ladrones no se meten ni roban. Porque donde esté tu tesoro, allí también estará tu corazón (Mateo 6:19-21).

En el año 70 d. de J.C., 25 años después que Santiago escribiera esta carta, Tito invadió Jerusalén y la destruyó. Los ricos fueron oprimidos junto con los pobres y se les quitó todo lo que tenían. Las riquezas que habían acumulado les fueron arrebatadas por extraños que nunca se las regresaron.

Antes de abandonar este tema, tal vez debo adelantarme a tu pregunta: ¿Está mal ahorrar dinero para el futuro? ¿Están equivocados los consejeros financieros cristianos cuando aconsejan a los creyentes a que ahorren? He aquí la respuesta:

A fin de cuentas, el problema no es el ahorro sino la acumulación, ya que el ahorro moderno es aceptable para Dios... Sin embargo, la acumulación nunca es aceptable. Dios nos confía ciertos recursos, de los cuales él es el dueño y nosotros los administradores. Nunca debemos suponer que tenemos derechos sobre lo que no es nuestro.

A Dios le honran los embudos y le deshonran las

esponjas: seamos canales de su bendición, no calle-
jones sin salida. Es aceptable tener algunos ahorros
para gastos futuros previstos y para emergencias. Pero
la acumulación egoísta o la construcción de imperios
no lo es[7].

EL FUTURO DEVASTADOR DE LOS RICOS MALVADOS

El predicador paleotestamentario de Eclesiastés decía algo similar a lo
que dice Santiago: "Hay un grave mal que he visto debajo del sol: las
riquezas guardadas por su dueño, para su propio mal" (Eclesiastés 5:13).

En el día del juicio los bienes acumulados de los ricos se
presentarán como evidencia de que no siguieron las instrucciones de
Dios de compartir con los pobres. ¡Esas riquezas son una evidencia
que se usará en su propia condena! El profeta Ezequiel dice algo en la
misma línea:

Arrojarán su plata a las calles, y su oro se convertirá
en cosa repugnante. Ni su plata ni su oro podrán
librarlos en el día de la ira del SEÑOR ni saciarán su
apetito ni llenarán sus estómagos; porque esto ha sido
ocasión para su pecado (Ezequiel 7:19).

Esta descripción del juicio de los ricos es devastadora: será como
si su riqueza acumulada les estuviera quemando con fuego, de modo
que en la pérdida de su propiedad está incluida también la pérdida de
su persona.

La acción corrosiva del óxido en su oro y plata acumulados ahora se presenta simbólicamente comiendo
la carne de los ricos opresores en ese día… En el día
del juicio su riqueza, oxidada como una cadena vieja,
les carcomerá su carne como una herida supurante.
Su efecto será como el del fuego, que tortura y a la
vez devora[8].

A esta promesa de juicio el autor añade una nota final: "¡Han
amontonado tesoros en los últimos días!" (Santiago 5:3). Peter Davids
lo expresa de esta manera: "Estas personas han acumulado tesoros
como si fueran a vivir para siempre, como si el mundo fuera a existir
para siempre, pero ya están sobre ellos los últimos tiempos en los que
tienen una última oportunidad de arrepentirse y de dar un buen uso
a sus bienes"[9].

Los cristianos en ese tiempo creían firmemente que Cristo iba a
regresar pronto para juzgar al mundo entero. Observemos las tres
menciones de este punto en la siguiente sección del capítulo 5:

Por lo tanto, hermanos, tengan paciencia hasta *la
venida del Señor*. He aquí, el labrador espera el
precioso fruto de la tierra, aguardándolo con
paciencia hasta que reciba las lluvias tempranas y
tardías. Tengan también ustedes paciencia; afirmen su
corazón, porque *la venida del Señor* está cerca.

Hermanos, no murmuren unos contra otros para

que no sean condenados. ¡He aquí, *el Juez ya está a las puertas*! (vv. 7-9, énfasis añadido).

Homer Kent explica la mentalidad de los destinatarios originales de la carta de Santiago:

> La frase "los últimos días" era una designación de los tiempos mesiánicos, que comenzaron con la primera venida de Cristo (Hechos 2:16, 17; 1 Timoteo 4:1, 2; 2 Pedro 3:3; 1 Juan 2:18). Estos ricos ignoraban la importancia de los días que estaban viviendo, no entendían que los "últimos días" ya habían comenzado y que la segunda venida de Cristo podría ocurrir en cualquier momento. Eran como los babilonios, en festines y deleites, ignorando que el desastre estaba a punto de sacudir su ciudad (Daniel 5:1-31)[10].

LAS PRÁCTICAS ENGAÑOSAS DE LOS RICOS MALVADOS

Según el erudito alemán Adolf Deissmann "La epístola de Santiago se comprende mejor al aire libre, junto a las gavillas amontonadas en el campo recién cosechado"[11]. Ciertamente este pasaje es una de las razones que justifican ese comentario, pues la imagen que se nos presenta es la de un rico terrateniente que ha contratado peones para que cuiden su propiedad mientras está ausente, algo que ocurría con frecuencia en la antigüedad. También era común retrasar el pago del salario o tratar a los trabajadores con engaños y fraudes, un punto que James Adamson explica: "Esta escena está ubicada a propósito justo después de la cosecha, cuando los dueños de los terrenos sin duda pueden pagar los salarios. La palabra *retenido* indica no solamente un retraso sino también un fraude total"[12].

Muchos pasajes del Antiguo Testamento se refieren a esta vil práctica:

No oprimirás a tu prójimo ni le robarás. El salario del jornalero no será retenido contigo en tu casa hasta la mañana siguiente (Levítico 19:13).

No explotes al jornalero pobre y necesitado, tanto de entre tus hermanos como de entre los forasteros que estén en tu tierra, en tus ciudades. En su día le darás su jornal. No se ponga el sol antes de que se lo des, pues él es pobre, y su alma lo espera con ansiedad. No sea que él clame al SEÑOR contra ti, y en ti sea hallado pecado (Deuteronomio 24:14, 15).

Ay del que edifica su casa sin justicia, y sus salas sin derecho, sirviéndose de su prójimo de balde, sin pagarle su salario (Jeremías 22:13).

Si Santiago se refiere a alguno de sus lectores cristianos, ya les ha comunicado que la indiferencia hacia las necesidades del pobre es evidencia de una religión falsa:

Hermanos míos, si alguno dice que tiene fe y no tiene obras, ¿de qué sirve? ¿Puede acaso su fe salvarle? Si un hermano o una hermana están desnudos y les falta la comida diaria, y alguno de ustedes les dice: "Vayan en paz, caliéntense y sáciense" pero no les da lo necesario para el cuerpo, ¿de qué sirve? (2:14-16).

Ahora Santiago dice que el Señor escucha los clamores de quienes han sido engañados y, de hecho, usa un nombre especial para el Señor que escucha: "El Señor de los Ejércitos" (5:4). La palabra "Ejércitos" (*Sabaoth*) se usa para ejércitos humanos (Números 1:3) y angelicales (1 Reyes 22:19) además de para las estrellas del cielo (Deuteronomio 17:3). "El Señor de los Ejércitos" es uno de los nombres más majestuosos de Dios y lo describe como el comandante del ejército celestial (Josué 5:15); esta expresión comunica la idea de que el abuso contra los pobres capta la atención del Soberano supremo del universo. Leslie Mitton nos recuerda: "El mismo Dios que creó el sol, la luna y las estrellas y que ordena su curso también está profundamente preocupado por el trato que se les da a los pobres e insignificantes"[13].

Alec Motyer añade que el nombre "Señor de los Ejércitos" es el Señor que "tiene en sí mismo y bajo su soberano mandato toda potencia y recurso… Ningún poder, no importa cuán grande o sólido parezca, está más allá de su capacidad. Ninguna necesidad, no importa cuán apremiante sea, está más allá de sus medios o fuera de su atención"[14].

Martín Lutero incorporó este nombre de Dios en su himno "Castillo Fuerte". La traducción de J. B. Cabrera lee:

> Es nuestro Rey Jesús,
> El que venció en la cruz,
> Señor de Sabaoth,
> Y siendo el solo Dios,
> Él triunfa en la batalla.

Cuando Santiago emplea este título, está creando la imagen clara de que la destrucción de estos opresores está cerca porque el Señor de Sabaoth está a punto de juzgarlos. ¡Han amasado su riqueza a expensas de los demás y no lograrán evitar el juicio de Dios!

EL LUJOSO ESTILO DE VIDA DE LOS RICOS MALVADOS

El estilo de vida extravagante de los ricos y famosos no es una creación reciente, sino algo tan antiguo como el hijo pródigo que "desperdició sus bienes viviendo perdidamente" (Lucas 15:13). El Señor Jesús identificó la misma idea en la descripción del hombre rico que "se vestía de púrpura y de lino fino, y hacía cada día banquete con esplendidez" (Lucas 16:19).

¡Este estilo de vida puede llegar a ser una adicción! Randy Alcorn lo expresa tal cual al describir la versión moderna de esta depravación ancestral:

> Con sus promesas de satisfacción gracias a dinero y
> objetos, tierras y casas, coches y ropa, lanchas y casa

remolques, jacuzzis y viajes por el mundo, el materialismo nos ha dejado atados y amordazados pensando, como piensa el drogadicto, que nuestra única esperanza es conseguir más de lo mismo. Mientras tanto, la voz de Dios, tan inaudible en medio de todo el trepidar de nuestras posesiones, nos dice que incluso si el materialismo pudiera hacernos felices en esta vida (cosa que claramente no es así) nos deja deplorablemente sin preparación para la siguiente[15].

El escritor británico Richard Holloway añade lo siguiente:

Ya se ha observado que si buscamos el placer no podemos hallarlo. El placer es un producto derivado de muchas actividades… El problema surge debido a una tendencia misteriosa que hay en nuestra naturaleza: tratamos de separar el placer del acto que lo produce y lo perseguimos por sí mismo. Lamentablemente, esta estrategia no puede funcionar por mucho tiempo… porque la búsqueda de placer en sí mismo siempre nos dejará insatisfechos… y [se convierte] en una adicción[16].

Por último, escuchemos las palabras de A. W. Tozer:

Antes que el Señor Dios hiciera al ser humano, primero preparó un mundo de cosas útiles y placenteras para su sustento y deleite (en el relato de la creación de Génesis se les llama simplemente "cosas"), las cuales fueron creadas para su uso pero siempre con el propósito de ser externas a él y de estar a su servicio. En lo profundo del corazón del hombre había un altar que solo Dios era digno de ocupar: dentro de él estaba Dios, y fuera, los miles de regalos que Dios le había prodigado.

Pero el pecado introdujo complicaciones e hizo de esos regalos de Dios una fuente potencial de ruina para el alma. Nuestra tragedia comenzó cuando Dios fue obligado a desocupar su altar central y en su lugar se colocaron cosas. Dentro del corazón humano las cosas han tomado el control: los seres humanos ahora ya no tienen por naturaleza paz en su corazón, porque Dios ya no está coronado como Rey del mismo, sino que en vez de eso, al anochecer moral, esos usurpadores tenaces y agresivos luchan unos contra otros para tener el primer lugar en el trono. Esto no es meramente una metáfora sino un análisis preciso de nuestro verdadero problema espiritual, pues dentro del corazón humano la vida caída se manifiesta en una raíz fibrosa y dura cuya inclinación es a poseer, siempre a poseer; desea cosas con una pasión profunda y feroz. Los pronombres *mi* y *mío* parecen muy inocentes sobre papel pero su uso constante y universal es significativo, pues expresan la naturaleza real del viejo hombre adánico mejor que mil volúmenes de teología: son síntomas verbales de nuestra profunda enfermedad. Las raíces de nuestro corazón han penetrado hondo en las cosas y no nos atrevemos a arrancar ni una de ellas por miedo a morir. Las cosas se han convertido en algo necesario para nosotros, algo que Dios nunca se propuso originalmente. Los regalos de Dios ahora toman el lugar de él mismo, y el curso total de la naturaleza ha sido afectado por esa monstruosa sustitución[17].

Cuando Santiago menciona el "día de la matanza" está usando un término profético que compara el día del juicio de Dios con el día de la matanza de sus enemigos (Isaías 34:5-8; Jeremías 46:10; 50:25-27). He aquí las implicaciones de sus palabras:

Si no sabemos cómo se prepara a un animal para ser consumido tendremos dificultades para entender este punto de Santiago. Necesitamos saber que los vacunos son alimentados de manera especial para que produzcan buenos filetes; los porcinos son alimentados de manera especial para que produzcan buenas chuletas; los pollos y pavos son alimentados de manera especial a fin de engordarlos para la mesa. Santiago está diciéndole a los ricos: "Ustedes se han dado un trato especial en todo. Han estado nutriendo su corazón, como para el día de la matanza"[18].

Alec Motyer añade lo siguiente:

> Son como muchas bestias irracionales, deleitándose
> en su pastura un día tras otro, engordándose cada
> hora que pasa y sin preocuparse por el hecho de que
> cada día, cada hora, el carnicero está más cerca.
> Entonces solo el animal flaco estará a salvo; el que se
> haya alimentado bien está listo para el cuchillo. Esa
> es la manera en que Santiago veía a los ricos: ciegos
> tanto al cielo como al infierno, viviendo nada más
> para esta vida, olvidando el día de la matanza[19].

LOS CRÍMENES MORTALES DE LOS RICOS MALVADOS

No se sabe si los ricos realmente cometieron algún asesinato, pero tal vez provocaran indirectamente la muerte del pobre al arrastrarlo ante los tribunales y negarle las necesidades básicas de la vida. En el siglo II antes de Cristo Jesús ben Sira dijo: "La vida del pobre depende del poco pan que tiene; quien se lo quita, es un asesino. Quitarle el sustento al prójimo es como matarlo; no dar al obrero su salario es quitarle la vida"[20].

Cuando concluye esta sección con la frase: "Él no les ofrece resistencia", la acusación final ya se ha lanzado contra los ricos indiferentes:

> El punto de este clímax, muy efectivo, es claramente
> que la indefensión de sus víctimas aumenta la

condenación de estos ricos… Los ricos están repre-
sentados no como campeones valientes y audaces que
defienden una causa contra enemigos peligrosos, sino
como brutales bravucones que eligen como víctimas
de sus atrocidades a quienes no pueden defenderse o
no van a hacerlo[21].

Al volver a mirar el panorama de materialismo y abuso debemos
preguntarnos nuevamente: "¿Cuál debe ser nuestra actitud hacia el
dinero?".

Las posesiones terrenales son como las mareas del
océano: vienen y van. Por lo tanto, no debemos basar
nuestro destino en la inestabilidad de las riquezas
terrenales, sino más bien recibir toda buena dádiva y
todo don perfecto de las manos de Dios (Santiago
1:17), para luego usar con sabiduría el dinero que
Dios nos da. Cuando recordamos las necesidades de
nuestro semejante y damos generosamente reflejamos
la generosidad de Dios hacia nosotros[22].

Si le damos al dinero más importancia de lo debido según la
enseñanza bíblica, nos espera una gran decepción:

Imaginemos que debido un accidente aéreo en el mar
de Japón entran a la eternidad 269 personas, entre las

cuales se encuentra un político famoso, un ejecutivo millonario, un rico mujeriego y su pareja, y el hijo de unos misioneros que regresa de haber visitado a sus abuelos. Después del accidente están ante Dios totalmente desprovistos de tarjetas de crédito, chequeras, líneas de crédito, ropas de marca, libros sobre el éxito y reservaciones en buenos hoteles. Aquí están el político, el ejecutivo, el mujeriego y el hijo de misioneros, todos al mismo nivel con sus manos completamente vacías; su única posesión es lo que tienen en el corazón. ¡Cuán absurdo y trágico se verá ese día el amante del dinero! Es como alguien que pasa toda su vida recolectando boletos de tren y termina tan cargado por su colección que pierde el último tren[23].

Sin quererlo, Henry Kissinger resume la advertencia de Santiago 5:1-6 al escribir lo siguiente:

Para muchos estadounidenses, la tragedia casi siempre consiste en querer algo intensamente y no obtenerlo. Mucha gente ha tenido que aprender en su vida personal, al igual que muchas naciones han tenido que aprender en su experiencia histórica, que tal vez la peor tragedia es querer algo intensamente, lograr tenerlo y descubrir que está vacío[24].

QUÉ HACER CUANDO TÚ TIENES PRISA PERO DIOS NO

(SANTIAGO 5:7-12)

Tengan también ustedes paciencia; afirmen su corazón,
porque la venida del Señor está cerca.

La revista *Time* publicó un artículo de Nancy Gibbs titulado "Cómo se nos ha acabado el tiempo". Lo que escribió acerca del valor en aumento del tiempo coincide con mis observaciones personales:

Antes el tiempo era dinero: tanto uno como el otro
podían ser desperdiciados o bien utilizados pero, a fin
de cuentas, lo más valioso era el oro. Sin embargo,
como toda mercancía, el valor depende de la escasez,
y en estos días estamos en una hambruna de tiempo.
El tiempo, que antes parecía ser elástico y libre, ahora

se ha hecho tenso y evasivo, de modo que nuestra medida de su valor ha cambiado drásticamente: en Florida un paciente le cobra 90 dólares a su oftalmólogo por hacerle esperar una hora; en California una mujer contrata a alguien para que le haga sus compras por catálogo; con 20 dólares se paga a alguien para que recoja la ropa en la tintorería y con 250 por preparar una cena para cuatro; cuesta 1.500 dólares tener un fax en el auto. "El tiempo", según concluye Louis Harris (quien ha documentado la forma en que se ha ido perdiendo) ha llegado a ser el artículo de mayor valor en todo el país"[1].

Considerando que el tiempo se ha convertido en algo tan valioso, no es de extrañar que la experiencia más frustrante y odiosa de la vida sea esperar: lo hacemos en filas del banco, en el supermercado, en el consultorio médico y en la autopista, y mientras esperamos nos molestamos porque estamos perdiendo tiempo.

¿Te has dado cuenta de todo el tiempo que esperamos cuando salimos a cenar? Esperamos a que se nos asigne una mesa, esperamos el menú, esperamos para ordenar, esperamos nuestra comida, esperamos la cuenta y, finalmente, esperamos para pagar. Y cuando nos despiden diciendo "Esperamos que todo haya sido de su agrado" no podemos sino pensar: "¿'Esperamos'? ¡Si durante todo el tiempo que hemos estado aquí hemos sido nosotros los que no hemos hecho más que esperar!".

Un auto dejó de funcionar en la autopista y aunque su conductor intentó hacer de todo para que volviera a arrancar, no lo logró. El tráfico comenzaba a acumularse pero casi todos los otros conductores estaban tranquilos, excepto un tipo en una camioneta que no dejaba de hacer sonar su bocina. El conductor del vehículo detenido caminó hacia la camioneta para disculparse: "Lo siento mucho, pero no puedo encender el auto. Si usted va y lo intenta, yo puedo quedarme aquí en su camioneta tocando la bocina".

Se dice que Phillips Brooks, un gran predicador de Nueva Inglaterra, era conocido por su compostura y serenidad, aunque sus amigos cercanos sabían que él también sufría momentos de frustración e irritabilidad. Un día, un amigo lo vio caminando de un lado a otro como un león enjaulado.

—¿Cuál es el problema, doctor Brooks? —preguntó el amigo.

Y él contestó:

—El problema es que yo tengo prisa pero Dios no.

Si alguna vez te has sentido como Phillip Brooks, esta sección de la carta de Santiago es para ti. Las palabras *paciencia* y *perseverancia* se mencionan seis veces:

Por lo tanto, hermanos, tengan *paciencia* hasta la venida del Señor (5:7).

He aquí, el labrador espera el precioso fruto de la tierra, aguardándolo con *paciencia* (5:7).

Tengan también ustedes *paciencia*; afirmen su corazón, porque la venida del Señor está cerca (5:8).

Hermanos, tomen por ejemplo de aflicción y de *paciencia* a los profetas que hablaron en el nombre del Señor (5:10).

He aquí, tenemos por bienaventurados a los que *perseveraron*. Han oído de la *perseverancia* de Job… (5:11).

La paciencia es la cualidad que el apóstol Pablo señaló continuamente como requisito de una vida piadosa:

La menciona en 1 Corintios, en su lista de cualidades que caracterizan al amor; la incluye como uno de los nueve rasgos que denomina el fruto del Espíritu en Gálatas; en Efesios incluye la longanimidad al describir la vida digna de la vocación de Dios; también la incluye cuando le da a los colosenses una lista de cualidades piadosas con las que los cristianos deben vestirse; la subraya en Tesalonicenses y cita su propia vida como ejemplo a los creyentes en Corinto y a Timoteo porque la paciencia es uno de los rasgos de su carácter[2].

Como alguien ha dicho: "Con paciencia se puede hacer cualquier cosa. Se puede transportar agua en un tamiz, si esperas hasta que se congele".

NECESITAMOS PACIENCIA FRENTE A LAS DIFICULTADES

La gente a quien Santiago escribe estaba experimentando dificultades y persecuciones tremendas. Como ya leímos en los primeros seis versículos del capítulo 5, los ricos malvados habían cometido toda clase de injusticias contra los creyentes.

Ahora Santiago va a recordarles a sus lectores que, independientemente de la clase de mal que les haya sobrevenido, no deben vengarse contra la gente ni contra Dios. En cierta forma está regresando al tema con el que comenzó la carta: "…tengan por sumo gozo cuando se encuentren en diversas pruebas" (1:2).

La palabra "paciencia" en griego es *makrothumia*, que enfatiza el no tomar represalias y significa mantener el espíritu bajo control. El diccionario expositivo de W. E. Vine contiene esta detallada definición:

MAKROTHUMIA… (*makros*, largo; *thumos*, temperamento) … La longanimidad es aquella cualidad de autorefrenamiento ante la provocación que no toma represalias apresuradas ni castiga con celeridad; es lo opuesto de la ira y se asocia con la misericordia, utilizándose de Dios (Éxo. 34:6, LXX; Rom. 2:4; 1 Ped. 3:20)[3].

William Barclay añade lo siguiente:

> Crisóstomo definía *makrothumia* como el espíritu
> que podría vengarse si quisiera, pero que se niega
> completamente a hacerlo, y Lightfoot como el espíritu
> que nunca tomará represalias. Ahora bien, esto es algo
> diametralmente opuesto a la virtud griega; la virtud
> pagana era la *megalopsuchia*, definida por Aristóteles
> como la negativa a tolerar cualquier insulto o daño.
> Para la cultura griega un hombre grande debía
> levantarse y vengarse, pero para la fe cristiana el
> hombre grande es el que, aun cuando puede hacerlo,
> se niega a vengarse[4].

Jerry Bridges explica cómo funciona este concepto en la vida diaria:

> Este aspecto de la paciencia es la capacidad de sufrir
> por mucho tiempo bajo el maltrato de otros sin
> alimentar resentimientos o amargura. Son muchas las
> oportunidades para ejercitar esta cualidad; desde
> maldades graves hasta bromas aparentemente ino-
> centes, entre lo que se incluye el ridículo, la burla, los
> insultos, los regaños inmerecidos, así como también
> la persecución abierta y directa. Un cristiano víctima
> de intrigas o de juegos organizativos de poder en la
> oficina debe reaccionar con esta clase de longani-

midad; el esposo o la esposa creyente que es rechazado o maltratado por su cónyuge no creyente necesita este tipo de paciencia[5].

Jesucristo es el ejemplo perfecto de longanimidad: sufrió abusos verbales y físicos, le escupieron en la cara, le hicieron acusaciones falsas, lo golpearon y lo clavaron en la cruz; sufrió mucho pero no tomó represalias. El apóstol Pedro captó la esencia de la paciencia de nuestro Señor:

Pues para esto fueron llamados, porque también Cristo sufrió por ustedes dejándoles ejemplo para que sigan sus pisadas.

Él *no cometió pecado, ni fue hallado engaño en su boca.*

Cuando lo maldecían, él no respondía con maldición. Cuando padecía, no amenazaba sino que se encomendaba al que juzga con justicia (1 Pedro 2:21-23).

Según Santiago esta actitud de longanimidad debe controlar al creyente hasta que el Señor Jesús regrese (en otras palabras, hasta que él venga a corregir todos los males, el cristiano debe renunciar a la venganza). Para los primeros creyentes la espera no parecía demasiado larga porque confiaban que el Señor iba a regresar durante la vida de ellos:

...aguardando la esperanza bienaventurada, la manifestación de la gloria del gran Dios y Salvador nuestro Jesucristo... (Tito 2:13).

...mientras esperan la manifestación de nuestro Señor Jesucristo (1 Corintios 1:7).

Porque nuestra ciudadanía está en los cielos, de donde también esperamos ardientemente al Salvador, el Señor Jesucristo (Filipenses 3:20).

Y cuando se manifieste Cristo, la vida de ustedes, entonces también ustedes serán manifestados con él en gloria (Colosenses 3:4).

Pues ellos mismos cuentan de nosotros la buena recepción que tuvimos por parte de ustedes, y cómo ustedes se convirtieron de los ídolos a Dios para servir al Dios vivo y verdadero y para esperar de los cielos a su Hijo, a quien resucitó de entre los muertos, a Jesús, quien nos libra de la ira venidera (1 Tesalonicenses 1:9, 10).

Amados, ahora somos hijos de Dios, y aún no se ha manifestado lo que seremos. Pero sabemos que, cuando él sea manifestado, seremos semejantes a él porque lo veremos tal como él es. Y todo aquel que tiene esta esperanza en él se purifica a sí mismo, como él también es puro (1 Juan 3:2, 3).

Su amabilidad sea conocida por todos los hombres. ¡El Señor está cerca! (Filipenses 4:5).

Clemente, uno de los Padres de la iglesia (150 d. de J.C.), nos dice que Santiago y su hermano Judas eran agricultores, lo cual explica que este utilizara tantos ejemplos tomados de la vida campesina (vivía con la tierra cotidianamente). En este pasaje amonesta a sus lectores así: "He aquí, el labrador espera el precioso fruto de la tierra, aguardándolo con paciencia hasta que reciba las lluvias tempranas y tardías" (5:7).

Esta ilustración proviene de la agricultura en Palestina: el agricultor sembraba la semilla en terrenos que no recibían lluvia durante la mayor parte del año y los campos estaban pardos y secos, ya que no se conocían técnicas de irrigación y por eso se dependía totalmente de las lluvias. Por lo tanto, el campesino tenía que aceptar eso y planificar de acuerdo a esas condiciones en función a dos temporadas de lluvias a fin de asegurar el éxito de su cosecha. "Las lluvias tempranas y tardías" es una referencia a las lluvias de octubre y noviembre (que suavizaban el terreno después del agobiante calor del verano) y a los aguaceros primaverales de abril y mayo (que hacían que el grano madurara en la espiga). Hay varias referencias bíblicas de estas dos temporadas:

…entonces él dará la lluvia a la tierra de ustedes en su tiempo, tanto la lluvia temprana como la lluvia tardía.

Así podrás recoger tu grano, tu vino y tu aceite (Deuteronomio 11:14).

No dicen en su corazón: "Temamos, pues, al SEÑOR nuestro Dios, que da en su tiempo la lluvia temprana y la tardía, y nos guarda los tiempos establecidos para la siega" (Jeremías 5:24).

Ustedes también, oh hijos de Sion, alégrense y regocíjense en el SEÑOR su Dios, porque les ha dado la lluvia primera en su justa medida. También hará descender sobre ustedes la lluvia temprana y la tardía, como antes (Joel 2:23).

La idea del ejemplo de las lluvias es que el creyente que enfrenta hostilidad debe demostrar su disposición a esperar la intervención del Señor. Igual que los campesinos esperan la lluvia para sus cosechas, el creyente debe también aprender a vivir esperando el regreso del Señor y sin alterarse por circunstancias difíciles.

Mientras esperaban el regreso del Señor, los creyentes del tiempo de Santiago no tenían por qué preocuparse: solo habían pasado 30 años desde que Cristo prometió regresar. ¡Sin embargo, para nosotros han pasado ya más de 1.900 años! ¿No tenemos derecho a quejarnos?

Pensemos en todo lo que demoró la primera venida de Cristo. En Génesis 3:15 tenemos lo que muchos consideran el primer mensaje del evangelio, una profecía de la primera venida de Cristo a la tierra.

Nadie sabe con exactitud cuántos años pasaron entre esta promesa y su cumplimiento, pero sí fueron mucho más de 1.900 años (de acuerdo a los cálculos más conservadores, fue más del doble de tiempo). El gran predicador G. Campbell Morgan declaró lo siguiente:

> Para mí la segunda venida es la luz perpetua en el camino que hace soportable al presente. Nunca reclino mi cabeza en la almohada sin pensar que tal vez antes de que amanezca, venga la mañana final. Nunca comienzo mi trabajo sin pensar que tal vez Dios vaya a interrumpirlo para comenzar el suyo[6].

La paciencia que hemos de mostrar esperando el regreso del Señor no debe ser pasiva. De hecho, Santiago nos exhorta así: "afirmen su corazón" (5:8). Hagan firme su corazón.

> [Santiago]… les exhorta, como un acto decisivo, a que fortalezcan y afirmen su vida interior. El verbo comunica la idea de fortalecer y reforzar algo para que quede firme e inconmovible, así que en vez de sentirse agitados y sacudidos por sus experiencias de opresión deben desarrollar un sentido interior de estabilidad. La paráfrasis de Williams dice así: "Deben poner hierro en su corazón", mientras que la *Nueva Biblia Inglesa* invita a ser de "corazón valiente". Aquí Santiago invita a sus lectores a que tomen el asunto en sus

manos, pues es su responsabilidad personal desarrollar una actitud de valor y firmeza frente a las circunstancias que les rodean[7].

NECESITAMOS PACIENCIA FRENTE A LA DESILUSIÓN

El siguiente mandamiento parece estar fuera de lugar en este contexto hasta que nos detenemos y revisamos nuestra respuesta natural frente a la persecución y las dificultades. ¿Qué es lo que casi siempre hacemos cuando comenzamos a sentirnos estresados? Nos quejamos ante quien quiera escucharnos y arremetemos unos contra otros por la presión que estamos sintiendo. Ahora podemos comprender las palabras de Santiago: "Hermanos, no murmuren unos contra otros para que no sean condenados. ¡He aquí, el Juez ya está a las puertas!" (5:9).

Para ayudarnos a comprender este texto, leamos varias traducciones:

No se quejen unos de otros, hermanos, para que no sean juzgados. ¡El juez ya está a la puerta! (NVI).

Hermanos, no os quejéis unos contra otros, para que no seáis juzgados; mirad, el Juez está a las puertas (LBLA).

Hermanos, no se quejen unos de otros, para que no sean juzgados; pues el Juez está ya a la puerta (DHH).

Santiago está hablando ahora sobre cómo debemos actuar en nuestra relación unos con otros a la hora de enfrentar dificultades: debemos mostrar el mismo tipo de resistencia longánima en nuestras relaciones con otros creyentes. Si volvemos al ejemplo de la agricultura lo entenderemos mejor. Yo pasé los veranos de mi infancia en una granja donde aprendí esta valiosa lección: los agricultores siempre se ayudan unos a otros; están juntos en las buenas y en las malas. Esta es la meta que Santiago tiene en mente para los creyentes a quienes escribe. Cuando aumentan las presiones está la tentación a dividir, pero en ese momento la familia de Dios debe estar unida.

Al experimentar los valles de la vida y fijarnos en otros cristianos que parece que van navegando sin problemas, ¿qué hacemos? Cuando nos quedamos sin trabajo y nuestro mejor amigo acaba de recibir un ascenso, ¿qué hacemos? ¿Gemimos y gruñimos? La palabra *gemir* significa "suspirar con un sentimiento reprimido"; puede haber sonidos audibles pero no se forman palabras, es un suspiro interior. Santiago ya nos ha advertido en contra de quejarnos abiertamente:

> Hermanos, no hablen mal los unos de los otros. El que habla mal de su hermano o juzga a su hermano habla mal de la ley y juzga a la ley. Y si tú juzgas a la ley, entonces no eres hacedor de la ley sino juez. Hay un solo Dador de la ley y Juez quien es poderoso para salvar y destruir. Pero ¿quién eres tú que juzgas a tu prójimo? (4:11, 12).

Esta carta la recibieron creyentes dispersos, algunos de los cuales estaban sufriendo más que otros pues no todos estaban viviendo el mismo nivel de dolor. Robert Johnstone se imagina cómo debió haber sido aquel tiempo:

> Supongamos que uno de esos creyentes oprimidos es llevado ante un tribunal por algún enemigo fanático de la cruz. El pretexto es insignificante pero en realidad, como lo sabe bien el acusado y toda la gente, es porque ama y honra al Señor Jesús… Entonces el cristiano acusado sufre en su persona, en sus posesiones o en los dos. Mientras todavía está fresca la herida sus pensamientos se vuelven hacia un hermano creyente, alguien que es un miembro de la iglesia tan importante como él y que, en todos los sentidos, también podría ser objeto del odio de los paganos. Sin embargo, pasa un día tras otro, pasan los meses y a ese hermano no le sobreviene ningún mal, más bien sigue con sus ocupaciones y disfruta sus privilegios religiosos en paz; o tal vez sí es acusado y juzgado pero se le deja en libertad sin sufrir daño alguno. Si el cristiano que padeció daños está distraído espiritualmente, entra el rencor en su alma y cobra fuerza, marchita su gozo y su energía… ¿Y en qué se basa el rencor? Básicamente, en sospechas sin fundamento acerca de su hermano: que su fe cristiana después de todo no es tan pro-

nunciada ni tan brillante como debiera ser, que realiza tratos escondidos con los enemigos de Cristo, que tal vez sobornó a su juez, etcétera[8].

Santiago advierte a quienes tengan la tentación de tomar represalias que deben considerar el regreso inminente de Cristo para juicio: "¡He aquí, el Juez ya está a las puertas!". Estos posibles gruñones deberían haberse sentido motivados a corregir su conducta al saber que el Juez podría entrar en cualquier momento para estar en medio de sus conversaciones y evaluarlos; además, saber que su juicio incluye también las cosas no expresadas debe alertarles y despertarles la conciencia: "El pecador está a un paso del Juez. Porque cuando llega la muerte, el quejumbroso entra en la presencia de Dios, quien lo va a juzgar por cada palabra ociosa que haya dicho. Cada persona que pasa por los portales de la muerte encuentra al otro lado al Juez"[9].

NECESITAMOS PACIENCIA FRENTE A LA DESAPROBACIÓN

Ahora viene el aliento del Antiguo Testamento. Antes de nosotros ya hubo quienes caminaron el sendero de la desaprobación y la dificultad. Como ejemplo de sufrimiento y paciencia, Santiago sugiere un vistazo a los profetas que hablaron en nombre del Señor:

> Moisés tuvo que luchar muchos años con un pueblo rebelde y duro de cerviz; David fue perseguido por Saúl "como una perdiz en las montañas" y en su vejez

tuvo que vivir de nuevo como fugitivo por la rebelión del hijo que tanto amaba; los malvados reyes de Israel querían atrapar y matar a Elías con furia de venganza; la vida de Jeremías fue una continua persecución... y así fueron las experiencias de todos los hombres de la antigüedad[10].

Hay por lo menos 11 pasajes del Nuevo Testamento que se refieren a la persecución de los profetas, de los cuales he aquí tres ejemplos:

Bienaventurados son cuando los vituperen y los persigan, y digan toda clase de mal contra ustedes por mi causa, mintiendo. Gócense y alégrense, porque su recompensa es grande en los cielos; pues así persiguieron a los profetas que fueron antes de ustedes (Mateo 5:11, 12).

¡Jerusalén, Jerusalén, que matas a los profetas y apedreas a los que te son enviados! ¡Cuántas veces quise juntar a tus hijos, así como la gallina junta a sus pollitos debajo de sus alas, y no quisiste! (Mateo 23:37).

[Esteban dijo:] ¿A cuál de los profetas no persiguieron sus padres? Y mataron a los que de antemano anunciaron la venida del Justo (Hechos 7:52).

Santiago señala que los profetas sufrieron no por haber hecho algo malo sino por hacer el bien: hablaron en el nombre del Señor y sus contemporáneos los reprobaron y los persiguieron por su testimonio. Santiago sabía de lo que estaba hablando, por eso en estos versículos llama a sus lectores "hermanos" cuatro veces, para identificarse con ellos en todo lo que está diciendo. Según algunos historiadores seculares Santiago sufrió una muerte violenta porque no renunció a su fe en Jesús como el Mesías y el sumo sacerdote Anás ordenó que lo arrojaran del pináculo del templo. Durante toda su vida supo lo que era el sufrimiento y aquí habla a sus amigos como un compañero de penas. Estos profetas a quienes se refiere Santiago sufrieron las aflicciones con paciencia.

"Bienaventurados ustedes los pobres porque de ustedes es el reino de Dios. "Bienaventurados los que ahora tienen hambre porque serán saciados. "Bienaventurados los que ahora lloran porque reirán.

"Bienaventurados son cuando los hombres los aborrecen, cuando los apartan de sí y los vituperan, y desechan el nombre de ustedes como si fuera malo, por causa del Hijo del Hombre. Gócense en aquel día y salten de alegría porque he aquí su galardón es grande en el cielo; pues así hacían los padres de ustedes a los profetas (Lucas 6:20-23).

NECESITAMOS PACIENCIA FRENTE AL DESASTRE

En este punto encontramos un cambio de palabras: Santiago deja la palabra *makrothumía* y la idea de no tomar represalias para introducir *hupomeno*, que significa "resistencia firme" o "perseverancia". La longanimidad (*makrothumía*) describe la actitud que una persona tiene cuando recibe presión por parte de los demás, mientras que la paciencia (*hupomeno*) denota la respuesta a las circunstancias.

Santiago es el único escritor del Nuevo Testamento que menciona el nombre de Job, cuya historia comienza en el cielo donde Satanás lo acusa delante de Dios. Cuando este menciona a Job como un buen ejemplo de rectitud, Satanás responde que es piadoso solo porque todo le sale bien. Lo que dice Satanás es: "Dios, si le quitas esas bendiciones a Job, él te maldecirá en tu cara". Así que Dios le permite a Satanás hacer precisamente eso y en cuatro golpes rápidos Job está destruido.

- Un mensajero llega y le dice a Job que los sabeos le han robado todos sus bueyes y asnos y han matado a sus siervos (1:14, 15).
- Un segundo mensajero llega y le dice a Job que ha caído un fuego del cielo que ha consumido a todas sus ovejas y también a los siervos que las estaban cuidando (v. 16).
- Otro siervo llega y anuncia que los caldeos se han llevado todos sus camellos y han ejecutado a los siervos que los cuidaban (v. 17).

- Finalmente, un cuarto siervo se presenta y le dice a Job que todos sus hijos están muertos; la casa donde estaban se ha derrumbado y los ha aplastado (vv. 18, 19).

Job perdió a diez hijos (siete hombres y tres mujeres); quedó cubierto de llagas desde la coronilla hasta las plantas de sus pies; se sentó en un montón de cenizas en el estercolero lleno de miseria y agonía; su esposa le dijo que maldijera a Dios y se suicidara. Tres "consoladores" llegaron a ver a Job y, entre otras, cosas le dijeron que ese sufrimiento se debía a su terrible pecado. Perdió toda su fortuna pero no cedió ante la presión:

> Satanás lo ha dejado tirado en un montón de estiércol, pero él convirtió ese lugar en un trono en presencia del gran Dios; Satanás lo afligió con heridas y llagas, pero Job las convirtió en sellos de honor. Esas medallas y conmemoraciones que cubrían por completo a Job hicieron que Satanás se tragara sus palabras y confesara que era un mentiroso, que Dios estaba presente en todo… Dios se propuso darle a Job el doble de todo lo que había tenido, incluyendo su gracia y su amor, y para llegar a eso Job tuvo que sufrir, porque la gracia y el amor no llegan de ninguna otra forma sino a través de grandes pruebas y sufrimiento[11].

El propósito de Dios se cumplió en la respuesta de Job a este tiempo de tribulación. En las siguientes palabras de este patriarca podemos identificar fácilmente el efecto purificador que estas tribulaciones tuvieron en su vida:

> Pero yo sé que mi Redentor vive y que al final se levantará sobre el polvo. Y después que se haya deshecho esta mi piel, ¡en mi carne he de ver a Dios a quien yo mismo he de ver! Lo verán mis ojos, y no los de otro (19:25-27).

> [Job dijo:] De oídas había oído de ti pero ahora mis ojos te ven. Por tanto, me retracto y me arrepiento en polvo y ceniza (42:5, 6).

> El SEÑOR restauró a Job, cuando él oraba por sus amigos, y aumentó el SEÑOR al doble todo lo que le había pertenecido a Job (42:10).

> El SEÑOR bendijo los últimos días de Job más que los primeros, y llegó a tener catorce mil ovejas, seis mil camellos, mil yuntas de bueyes y mil asnos. Tuvo también siete hijos y tres hijas (42:12, 13).

Cuando todo terminó Dios se acordó de Job. No era un hombre perfecto, pero su paciencia fue tan grande que hoy en día, cuando vemos a alguien pasando por dificultades y soportándolas bien, decimos que esa persona tiene "la paciencia de Job". Job no era perfecto sino paciente:

> Job se quejó mucho e incluso deseó nunca haber nacido, pero sus imperfecciones y debilidades humanas se recuerdan poco y solo se habla de su paciencia. Esto es típico de la longanimidad de Dios hacia sus santos. ¡Qué terrible sería si todo lo que Dios recordara de nosotros fueran nuestras fallas y debilidades!... La gente tiende a recordar el mal que hacemos, pero Dios recuerda lo bueno[12].

NECESITAMOS PACIENCIA FRENTE A LA DESHONESTIDAD

Muchos estudiosos bíblicos separan este versículo de la sección anterior, pero al principio del mismo hay una partícula conectiva que es definitivamente un puente entre esta instrucción final y lo que se ha dicho antes. La prohibición contra los juramentos y el tema de la paciencia están relacionados: "Pero sobre todo, hermanos míos, no juren ni por el cielo ni por la tierra ni por ningún otro juramento. Más bien, sea su sí, sí; y su no, no, para que no caigan bajo condenación" (5:12). Estas palabras de Santiago son el eco de algo que Jesús enseñó:

> "Además, ustedes han oído que fue dicho a los antiguos: *No jurarás falsamente; sino que cumplirás al Señor*

tus juramentos. Pero yo les digo: No juren en ninguna manera; ni por el cielo, porque es el trono de Dios; ni por la tierra, porque es el estrado de sus pies; ni por Jerusalén, porque es la ciudad del Gran Rey. No jurarás ni por tu cabeza, porque no puedes hacer que un cabello sea ni blanco ni negro. Pero sea su hablar, 'sí', 'sí', y 'no', 'no'. Porque lo que va más allá de esto, procede del mal" (Mateo 5:33-37).

Hace 2.000 años el asunto de los juramentos daba pie a muchos abusos: se practicaba como una forma de obscenidad y también se usaba en los astutos planes de los líderes religiosos para controlar a sus feligreses. Santiago, sin embargo, se está refiriendo a la práctica de jurar indiscriminadamente durante tiempos de confrontación hostil: "En tiempos de opresión o persecución podemos sentirnos tentados a negar nuestra culpa reforzando esa declaración con un juramento... Un juramento invoca a Dios como testigo de lo que se está diciendo e implica que él castigará a quien jura si está hablando en falso"[13].

Muchos han interpretado las palabras de Santiago y de Jesús para enseñar que está prohibido hacer un juramento ante la corte o ante un juez legal. Sin embargo, hay varias ocasiones en la Biblia en que Dios (Génesis 22:16, 17; 26:3; Hebreos 6:18), Pablo (Romanos 1:9; 2 Corintios 1:23) y otros han hecho uso de juramentos sin pecar:

¿Qué querían decir el Señor y Santiago con sus instrucciones absolutas "No juren en ninguna manera" (Mateo 5:34) y "no juren" (Santiago 5:12)? Prohibían el uso de esas palabras adicionales sin sentido, que se usaban tan comúnmente y que todavía hoy se usan para inducir a los demás a creer lo que decimos… Debe haber sido una costumbre en aquel tiempo acompañar cada cosa que se dijera con un juramento, tal vez una cuestión de hábito, así como hoy tenemos palabras o expresiones comunes que no pueden considerarse malas en sí… Es contra esa palabrería que habla Santiago, y ciertamente podría hablarnos duramente a muchos de nosotros hoy en día. La afirmación excesiva de la verdad despierta sospechas, así que es bueno cuidarse de la persona que siempre te recuerda que está diciendo la verdad y nada más que la verdad porque muy probablemente está tratando de engañarte[14].

Así lo explica Helmut Thielicke:

Cada vez que pronuncio las palabras "Lo juro por Dios" en realidad estoy diciendo: "Ahora voy a señalar una zona de verdad absoluta y a levantarle paredes alrededor para aislarla de todo el lodo, la mentira y la irresponsabilidad que normalmente acompaña cada cosa que digo". De hecho, estoy diciendo todavía más, estoy afirmando que la gente está esperando que yo mienta desde el comienzo y como ya cuentan con mis mentiras tengo que recurrir a este arsenal de juramentos y palabras de honor[15].

Cada vez que un escriba de la antigüedad copiaba los manuscritos sagrados, se detenía antes de escribir el nombre de Dios, se bañaba y luego regresaba a la mesa. Cambiaba de pluma y tintero para no usar los mismos instrumentos de escritura que en el resto del texto, y luego procedía a escribirlo. Siempre había un sentimiento de asombro y reverencia ante lo sagrado cada vez que se escribía o se leía su nombre. ¿Nos atrevemos nosotros a mostrar menos respeto que ellos por el nombre de Dios con nuestros juramentos livianos y sin sentido?

Cualquier persona que haya corrido carreras de larga distancia puede entender fácilmente el concepto de paciencia que hemos estado explicando en este capítulo. Los maratonistas llegan a un punto en el que apenas pueden poner un pie frente al otro, pero si continúan, su energía parece renovarse. En el libro *Todo lo que hay que saber sobre aerobismo* encontramos lo siguiente:

> A lo largo de los años siempre se ha debatido sobre la existencia del segundo aire. ¡Sí existe! El doctor Roy Shepard reporta que cuando los investigadores preguntaron a 20 estudiantes cómo se sentían en intervalos de un minuto durante un ejercicio extenuante de 20 minutos, 18 dijeron que su respiración mejoró después de un rato y 14 que sus piernas se sentían mejor[16].

¡El segundo aire es para el maratonista lo que la paciencia es para el creyente!

QUÉ HACER CUANDO EL DOLOR LLEVA A LA ORACIÓN

(SANTIAGO 5:13-20)

La ferviente oración del justo,
obrando eficazmente, puede mucho.

Si alguien está calificado para hablar de la oración, ese es Santiago. Un escritor antiguo lo describe como un nazareno cuyos tiempos de oración por su nación eran frecuentes y prolongados:

> Solía entrar solo al templo y se le veía frecuentemente de rodillas e implorando perdón para el pueblo, de modo que las rodillas se le volvieron duras como las de un camello por su continuo arrodillarse en adoración a Dios y en oración por el pueblo. Debido a su superior justicia era llamado el Justo[1].

Es muy difícil para la mayoría de nosotros identificarnos con alguien como Santiago. ¿A quién conocemos que ore tanto tiempo como para que le salgan callos en sus rodillas? Tal vez deberíamos preguntar a quién conocemos que ore y que lo haga de verdad. No es una mala pregunta ni está calculada para generar culpa, sino que refleja las encuestas que han realizado investigadores cristianos y no cristianos. ¡Hoy en día la gente está demasiado ocupada como para orar! Bill Hybels, escritor y pastor, le ha dado la vuelta a esa excusa en su libro *No tengo tiempo para orar*. Su análisis de nuestra falta de oración es exacto:

> La oración es una actividad antinatural. Desde que nacemos vamos aprendiendo las reglas de la independencia mientras luchamos por lograr nuestra autonomía. La oración va en contra de esos valores tan enraizados en nosotros, ya que es un asalto a la autonomía humana, una acusación contra la vida independiente. Para la gente que vive de prisa, decidida a lograr todo por sí misma, la oración es una interrupción vergonzosa. La oración es ajena a nuestra orgullosa naturaleza humana[2].

Tenemos frente a nosotros uno de los pasajes más fuertes sobre el tema de la oración, con el cual concluye la carta de Santiago. En Santiago 5:7-12 la palabra central es paciencia, mientras que en este pasaje es oración. Cuando surgen situaciones en las que se requiere tener paciencia, la oración es la clave. Ralph Martin señala lo siguiente:

Al cerrar su obra con una exhortación a la oración, Santiago sigue un patrón que es común en las epístolas del Nuevo Testamento (Romanos 15:30-32; Efesios 6:18-20; Filipenses 4:6 ss.; Colosenses 4:2-4, 12; 1 Tesalonicenses 5:16-18, 25; 2 Tesalonicenses 3:1 ss.; Filemón 22; Hebreos 13:18 ss.; Judas 20)[3].

ORAR ES IMPORTANTE POR RAZONES EMOCIONALES

En estos ocho versículos, Santiago usa dos veces la pregunta introductoria "¿Está alguno...?" (5: 13, 14) (primero pregunta "¿Está afligido alguno entre ustedes?"). La palabra "afligido" no debe confundirse con el "enfermo" del versículo 14, pues en este caso la aflicción implica "dificultades y aflicciones". Se podría también traducir como "¿Está teniendo problemas alguno de ustedes?"; estos problemas podrían ser de tipo mental, emocional, o bien una combinación de ambos. Casi todos los comentaristas concuerdan en que no se trata de una referencia a enfermedades físicas:

Puede cuestionarse si la palabra *kakopatheo*, que se encuentra seis veces en el Nuevo Testamento en alguna de sus formas derivadas y compuestas, significa "sufrir por enfermedad". Según Thayer significa "sufrir (aguantar) males (dificultades, problemas); estar afligido"; según Liddell y Scott, "sufrir males, estar angustiado"; y Rotherham traduce: "¿Está en aflicción alguno entre ustedes?". Además, los medios que han de usarse para resolver esa aflicción van de acuerdo a la naturaleza del problema: "Que ore". No se añade ninguna promesa, pero la experiencia prueba de sobras la eficacia de este medio de gracia, ya que muchos hijos de Dios han podido entonar el cántico:

> ¡Oh cuántas veces tuve en ti
> auxilio en ruda tentación!
> ¡Y cuántos bienes recibí
> mediante ti, dulce oración![4].

Al conectar esto con el versículo anterior podemos ver que hay dos acercamientos a la dificultad inesperada en la vida: el versículo 12 nos advierte contra el uso de juramentos cuando viene la dificultad y el 13 nos instruye a orar. Al enfrentar la prueba, la respuesta no está en jurar o maldecir sino en hacer oración, de modo que si no seguimos esta instrucción nos desconectamos del poder de Dios, lo cual complica nuestro problema al causar una aflicción aún mayor:

Es difícil que Dios libere su poder en nuestra vida cuando ponemos las manos en los bolsillos y decimos: "Me las puedo arreglar solo". Si hacemos esto, no debe sorprendernos que un día sintamos que el fragor de la batalla se ha tornado hacia nosotros y que no tenemos fuerzas para hacer algo al respecto.

Las personas que no oran bloquean el tremendo

poder de Dios y el resultado casi siempre es el sentimiento de estar abrumado, vencido, golpeado, humillado, derrotado. Mucha gente está dispuesta a vivir ese tipo de vida, no seas tú uno de ellos, nadie tiene por qué vivir así. La oración es la clave para liberar el tremendo poder de Dios en nuestra vida[5].

Santiago inmediatamente sugiere otro tipo de respuesta emocional cuando pregunta: "¿Está alguno alegre?". La palabra traducida como "alegre" se encuentra en otro lugar en el Nuevo Testamento, Hechos 27:22, donde se dice de los esfuerzos de Pablo para animar a sus compañeros antes del naufragio en Malta: "...tener buen ánimo".

Si alguien está alegre Santiago dice "que cante salmos". En otras palabras, se considera que alabar a Dios tiene la misma medida de seriedad e importancia que orarle a él. Aunque la palabra "alabar" aparece cientos de veces en la Biblia, el término que se usa aquí es *psallo*, que se refiere a cantar, usualmente con acompañamiento de arpa o bien de lo que hoy llamaríamos guitarra. Alabar a Dios con cánticos es una forma de oración que Pablo relaciona con la plenitud del Espíritu (Efesios 5:18, 19); además en 1 Corintios 14:15 coloca la oración y el cantar en el mismo orden que lo hace Santiago. Cuando estamos llenos de gozo es apropiado cantar alabanzas a Dios. Me gusta mucho este resumen de William Barclay:

La iglesia siempre ha cantado. Cuando Plinio, gobernador de Bitinia, escribió al emperador Trajano en el 111 d. de J.C., para informarle sobre esta nueva secta de cristianos, reportó que la información que tenía era que tenían la costumbre de "reunirse en un día concreto de la semana, antes de que saliese el sol, para cantar himnos a Cristo, como a un dios". Desde la caída de Jerusalén en el año 70 d. de J.C. no ha habido música en la sinagoga ortodoxa judía, ya que cuando adoran recuerdan una tragedia; pero la iglesia cristiana, desde el principio hasta hoy, ha tenido música de alabanza porque los cristianos recuerdan un amor infinito y disfrutan ya de la gloria presente[6].

Con esta instrucción, Santiago nos recuerda que tenemos a Dios para todos los tiempos, los buenos y los malos:

Tanto en períodos de sufrimiento y problemas como en tiempos de alegría, la oración y la alabanza reconocen que Dios es suficiente. Orarle a él es reconocer su poder soberano sobre nuestras circunstancias. Ya sea como fuente de la provisión que necesitamos o del júbilo para nuestro gozo, Dios es suficiente[7].

ORAR ES IMPORTANTE POR RAZONES FÍSICAS

Aunque este es considerado uno de los pasajes clave en el Nuevo Testamento sobre el tema de la sanidad, las opiniones sobre su significado son muy variadas:

Algunos dicen que Dios quiere sanar todas las enfermedades; otros casi conceden que el propósito de Dios puede algunas veces ser cumplido en nuestras enfermedades. Algunos equiparan la enfermedad con el pecado; otros se detienen allí, pero todavía encuentran difícil de explicar por qué gente espiritualmente fuerte se enferma. Algunos culpan al diablo. Algunos alegan tener dones de sanidad; otros dicen que no tienen habilidad sanadora especial, que simplemente son usados por Dios para mostrar a la gente el camino de la fe. Algunos usan un toque físico o ungen con aceite; otros alegan que pueden "declarar" sanidades o simplemente orar por sanidad y conseguir resultados[8].

La palabra que se traduce como "enfermo" en el versículo 14 es el griego *astenia*, que significa " 'sin fuerza' y describe el efecto debilitador de la enfermedad, lo que incapacita laboralmente a una persona"[9]. Tal como se encuentra en otros pasajes del Nuevo Testamento:

Describe al hijo de un oficial del rey que está a punto de morir (Juan 4:46, 47); se usa para describir a Lázaro que falleció poco después (Juan 11:1-3, 6); a Dorcas, que también murió luego (Hechos 9:37); y a Epafrodito, cuya enfermedad lo puso al borde de la muerte (Filipenses 2:26, 27)[10].

El uso que le da Santiago es una referencia obvia a una enfermedad física seria: la frase "El Señor lo levantará" ciertamente implica que la persona estaba postrada y la mención de la oración de los ancianos también apoya esta idea. Cuando una persona de la iglesia está gravemente enferma, Santiago dice que hay que hacer tres cosas:

EL ENFERMO DEBE LLAMAR A LOS ANCIANOS DE LA IGLESIA

Si alguien está seriamente enfermo, Santiago dice "que llame a los ancianos de la iglesia". Es de notar que la persona enferma debe tomar la iniciativa y llamar a los ancianos, que no deberían estar al acecho tratando de encontrar enfermos sino más bien listos para responder cuando sean llamados. Toda la actividad sanadora debe ocurrir en el hogar de la persona enferma, pues no hay evidencia de que se organizaran servicios especiales de ungimiento al frente de la iglesia. Cuando Santiago se refiere a los ancianos tiene un grupo específico en mente:

la palabra *anciano* (presbítero) aparece en el Nuevo Testamento después del nacimiento de la iglesia en el Pentecostés. Los ancianos de la iglesia de Jerusalén eran los representantes del resto de creyentes (Hechos 11:30; 21:18) y quienes ejercían el liderazgo en la supervisión pastoral de la congregación (Hechos 20:28; 1 Pedro 5:1-4). En su primer viaje misionero Pablo y Bernabé establecieron ancianos en cada iglesia

(Hechos 14:23), algo que Pablo instruyó a Tito que hiciera igual en cada pueblo de Creta (Tito 1:5)[11].

LOS ANCIANOS DEBEN VENIR Y ORAR POR EL ENFERMO

El instrumento para levantar a la persona enferma no es su propia oración, sino la oración de los ancianos; ni es su fe, sino la fe de los ancianos. El poder que levanta al enfermo no es el poder de los ancianos, sino el poder de la fe y la intervención directa del Señor. Este pasaje les cierra la boca a quienes quieren culpar al enfermo de no sanar porque no tiene fe en su corazón. Dado que este es uno de los énfasis de este capítulo, quiero citar dos ilustraciones que demuestran el efecto dañino de aplicar mal las instrucciones de Santiago.

La primera viene de un libro escrito por el doctor William Molen, *Healing: A Doctor in Search of a Miracle* (Sanidad: Un médico en busca de un milagro), en el cual el autor documenta su investigación sobre el ministerio de sanidad de Kathryn Kuhlman. He aquí un reporte de primera mano de uno de los servicios de sanidad de esta:

> Finalmente terminó. Todavía había filas largas de gente que quería subir al escenario a reclamar su milagro, pero a las cinco en punto, con un himno y la bendición final, el espectáculo terminó. La señorita Kuhlman salió del escenario y el público abandonó el auditorio.

Antes de regresarme para hablar con la señorita Kuhlman pasé unos minutos observando a los pacientes en silla de ruedas que se estaban retirando. Todos los pacientes desesperadamente enfermos que habían venido en silla de ruedas estaban todavía en silla de ruedas. De hecho, el señor que tenía cáncer en el riñón, en la espina dorsal y en la cadera, a quien yo había ayudado a entrar al auditorio y que había dejado que su silla de ruedas se mostrara a todo el público después de decir que había sanado, estaba otra vez en la silla de ruedas. Su "sanidad", aunque fuera solamente histérica, había durado muy poco tiempo.

Al estar en el corredor observando cómo se retiraban los casos más crítico y viendo las lágrimas de los padres que empujaban a sus hijos lisiados para entrar a los elevadores, cómo deseaba que la señorita Kuhlman estuviera ahí conmigo. Un par de veces durante el servicio se había quejado de "la responsabilidad, la enorme responsabilidad" y del dolor en su corazón por "los que no son sanados", pero me preguntaba cuántas veces se había fijado en ellos de verdad. Me preguntaba si sentía sinceramente que el gozo de los "sanados" de bursitis y artritis compensaba la angustia de los que se quedaban con sus piernas marchitas, con sus hijos retrasados, con sus cánceres de hígado. Me preguntaba si realmente sabía el daño que estaba haciendo. No podía creer lo que había visto[12].

La segunda viñeta proviene de la pluma del exdirector de Servicios de Salud Pública de los Estados Unidos, el doctor C. Everett Koop, quien recuerda este incidente de sus días como presidente de la Fundación Evangélica:

Contratamos a un reportero para investigar a algunas de las sectas, específicamente los sanadores de fe. Nuestro investigador viajó a una ciudad del sudoeste en donde se había anunciado una campaña de sanidad desde hacía algunas semanas. Junto a la enorme carpa en la que miles de personas asistían a los servicios religiosos había una carpa más pequeña, a la cual acudieron durante toda la semana previa a los servicios aquellos aquejados de enfermedades físicas para que los asistentes del sanador los examinaran… Entre los que solicitaban sanidad estaba un señor entrado en años que vivía en la pradera y cuya visión estaba menguando (lo más probable es que estuviera desarrollando cataratas); la única iluminación en la cabañita donde vivía era una lámpara de queroseno. Era un cristiano muy devoto que leía su Biblia diariamente (o trataba de hacerlo) y tenía toda la fe necesaria para sanar, si es que se pudiera asegurar la sanidad por la medida de fe. Su mayor queja era que su vista se había deteriorado tanto que ya no podía leer su Biblia.

La noche que le tocó presentarse ante el sanador lo llevaron con toda la atmósfera de un espectáculo de segunda clase. El sanador dijo: "Bueno, amigo, ya no puedes ver. Estás envejeciendo y ni siquiera puedes ver con tus anteojos. Tu visión está fallando". Entonces extendió el brazo, le quitó los anteojos, los arrojó al piso de la plataforma, los pisoteó fuerte y los rompió. Luego le entregó al señor una Biblia con letra grande lo cual, bajo la iluminación necesaria para la televisión de aquellos días, le permitió al hombre leer Juan 3:16 en voz alta, causando la sorpresa y el aplauso de todo el público.

El anciano alabó a Dios, el sanador alabó a Dios, el público alabó a Dios; y el viejo regresó a su cabaña con poca iluminación y no pudo encontrar su Biblia porque sus lentes estaban destruidos. Este señor regresó con el sanador pero le dijeron la cosa más desastrosa que cualquier hombre piadoso puede llegar a escuchar: "No tuviste suficiente fe para que se te quedara la sanidad"[13].

No creo que estas palabras de J. I. Packer sean demasiado fuertes a la hora de evaluar estas experiencias tan trágicas:

Que te digan que esa sanidad tan deseada te fue negada por algún defecto en tu fe, cuando has trabajado y te has esforzado de todas las formas posibles para dedicarte a Dios y para "creer la bendición", es ser arrojado a la angustia, a la desesperación y al abandono de Dios. Es el sentimiento más amargo que puedas tener en la vida; particularmente si, como la mayoría de discapacitados, tu sensibilidad ya está muy alta y tus ánimos muy bajos[14].

LOS ANCIANOS DEBEN UNGIR AL ENFERMO CON ACEITE EN EL NOMBRE DEL SEÑOR

La tercera acción que se menciona al orar por alguien enfermo es ungirle con aceite, pues en tiempos bíblicos se creía que tenía valor medicinal:

Desde la planta del pie hasta la cabeza no hay en ella parte sana, sino heridas, golpes y llagas recientes. No han sido curadas ni vendadas ni suavizadas con aceite (Isaías 1:6).

Acercándose a él, [el buen samaritano] vendó sus heridas echándoles aceite y vino. Y poniéndolo sobre su propia cabalgadura, lo llevó a un mesón y cuidó de él (Lucas 10:34).

Solo hay otro lugar en el Nuevo Testamento donde se menciona el uso de aceite para sanar (Marcos 6:13), pero no hay testimonio alguno de que el Señor Jesús utilizara aceite para realizar ninguna de sus sanidades. Sin embargo, a pesar de la escasez de información bíblica sobre esta práctica de la iglesia primitiva, en los primeros siglos fue creciendo en popularidad hasta que se convirtió en "el sacramento de los enfermos" dentro de la Iglesia Católica Romana:

> Para el siglo III de nuestra época ya se había convertido en una costumbre "consagrar" el aceite que se utilizaba para ungir a los enfermos, algo que hacía el obispo del área geográfica donde este se había de usar. Para el siglo X iba creciendo cada vez más la práctica de insistir en que la unción solo fuera realizada por un "sacerdote". En el siglo XII aparecen los términos "extremaunción" y "sacramento de los moribundos", y la unción se restringe solo a aquellos cuya muerte es inminente y cierta. En el siglo XIII se declaró que la ceremonia de unción era uno de los "siete sacramentos" de la Iglesia Católica Romana[15].

¡No es necesario ser un gran teólogo para figurárselo! La práctica de la "extremaunción" tenía el fin de preparar a alguien para morir, pero el propósito de la unción con aceite, de acuerdo al texto de Santiago, era restaurar la salud de una persona enferma.

Antes de seguir adelante quisiera asegurarme de que no haya

malentendidos sobre el poder de Dios para sanar enfermos: es correcto y apropiado pedir al Señor la sanidad de un enfermo, ¡Dios todavía sana! Algunas veces lo hace directamente sin medios visibles, y en muchas ocasiones emplea medios en el proceso. Nuestro texto declara que la oración de fe logrará la salud y que deben usarse medios médicos. He aquí otros ejemplos en los que se utilizaron "medios" para lograr la sanidad:

> Pues Isaías había dicho: "Tomen una masa de higos, y extiéndanla sobre la llaga, y sanará" (Isaías 38:21).

> Entonces ellos salieron y predicaron que la gente se arrepintiera. Echaban fuera muchos demonios, y ungían con aceite a muchos enfermos y los sanaban (Marcos 6:12, 13).

> De aquí en adelante no tomes agua; usa, más bien, un poco de vino a causa de tu estómago y de tus frecuentes enfermedades (1 Timoteo 5:23).

Una ilustración excelente de la actividad de Dios en relación con la enfermedad ocurre en Hechos 28, cuando Pablo y Lucas el médico sobrevivieron a un naufragio en Malta. El padre de Publio estaba muy enfermo y Pablo "entró a donde él estaba, y después de orar, le impuso las manos y le sanó" (v. 8). La palabra griega que se usa para describir la sanidad milagrosa de parte de Pablo es *iaomai*. Las demás personas de la isla que estaban enfermas también fueron traídas para ser sanadas (v. 9); la palabra griega utilizada para describir la sanidad de ellas es una derivación del vocablo *therapeuo* y claramente indica que Lucas practicó en ellos la medicina. Dios sana con o sin medios, y, de hecho, si ocurre una sanidad, es por obra suya. De nuevo son útiles las palabras de C. Everett Koop:

No sé cuántas operaciones realicé a lo largo de mi carrera como cirujano, pero sé que fueron 17.000 de un tipo en particular y 7.000 de otro y como practiqué la cirugía durante 39 años, tal vez realicé al menos 50.000 operaciones. Fui un buen cirujano y tenía buena reputación, así que recibía pacientes de todas partes del mundo, y una de las cosas que me agenciaba el cariño de los padres de mis pacientes era la forma en que sanaban mis incisiones.

A nadie le gusta tener una gran cicatriz, pero estas son especialmente molestas para las madres si el que las tiene es su hijo, así que desde el principio de mi carrera me propuse hacer cortes pequeños, tan cortos y delgados como fuera posible. Estas cicatrices "invisibles" se convirtieron en mi sello personal. ¿Pero era yo el sanador?

El secreto de las cicatrices invisibles es hacer una incisión muy precisa y definida, además de lograr colocar los bordes de la piel en la posición exacta al cerrarlos, lo cual lograba cosiendo los puntos por dentro de la piel y no a través de ella y amarrando los nudos en la base. Solo falta averiguar cómo lograba salir de ahí después de hacer eso.

Yo unía los bordes pero Dios era quien se encargaba de la coagulación y enviaba los fibroblastos por los bordes de la piel, quien hacía que estos fabricaran colágeno; además hay aproximadamente cincuenta procesos más, muy complejos, involucrados en la cicatrización, los cuales todavía son un misterio. ¿Pero bajó Dios e instruyó a los fibroblastos para que se comportaran así?

En un sentido sí, pero lo hizo por medio de sus leyes naturales, así como hace que el pasto crezca, que llueva, que la tierra tiemble. Entonces la pregunta no es si Dios sana o no, ¡por supuesto que lo hace! Más bien nos preocupa esta cuestión: ya que Dios es quien sana, ¿lo hace normalmente de acuerdo a leyes naturales o mediante la interrupción de esas leyes... es decir, con un milagro?[16].

Otro escritor señala lo siguiente:

Cuando funciona la aspirina, es el Señor quien la ha hecho funcionar; cuando el cirujano acomoda el brazo roto y el hueso suelda, es el Señor quien lo ha hecho soldar… Siempre hay una dimensión espiritual en toda sanidad… Ningún cristiano debe acercarse al doctor sin acercarse también a Dios[17].

ORAR ES IMPORTANTE POR RAZONES ESPIRITUALES

Aunque el pecado no siempre es la causa de la enfermedad, en Santiago 5:15, 16 y 19, 20 se menciona como una posible causa:

La enfermedad física puede ser resultado del pecado y la experiencia provee muchos ejemplos, de los cuales algunos de los más obvios son las enfermedades venéreas, el alcoholismo y la drogadicción. La Biblia también enseña que Dios puede usar la enfermedad como una disciplina por el pecado (1 Corintios 11:29, 30), pero de ninguna manera esto es siempre el caso. El Señor Jesús enseñó a los discípulos que ni el pecado de la víctima ni el de sus padres causó aquella ceguera (Juan 9:2, 3)… Debe considerarse la posibilidad y debe haber oportunidad de confesión, pero no debe suponerse que en todos los casos sea así[18].

"Y si ha cometido pecados" es una cláusula compleja: "Tiene la idea de persistencia. Si alguien persiste en su pecado abiertamente, a sabiendas, imprudentemente y en rebeldía, esos pecados le serán perdonados, lo cual implica que han sido confesados y se ha rogado al Padre por el perdón de los mismos"[19].

Esta sección de Santiago sugiere un procedimiento para casos en los que se sospecha que el pecado es la raíz del problema. El consejero Jay Adams dice algo muy válido cuando escribe:

> El Nuevo Testamento enseña que la enfermedad puede provenir del pecado, por lo tanto Santiago enfatizaba la necesidad de confrontación por parte de los ancianos de la iglesia. Los pastores siempre deben ser conscientes de su obligación al respecto cuando visiten a un enfermo. Parece como si los pastores debieran adoptar la costumbre de preguntar sobre la posibilidad de que el pecado sea la raíz de la enfermedad. Se ha enfatizado tanto en nuestros días la necesidad de distinguir entre la enfermedad engendrada por el pecado y la engendrada por causas orgánicas que los pastores conservadores modernos ya no hablan de esto con los enfermos (sin duda se requiere valor para hacerlo). Nos preguntamos cuántas enfermedades (o al menos complicaciones de enfermedades) podrían haberse curado con una atención y aplicación cuidadosas de las palabras de Santiago, a quien los consejeros deben aprender a tomar en serio[20].

Dick Mayhue ha resumido el significado del pasaje con esta explicación en paráfrasis:

El punto central del pasaje es este: un creyente ha caído en pecado, ha seguido en él y Dios le ha disciplinado por medio de una enfermedad para traerlo de vuelta al camino. Cuando el creyente reconoce que Dios le trajo esta enfermedad tan inoportuna y severa para inmovilizarlo, debe llamar a los ancianos de la iglesia. Cuando estos acudan él debe confesar su pecado y ellos lo ungirán con aceite y orarán por él. Si el pecado es la causa de la enfermedad, entonces Dios lo levantará; si el pecado es confesado, no habrá más necesidad de disciplina porque Dios quitará la enfermedad y el creyente será restablecido en su salud física[21].

Uno de los propósitos de la confesión es el aislamiento de la ofensa, pues hasta que el pecado no quede aislado y sea confesado no podrá ser perdonado. Recientemente leí sobre un estudiante universitario de primer año que fue a la lavandería de su residencia universitaria con su ropa sucia empaquetada dentro de una camiseta vieja, pero estaba tan avergonzado por lo sucio de su ropa que nunca abrió el bulto; lo metió atado en una lavadora y cuando esta se detuvo, lo sacó y lo metió en una secadora. Finalmente, cuando la secadora terminó, tomó el bulto todavía sin deshacer y se fue a su cuarto. Descubrió, por supuesto, que la ropa se había mojado y luego se había secado pero no se había lavado. Dios nos dice que no dejemos nuestros pecados amarrados en pequeños bultos bien atados.

Otra razón espiritual por la cual es necesario orar en el cuerpo de Cristo es la experiencia común de creyentes que recaen en el pecado, algo a lo que Santiago se refiere en las palabras finales de su epístola: "Hermanos míos, si alguno entre ustedes es engañado, desviándose de la verdad, y otro lo hace volver, sepan que el que haga volver al pecador del error de su camino salvará su vida de la muerte y cubrirá una multitud de pecados" (5:19, 20).

Aunque en ninguno de estos dos versículos se menciona específicamente la oración, ciertamente es legítimo asumir su lugar en la restauración del cristiano caído. Santiago coloca la responsabilidad por el hermano o la hermana perdidos sobre los hombros de la iglesia y al hacerlo está predicando el mensaje de urgencia que el escritor de Hebreos busca comunicar: "Miren, hermanos, que no haya en ninguno de ustedes un corazón malo de incredulidad que se aparte del Dios vivo. Más bien, exhórtense los unos a los otros cada día mientras aún se dice: 'Hoy', para que ninguno de ustedes se endurezca por el engaño del pecado" (Hebreos 3:12, 13).

Cuando Santiago se refiere a salvar el "alma" (Santiago 5:20 RVR-1960) del enfermo no está hablando de la salvación de esa persona, ya que la palabra que traducimos como "alma" se usa frecuentemente para describir la "vida" (RVA 2015) de una persona, el ser humano en su totalidad. La vida del pecador redimido será "salva" de la muerte física, y aunque puede ser que sufra castigo, ¡no va a morir!

Cuando los hermanos cristianos restauran a alguien que se ha salido del camino, no solo se salva de la muerte el alma del hermano, sino que Santiago también promete que se cubrirá una multitud de pecados, un punto que, como podrás imaginar, ha sido objeto de mucha discusión y malentendidos. Pedro tiene una declaración similar en su primera carta: "Sobre todo, tengan entre ustedes un ferviente amor, porque el amor cubre una multitud de pecados" (1 Pedro 4:8). Pedro está recordando a sus lectores que cuando aman a alguien, lo perdonarán y se negarán a exponer sus pecados.

Tanto Santiago como Pedro pueden haber estado reflejando estas palabras de Proverbios: "El odio despierta contiendas, pero el amor cubre todas las faltas" (Proverbios 10:12).

Cuando restauramos a un creyente que ha tropezado, no lograremos que nuestros pecados sean perdonados. ¡Lo que logramos es el gozo de saber que ya se ha detenido el patrón de pecado en la vida de nuestro hermano!

ORAR ES IMPORTANTE POR RAZONES NACIONALES

Es la cuarta vez que Santiago hace referencia a un personaje del Antiguo Testamento para ejemplificar su enseñanza (5:17, 18), pues después de citar a Abraham (2:21-24), Rajab (2:25) y Job (5:11), ahora muestra a Elías. Esta elección fue calculada para producir una respuesta inmediata, ya que Elías era uno de los hombres más honorables de la historia judía y los escritores del Nuevo Testamento lo mencionan más que a ningún otro profeta del Antiguo Testamento: su nombre aparece nueve veces en Mateo, nueve veces en Marcos, ocho veces en Lucas, dos veces en el Evangelio de Juan y una vez en

Romanos y en Santiago. Su relevancia destaca especialmente debido al anuncio profético de Malaquías 4:5, que conecta su reaparición con la venida del Mesías.

En el Nuevo Testamento hay dos incidentes que ilustran el lugar tan importante que ocupaba Elías en el pensamiento de los primeros creyentes. Su aparición en el monte de la Transfiguración no parece haber sobresaltado a los discípulos, que tuvieron "gran temor" pero aparentemente no estaban sorprendidos. Por el contrario, Pedro inmediatamente propuso levantar una enramada para el profeta cuya llegada habían estado esperando por tanto tiempo (Mateo 17:1-13).

El grito de nuestro Señor desde la cruz ("*Eli, Eli*") tenía solo cierto parecido con el nombre de Elías, quien sin embargo ocupó inmediatamente la mente de quienes estaban ahí: "Cuando algunos de los que estaban allí le oyeron, decían: 'Este hombre llama a Elías'… Pero otros decían: 'Deja, veamos si viene Elías a salvarlo' " (Mateo 27:47, 49).

Sin embargo, según Santiago esta figura tan reverenciada era un "hombre sujeto a pasiones igual que nosotros" (5:17). La palabra que se traduce como "pasiones" es *homoiopathes*:

> Denota que Elías estaba sujeto a las mismas emociones humanas y tenía las mismas debilidades que todos nosotros. Es la palabra usada por Bernabé y Pablo cuando la multitud en Listra dijo que eran dioses: "Nosotros también somos hombres de la misma naturaleza que ustedes" (Hechos 14:15).

Aunque el gran Elías a veces permitió que sus sentimientos lo zarandearan y que la depresión lo abrumara (1 Reyes 19:4, 10, 14), Dios respondió a sus oraciones[22].

Gracias a las oraciones de este hombre normal y corriente Dios hizo algo prodigioso en Israel: "Elías... oró con insistencia para que no lloviera, y no llovió sobre la tierra durante tres años y seis meses. Y oró de nuevo, y el cielo dio lluvia y la tierra produjo su fruto" (Santiago 5:17, 18).

Cuando Elías oró la primera vez no llovió, pero cuando lo hizo una segunda vez vino la lluvia. Herman Hoyt habla del poder de la oración de Elías:

Estas oraciones fueron tan poderosas que la naturaleza actuó a la orden de este profeta de Dios, y un rey malvado y toda una nación se postraron para reconocer que Jehová es Dios. Sin embargo, el poder de estas oraciones no era de Elías sino del Dios que actuaba en él. Si recordamos que Elías tenía las mismas pasiones que nosotros y que Dios es quien produce oraciones poderosas al obrar en los creyentes, los cristianos debemos cobrar ánimo y orar por los enfermos para que puedan ser sanados[23].

Durante su terrible encarcelamiento en el campo de concentración nazi de Ravensbrück, Corrie ten Boom y su hermana Betsie sufrieron maltratos y falta de atención médica y fueron tratadas peor que cualquier criminal, aunque su único "crimen" había sido dar refugio a judíos que buscaban escapar de la tiranía asesina del nazismo:

La prisión donde estaban confinadas estaba por encima de su capacidad y las condiciones de vida en las barracas eran atroces. Las enfermedades y la desnutrición eran incontrolables y temían que, al igual que tantas prisioneras ahí, ellas también pronto estarían agonizando.

En medio de su miseria, su único recurso era depender totalmente de Dios, quien escuchó y respondió a sus oraciones, a veces demostrando su protección milagrosa en los momentos de necesidad más profunda.

En una ocasión, cuando Betsie estaba muy enferma, Corrie se dio cuenta de que el frasquito de Davitamon estaba en las últimas. En sus memorias escribió: "Mi instinto era siempre acumular; ¡Betsie se estaba debilitando tanto! Pero había otras mujeres que también estaban enfermas y era difícil negarse ante miradas que ardían en fiebre, manos que temblaban de frío. Yo traté de guardar el medicamento para las más débiles; pero aún estas eran cada vez más: quince, veinte, veinticinco...". El corazón de Corrie se dolía por todas, pero en su desesperación temía que, al compartir esas valiosas gotas con las demás le estaría robando a Betsie la única oportunidad que tenía de sobrevivir.

Betsie sabía que necesitaba el medicamento, pero le recordó a Corrie el relato de la viuda de Sarepta que compartió con Elías lo último que tenía de su sustento y cuyo aceite fluyó tanto como fue necesario. Betsie estaba convencida de que Dios podía realizar un milagro similar para ellas. Al principio Corrie minimizó la idea de un milagro así en estos tiempos modernos, pero muy pronto reafirmó su fe: "Cada vez que inclinaba el frasquito, aparecía una gota en el tapón de vidrio. ¡No podía ser! Yo sostenía el frasco a contraluz para ver cuánto quedaba pero el vidrio era tan grueso y oscuro que no me dejaba ver".

Cada día seguía repartiendo la que pensaba que era la última gota hasta que un día, una celadora que ya había mostrado amabilidad con las prisioneras, introdujo de contrabando una pequeña cantidad de vitaminas en las barracas. Corrie estaba emocionada, pero decidió que primero iba a usar hasta la última gota de su frasquito. "Pero esa noche, aunque mantuve el frasco volteado durante mucho tiempo y lo agité con fuerza, no apareció ni una gota más"[24].

El mensaje final de Santiago a sus hermanos dispersos es este: Dios todavía responde a la oración, está presto para oír y dispuesto a responder, sea que nuestras oraciones estén en el campo de lo emocional, lo físico, lo espiritual o lo nacional: "La ferviente oración del justo, obrando eficazmente, puede mucho".

GUÍA PARA EL LECTOR

PARA REFLEXIÓN PERSONAL
Y ESTUDIO EN GRUPO

PARA REFLEXIÓN PERSONAL

Siéntate en tu lugar favorito con tu Biblia, este libro y un lápiz. Lee un capítulo y marca las partes que te parezcan importantes. Escribe en los márgenes, anota donde concuerdes y donde no y donde tengas preguntas. Consulta las notas finales y los pasajes bíblicos relevantes y luego revisa las preguntas de esta guía de estudio. Si quieres dejar constancia de tu progreso, usa un cuaderno para escribir tus respuestas, pensamientos, sentimientos y preguntas adicionales. Echa mano del texto y de las Escrituras para que las preguntas ayuden a madurar tu pensamiento. Y ora, pídele a Dios que te dé una mente que discierna la verdad, una preocupación activa por los demás y un mayor amor por él.

PARA ESTUDIO EN GRUPO

Planifica. Antes de la reunión lee y marca el capítulo como lo harías para tu estudio personal. Repasa las preguntas, realiza notas mentales sobre cómo podrías contribuir al diálogo en el grupo. Lleva este libro y una Biblia a la reunión.

Prepara un ambiente que promueva el diálogo. La disposición de sillas en círculo invita a la gente a participar y comunica lo siguiente: "Estamos aquí para escucharnos y respondernos unos a otros, además de para aprender juntos". Si tú eres el líder, simplemente asegúrate de sentarte donde logres hacer contacto visual con cada persona.

Puntualidad. Para muchas personas el tiempo es tan valioso como el dinero y si la sesión se retrasa (por comenzar tarde) sentirán que les han robado igual que en un asalto callejero. Por eso, a menos que ya haya un acuerdo entre todos los participantes, la reunión debe comenzar y terminar a tiempo.

Participación de todos. El aprendizaje en grupo funciona mejor si todos participan más o menos equitativamente. Si para ti es fácil hablar, haz una pausa antes de comenzar y pide a los más callados que compartan su opinión. Si para ti es más fácil escuchar, no dudes en entrar en la conversación, pues los demás se beneficiarán con tus ideas pero solo si las compartes. Si eres el líder, ten cuidado de no dominar la sesión; por supuesto ya habrás revisado el estudio con anticipación, pero no debes asumir que los presentes están ahí para escucharte, aunque parezca muy halagador. Más bien ayuda a los miembros del grupo a realizar sus propios descubrimientos. Formula las preguntas, pero inserta tus ideas solo si son necesarias.

Establece un ritmo. Las preguntas para cada sesión están diseñadas para durar una hora. Las primeras preguntas establecen el trasfondo para el diálogo posterior, así que no hay que contestarlas demasiado aprisa porque se puede perder algún fundamento valioso. Por otro lado, las preguntas de cierre casi siempre hablan del aquí y ahora, de modo que tampoco hay que entretenerse demasiado al comenzar porque luego no hay tiempo para llegar a la aplicación personal. Aunque el líder debe tener la responsabilidad de llevar el flujo de las preguntas, a cada persona del grupo le corresponde ayudar a que el diálogo avance a un ritmo uniforme.

Oren unos por otros (juntos o en privado). Y observen la mano de Dios obrando en su vida.

Es importante notar que cada sesión incluye lo siguiente:

> **Tema de la sesión:** un enunciado que resume la sesión.
>
> **Dinámica de grupo:** una actividad para familiarizarse con el tema de la sesión con los demás participantes.
>
> **Preguntas de descubrimiento:** una lista de preguntas para animar al grupo a descubrir y aplicar el tema.

Enfoque de oración: sugerencias para transformar el aprendizaje en oración.

Actividades opcionales: ideas adicionales para facilitar el estudio.

Tarea: actividades de preparación para la siguiente sesión.

1. QUÉ HACER CUANDO SUBE LA TEMPERATURA
SANTIAGO 1:1-12

TEMA DE LA SESIÓN

Las tentaciones y tribulaciones sin duda llegarán, la cuestión es cómo vamos a responder a ellas.

DINÁMICA DE GRUPO (ELIGE UNA)

1. Describe una experiencia en la que una situación difícil te ayudó a crecer y a ser mejor persona. ¿Qué aprendiste sobre ti mismo? ¿Sobre la vida? ¿Sobre Dios?

2. ¿Quién es la persona más sabia que conoces? Si puedes, da un ejemplo de su sabiduría.

PREGUNTAS DE DESCUBRIMIENTO

1. Leer en voz alta Santiago 1:1-12. ¿Qué hay en este pasaje que sea contrario al pensamiento secular actual?

2. ¿Crees que Santiago está diciendo que debemos ser felices cuando nos ocurren cosas malas o difíciles? Explica tu respuesta.

3. Santiago dice que "la prueba" produce paciencia. ¿Crees que esto sucede automáticamente? Si no es así, ¿qué puedes hacer durante un tiempo de prueba que te lleve a ser paciente?

4. ¿Por qué habrían de alegrarse los creyentes en tiempos de sufrimiento, además de por aprender sobre perseverancia?

5. Cuando nos sucede algo terrible es fácil preguntarnos qué hicimos para merecerlo. Los amigos de Job supusieron que Dios estaba castigándolo, por eso le dijeron que confesara su pecado oculto. ¿Necesitamos una explicación para nuestras tribulaciones antes de poder confiar en Dios? Explica tu respuesta.

6. ¿Qué encuentras en Santiago 1:1-12 que podría ayudarte a resistir el sufrimiento, incluso si nunca descubrieras su causa? (examina cada versículo).

7. ¿Qué conexiones encuentras entre el sufrimiento y la sabiduría? Toma en cuenta varios versículos del

libro de Santiago así como también tus observaciones sobre la vida.

8. El cine, la televisión, las revistas, Internet e incluso algunos predicadores nos dicen que debemos tratar de evitar las dificultades y el dolor. ¿Qué influencia tienen esas opiniones en ti?

9. Tener fe en Cristo no garantiza que seamos felices, que estemos seguros financieramente o que tengamos un matrimonio perfecto. ¿Qué se garantiza con la fe que persevera según Santiago? ¿Qué valor tiene esa promesa para ti?

10. El sufrimiento puede crear oportunidades para conocer a Dios. ¿Qué te ha mostrado Dios sobre sí mismo por medio de tus períodos de dolor y dificultad? (trata de ser específico en tu respuesta).

11. Santiago dice que Dios puede usar el sufrimiento para producir en nosotros sabiduría y paciencia. ¿Qué consejo práctico le ofrecerías a un amigo que esté sufriendo y quiera permitir que Dios le ayude a crecer en ese aspecto?

ENFOQUE DE ORACIÓN
- Jesús dijo que sus seguidores encontrarían per-

secución por haber creído en él, pero Jesús sufrió en la cruz para que nuestro sufrimiento no fuera en vano. Agradece al Señor Jesús por el don de su propio sufrimiento.

- Lee en voz alta 1 Pedro 4:12-16. Dedica un tiempo a orar por esas situaciones de tu vida en que identifiques que Dios te esté permitiendo sufrir por su causa.

- Agradece a Dios por las oportunidades que te da para crecer como su hijo o hija. Pídele que te provea de la gracia para ser su testigo incluso durante períodos de dificultad.

ACTIVIDADES OPCIONALES

1. Medita en las enseñanzas de 1 Pedro 2:20-25. Toma un tiempo para sopesar el sufrimiento que Cristo resistió por ti para que puedas vivir libre del poder del pecado. ¿Cómo vas a responderle a Cristo después de ver su sacrificio por ti?

2. ¿Cómo definirías *obra completa*? ¿Qué forma específica toma en tu caso? Escribe tus pensamientos para poderlos revisar más adelante.

TAREA

1. Si no tienes un diario, comienza uno esta semana. Empieza a escribir tus pensamientos sobre el libro de

Santiago, enfocándote cada semana en el pasaje que hayas estudiado. Haz que ese diario sea parte regular de tu tiempo devocional. ¿Qué has aprendido sobre las pruebas en esta semana?

2. Lee el capítulo 2 del libro *Qué hacer cuando no sabes qué hacer*.

3. Memoriza Santiago 1:2-4

2. QUÉ HACER CUANDO LO MALO PARECE BUENO
SANTIAGO 1:13-18

TEMA DE LA SESIÓN

La tentación: lo que importa es lo que hacemos con ella.

DINÁMICA DE GRUPO (ELEGIR UNA)

1. Recuerda alguna ocasión en la que fuiste tentado por algo pero resististe el impulso de caer. ¿Qué era lo atractivo de la tentación? ¿Qué te ayudó a resistirte a ella?

2. Piensa en una canción o película que hable de tentaciones. ¿Qué mensaje comunica sobre la tentación? ¿Estás de acuerdo?

PREGUNTAS DE DESCUBRIMIENTO

1. Lee en voz alta Santiago 1:13-18. Si tuvieras que pintar un cuadro sobre cada uno de estos dos párrafos

(vv. 13-15 y vv. 16-18), ¿qué incluirías en cada uno de ellos? (piensa en los colores, las líneas, los objetos, las pinceladas, además del sentimiento que quisieras despertar en el espectador).

2. Si tuvieras que autografiar cada cuadro con el nombre del artista apropiado (de acuerdo a Santiago), ¿qué nombre escribirías bajo cada pintura?

3. Describe con tus propias palabras el proceso del pecado que se presenta en Santiago 1:14, 15. ¿Cuáles son las "etapas" del pecado? (recuerda tus propias experiencias con la tentación y haz también referencia a los cuatro pasos de la tentación descritos en el capítulo 2 de este libro).

4. Según Hebreos 4:15 Jesús fue tentado pero no pecó. ¿Cuáles son algunos pasos prácticos que puedes dar para que la tentación no se convierta en pecado?

5. La Biblia dice que Dios nos disciplina porque nos ama (Hebreos 12:6). Algunas veces eso significa que Dios nos pone en lugares donde tenemos que tomar decisiones difíciles. ¿Qué diferencia hay entre decir "Dios me está tentando" y "Dios me está disciplinando"?

6. Santiago 1:16 dice "no se engañen". ¿Por qué es fácil engañarse sobre la fuente del bien en nuestra vida?

7. ¿Cuáles son los dones "buenos" y "perfectos" por los cuales agradeces a Dios? Toma ahora mismo el tiempo necesario para agradecerle por uno de ellos.

8. ¿Por qué los dones de Dios descritos en Santiago 1:16-18 te ayudan a resistir la tentación?

9. Recuerda alguna ocasión en que no pudiste resistir la tentación. Repasa cada uno de tus pasos. ¿En qué punto pudiste haber dado media vuelta? ¿Qué pudiste haber hecho en ese momento para no caer en ese pozo sin fondo?

10. Martín Lutero dijo que no puedes evitar que los pájaros vuelen sobre tu cabeza pero sí que hagan un nido en tu cabello. ¿A qué se refería?

11. Santiago 1:18 dice "Por su propia voluntad, él nos hizo nacer por la palabra de verdad...". Piensa en una tentación que sea rutinaria en tu vida. ¿Cómo puedes expresar esta semana el don de Dios del nuevo nacimiento cuando la enfrentes?

ENFOQUE DE ORACIÓN

- La buena noticia es que Dios sabe que si no fuera por él siempre seríamos derrotados por el pecado. ¡Pero Jesucristo ha soportado todas nuestras tentaciones y ha salido victorioso sobre el pecado! Dale gracias por ello.

- Lee en voz alta Hebreos 2:14-18. Alaba a Dios porque te ha mostrado misericordia y no te abandonó a tu pecado, sino que abrió un camino para que vivas una vida que le agrada a él.

- Pídele a Dios que te haga sensible al proceso de la tentación para que seas más fiel en evitarla y así no pecar contra él.

ACTIVIDADES OPCIONALES

1. ¿En qué área de tu vida tienes más tentaciones? Diseña un plan razonable para ayudarte a resistir al diablo (Santiago 4:7). Pídele a un amigo que te pregunte regularmente cómo vas y cuánto estás honrando a Dios en esa área.

2. Escríbele una carta a Jesús y exprésale tu agradecimiento por su sacrificio para que no tuvieras que ser derrotado por el pecado. Dile cada día lo mucho que lo necesitas para poder crecer en sabiduría, carácter y amor. Pídele a Jesús que te haga digno de

ser llamado discípulo suyo. (recuerda que pronto llegará el día en que le verás cara a cara, ¡ya no tendrás que escribirle porque le podrás decir directamente lo mucho que lo amas!).

TAREA

1. Anota tus ideas sobre la tentación en tu diario de oración.

2. Lee el capítulo 3 de *Qué hacer cuando no sabes qué hacer.*

3. Memoriza Hebreos 2:18.

3. QUÉ HACER CUANDO EL ESPEJO NO MIENTE
SANTIAGO 1:19-27

TEMA DE LA SESIÓN

La verdadera fe se demuestra en nuestras acciones.

DINÁMICA DE GRUPO (ELIGE UNA)

1. La gente lee la Biblia cada vez menos. ¿Qué piensas que están leyendo (o haciendo) en lugar de esto? ¿Qué efecto a largo plazo crees que esto va a ocasionar?

2. ¿Eres más un pensador o un hacedor? Da un ejemplo.

PREGUNTAS DE DESCUBRIMIENTO

1. Lee en voz alta Santiago 1:19-27. ¿Qué opuestos se distinguen en este pasaje? (por ejemplo: "desechando toda suciedad", "reciban… la palabra implantada"). ¿Qué decisiones debe tomar un cristiano ante estos opuestos?

2. ¿Qué crees que quiere decir Santiago con las palabras "sea pronto para oír, lento para hablar y lento para la ira"? ¿Qué es lo difícil para ti de ese mandamiento?

3. ¿Cómo puede la ira estorbar la justicia de la que habla Santiago en el versículo 20?

4. Fíjate bien en los versículos 21-25. ¿Qué efectos debe tener la Palabra de Dios en nosotros según Santiago?

5. Santiago dice que no podemos separar lo que creemos de lo que hacemos, pero Howard Hendricks dice que muchos cristianos no hacen lo que la Biblia dice porque son "cristianos analfabetos funcionales". ¿Qué problemas pueden ocurrir cuando los cristianos tratan de vivir su fe pero no saben mucho sobre la Biblia?

6. Estudia los versículos 26, 27. ¿A qué se refiere Santiago cuando dice que alguien que afirma ser cristiano pero no puede controlar lo que dice "engaña a su corazón" y su religión es "vana"?

7. Toma nota de los ejemplos de "religión pura e incontaminada" que cita Santiago en el versículo 27. Si tuvieras que actuar a partir de esa descripción, ¿qué actividades tendrías que añadir a tu agenda? ¿Qué cosas tendrías que quitar?

8. Menciona algo que ya estés haciendo y que exprese tu fe de manera similar a lo que describe Santiago.

9. David Jeremiah enumera seis pasos para convertirse en un oidor y hacedor de la Palabra: preparación, examen, aplicación, meditación, memorización y demostración. ¿Qué pasos necesitan fortalecerse en tu vida, y qué puedes hacer al respecto?

10. Mortimer Adler destaca el cuidado con el que leemos una carta de amor. La Biblia, no obstante, es la carta de amor de Dios para nosotros, una invitación a conocerle. ¿Cómo puede el amor de Dios afectar nuestra forma de sentir respecto a las instrucciones bíblicas?

11. Tomar tiempo para pensar sobre lo que lees en las Escrituras es el primer paso para convertirte en un hacedor de la Palabra. ¿Cuál es para ti el mejor momento del día para leer y meditar en las Escrituras? ¿Cómo estás ocupando ese tiempo ahora? ¿Cómo puedes enriquecer ese tiempo con Dios?

ENFOQUE DE ORACIÓN

- Dios desea que seamos diferentes del mundo en nuestros pensamientos y nuestras acciones. Lee en voz alta Gálatas 5:19-25 y deja que esas palabras examinen tu propia conducta.
- Dedica unos minutos a la confesión individual y silenciosa de pensamientos y acciones pecaminosos.
- Pídele a Dios que te conceda la gracia de conocer su verdad. Pídele que este conocimiento de la verdad produzca en ti un deseo de agradarle en todo lo que piensas y haces.

ACTIVIDADES OPCIONALES

1. Piensa en dos personas que conozcas: una a quien te gustaría discipular para que se convierta en un seguidor de Cristo más maduro, y otra a quien te gustaría animar y alentar en la fe. Pídele al Señor oportunidades para hablar a estas personas sobre el tema y luego hazlo según se presenten las circunstancias adecuadas.

2. ¿Hay alguien que conozcas que está en necesidad, un "huérfano" o una "viuda" (v. 27)? Busca formas de cuidar a esa persona para dar así expresión a tu fe.

TAREA

1. Escribe en tu diario ideas para ser un oidor y hacedor de la Palabra.

2. Lee el capítulo 4 de *Qué hacer cuando no sabes qué hacer.*

3. Memoriza Santiago 1:22.

4. QUÉ HACER CUANDO LA JUSTICIA NO ES CIEGA
SANTIAGO 2:1-13

TEMA DE LA SESIÓN

Ya que Dios no nos discrimina, nosotros debemos evitar la parcialidad en el trato hacia los demás.

DINÁMICA DE GRUPO (ELIGE UNA)

1. Lewis Smedes dice que a veces podemos identificar nuestras áreas de favoritismo si observamos lo primero que queremos saber de una persona que acabamos de conocer. ¿Qué es lo primero que quieres saber de una persona recién conocida, incluso si nunca se lo vas a preguntar?

2. ¿Alguna vez adoraste a Dios con un grupo de personas muy diferentes a ti? ¿Cómo reaccionaste ante esa experiencia?

PREGUNTAS DE DESCUBRIMIENTO

1. Lee en voz alta Santiago 2:1-13. ¿Qué revela este pasaje sobre las preferencias de la gente que recibió esta carta originalmente? ¿A qué prejuicios estaban sujetos en ese tiempo?

2. ¿Qué razones da Santiago para no favorecer a una persona sobre otra? (hay respuestas casi en cada versículo).

3. ¿Qué tipo de personas ves hoy en día como "los pobres de este mundo" (v. 5)?

4. La teología de la liberación afirma que los pobres siempre están más cerca de Dios que el resto de la gente. ¿Qué problemas percibes en esta idea?

5. David Jeremiah señala varias categorías en las que tendemos a discriminar: apariencia, origen étnico, edad, logros, nivel económico. ¿A qué valores muestra más respeto la gente de tu comunidad? ¿Están presentes en tu iglesia esos valores? Explica tu respuesta.

6. ¿Por qué piensas que Dios eligió "a los pobres de este mundo, ricos en fe" (v. 5)? ¿Qué quiere decir Santiago aquí con "pobre"? Piensa en cómo está compuesta tu iglesia. ¿Ves personas de diferente trasfondo social y étnico en la congregación y en el liderazgo? (aunque la diversidad en sí misma no garantiza un ambiente "mejor", la falta de ella puede indicar preferencia por ciertas personas y discriminación a otras). ¿Qué conclusiones sacas de tus observaciones?

7. Santiago dice que mostrar parcialidad es un pecado tan grave como el asesinato y el adulterio (vv. 9-11) y que por eso Dios va a juzgar con severidad a su pueblo (v. 13). ¿Por qué el favoritismo es un pecado tan serio ante los ojos de Dios según Santiago?

8. ¿Hay formas en tu iglesia en que los creyentes estén mostrando la gracia de Dios a toda clase de personas? Da ejemplos. ¿Dónde ves oportunidades de mejora? ¿Cómo puedes ser un agente de cambio a fin de lograr mayor fidelidad a Cristo en esta área?

9. Santiago resume la ley de Dios con una afirmación que denomina "la ley real": "Ama a tu prójimo como a ti mismo" (v. 8). ¿Qué relación percibes entre esta ley y las enseñanzas de Santiago sobre el favoritismo?

10. ¿Qué tentaciones enfrentas en cuando a mostrar favoritismos? Piensa en tu familia, tu trabajo, tus amistades, tu iglesia. ¿Qué pasos puedes dar para obedecer mejor a Cristo en esta área?

11. Esta sección de Santiago termina con la afirmación "¡La misericordia se gloría triunfante sobre el juicio!". Enumera algunas maneras en que Dios te ha mostrado misericordia. ¿Cuáles son algunas formas prácticas en que esta conciencia de su misericordia puede moldear tu manera de tratar a los demás?

ENFOQUE DE ORACIÓN

- La cruz demuestra nuestra común necesidad de Dios. Sin importar quiénes somos o lo que tenemos, ninguno de nosotros merece la misericordia de Dios. Toma unos momentos para meditar en la misericordia de Dios.
- Lee 1 Corintios 1:18-31. Confiesa en silencio cómo has valorado el poder y el estatus de algunas personas en vez de su posición en Cristo.
- Pide a Dios que te recuerde de su misericordia hacia ti y que te ayude a ser generoso/a hacia toda la gente, sin importar su estatus.

ACTIVIDADES OPCIONALES

1. Dedica tiempo esta semana a mirar algunos ejemplos en las Escrituras en los que Dios enseñó a su pueblo a no mostrar favoritismo: Moisés en Deuteronomio 1:1-17, Pedro en Hechos 10:1-35, además de 1 Pedro 1:14-19 y Pablo en Romanos 1:18—2:16. Escribe lo que descubras en tu diario.

2. Haz un examen personal para ver a quién podrías estar discriminando. ¿De qué formas puedes demostrar esta semana a esas personas la misericordia que Dios te mostró a ti? Decide las maneras en que vas a obedecer a Cristo en esta área.

TAREA

1. Anota tus ideas sobre el favoritismo en tu diario de oración.

2. Lee el capítulo 5 de *Qué hacer cuando no sabes qué hacer*

3. Memoriza Santiago 2:1.

5. QUÉ HACER CUANDO LA FE NO FUNCIONA
SANTIAGO 2:14-26

TEMA DE LA SESIÓN

La fe que no cambia nuestra forma de actuar no es fe.

DINÁMICA DE GRUPO (ELIGE UNA)

1. Piensa en una persona que conozcas y que demuestre su fe con acciones. Da un ejemplo de la forma en que esa persona expresa su fe.

2. ¿Qué intentos has hecho de poner tu fe en acción? ¿Cuáles han tenido éxito? ¿Cuáles han fracasado?

PREGUNTAS DE DESCUBRIMIENTO

1. Lee en voz alta Santiago 2:14-26. Supongamos que un cristiano dice: "Jesús me perdona todos los pecados, pasados, presentes y futuros. Lo que yo haga o deje de hacer no cuenta para nada". ¿Qué le diría Santiago a esa persona? (usa información sacada de todo este pasaje).

2. Imagina situaciones en las que una persona puede creer verdaderamente en Cristo pero no tiene oportunidad de demostrar su fe.

3. Pon en tus propias palabras la afirmación de Santiago "La fe sin obras está muerta".

4. Lee el pasaje satírico bajo el subtítulo "La fe de palabra no sirve". ¿En cuál de esas áreas ha demostrado tu iglesia una fe que funciona? ¿Dónde piensas

que tu iglesia podría mejorar sus expresiones prácticas de la fe?

5. Lee una vez más la lista del pasaje satírico, pero ahora sustituye mentalmente el pronombre *tú* con tu propio nombre. ¿En qué lugares de la lista tendrías que declararte "culpable"? Explica.

6. Haz una pausa de silencio para confesar tus fallas delante de Dios. Pídele que traiga a tu mente alguna persona que necesite tu ayuda y que te muestre formas particulares de ayudarle. Luego menciona una manera en la cual esperas, con la ayuda de Dios, expresar tu fe con acciones.

7. Hay tanta gente necesitada en nuestro mundo que eso puede sin duda aplastar nuestro deseo de ayudar. Lee los enunciados de Dietrich Bonhoeffer en el párrafo anterior a la sección "La fe de palabra no sobrevive". ¿Qué indicaciones sugerirías a fin de decidir las necesidades que puedes atender y las que debes ignorar?

8. Lee Romanos 3:21-30 y Santiago 2:20-24. Martín Lutero no podía reconciliar estas dos descripciones de la fe, de modo que rechazó todo el libro de Santiago.

¿Qué ideas ofrecerías para ayudar a que la gente acepte tanto a Pablo como a Santiago?

9. David Jeremiah dice que mucha gente hoy define la fe como una "actitud mental positiva" en lugar de en términos bíblicos. ¿Dónde has visto este tipo de pensamiento? ¿Cómo te ha afectado esta opinión sobre la fe?

10. Si seguimos a Cristo nuestras acciones nos van a diferenciar de quienes nos rodean. ¿Qué esperas que piensen de Cristo los no creyentes que observan el modo en que vives tu fe?

ENFOQUE DE ORACIÓN

- Cristo nos da el ejemplo supremo de fe en acción. Lee en voz alta 1 Juan 3:16-18 y agradece a Dios por este don y por su invitación.
- Confiesa a Dios las oportunidades de poner tu fe en acción que hayas tenido pero que decidiste ignorar.
- Agradece a Dios por su perdón y pídele que te ayude a vivir a la altura de tu título, "hijo de Dios".

ACTIVIDADES OPCIONALES

1. Estudia a estos personajes de la Biblia que demostraron tener fe: Abraham e Isaac (Génesis 22:1-19);

Rajab (Josué 2); y Sadrac, Mesac y Abed-Nego (Daniel 3). Anota en tu diario algunas de las maneras en que ellos demostraron su fe con acciones.

2. Elige dos o tres personas (creyentes o no) que te conocen bien y te darán una opinión honesta, y pídeles que te digan lo que tus acciones comunican sobre tus creencias. Lleva esas respuestas a Dios en oración.

TAREA

1. Trata de crear una definición de fe que concuerde tanto con Pablo como con Santiago. Anota tu definición en tu diario de oración.

2. Lee el capítulo 6 de *Qué hacer cuando no sabes qué hacer*.

3. Memoriza Santiago 2:17.

6. QUÉ HACER CUANDO NO SE TE TRABA LA LENGUA
SANTIAGO 3:1-12

TEMA DE LA SESIÓN

Debemos controlar nuestra lengua, ya que lo que decimos tiene poder para herir o para sanar.

DINÁMICA DE GRUPO (ELIGE UNA)

1. Describe una ocasión en la que alguien te animara con sus palabras.

2. ¿Cuándo fuiste el receptor del "veneno mortal" de las palabras de alguien?

PREGUNTAS DE DESCUBRIMIENTO

1. Lee en voz alta Santiago 3:1-12. ¿Cuál es la enseñanza principal de este pasaje?

2. Santiago comienza esta sección sobre la lengua diciendo que no muchos deberían ser maestros. ¿Por qué crees que comienza con este tipo de advertencia a la luz de su tema principal?

3. En este pasaje Santiago utiliza diferentes comparaciones para ejemplificar el poder de la lengua. ¿Qué dicen el timón de un barco, un fuego y un manantial de agua sobre la lengua? (considera cada uno por separado).

4. En el versículo 8 Santiago dice que nadie puede domar a la lengua. ¿Entonces por qué crees que Santiago nos da estas instrucciones?

5. David Jeremiah dice que el chisme y la adulación son dos tipos de veneno verbal. A veces es difícil saber el momento en que una conversación pasa de ser una información sobre alguien a convertirse en chisme. ¿Cómo podemos distinguir entre ambos?

6. ¿Qué sugieres para lograr que una conversación normal para comunicar información no se convierta en chisme? ¿Cómo darías palabras de ánimo y afirmación sin que se conviertan en adulación?

7. Lee Proverbios 18:21. ¿Cómo puedes cultivar el temor sano del poder de tus palabras a la luz de este proverbio?

8. David Jeremiah señala que la palabra "cabal" en Santiago 3:2 significa "maduro" (ver también Santiago 1:4), lo cual significa que la capacidad de controlar la lengua es la marca de un creyente maduro. ¿De qué maneras eres más maduro en tus palabras ahora que hace diez años?

9. ¿En qué situación (o situaciones) todavía estás tentado a hablar sin control? ¿Qué pasos has identificado que te lleven hacia esa tentación?

10. ¿Qué puedes hacer en esos primeros pasos que llevan al habla pecaminosa para evitar lastimar a alguien u ofender a Dios?

11. En el versículo 9 Santiago dice que podemos usar nuestra lengua para alabar a Dios. ¿Cuáles son algunas

de tus formas favoritas de alabarle? ¿Cómo puedes usar las enseñanzas de este pasaje para alabarle con todo el corazón?

ENFOQUE DE ORACIÓN

* Dios nos toma en serio, a veces más de lo que quisiéramos. Saber que él nos responsabiliza de nuestras palabras debe hacernos más conscientes y atentos.

* Lee en voz alta Mateo 12:36, 37 y pídele a Dios que te perdone por todas las palabras crueles y dañinas que has dicho. Confiesa tu necesidad del Espíritu Santo para que te lo indique y te ayude a tener más autocontrol.

* Agradece a Dios porque te permite usar el don del habla para el bien, para alabarle y para ser su instrumento de sanidad para los demás.

* Alaba a Dios por las cualidades de su carácter que te alegren y te llenen de esperanza.

ACTIVIDADES OPCIONALES

1. ¿Hay alguien a quien hayas lastimado por hablar sin cuidado y sin amabilidad? Tal vez hablaste directamente con esa persona o bien hablaste de ella a alguien más. Decide remediar la situación pidiendo perdón directamente a ese individuo o confesando tu mal a la persona con quien hablaste de él o ella.

2. El autor cita varios ejemplos de personajes bíblicos que lucharon para controlar lo que decían: Moisés en el Salmo 106:32, 33; Isaías en Isaías 6:5-7; Job en Job 40:4; y Pedro en Mateo 26:33, 69-75. Medita en Proverbios 10:19; 12:22; 13:3; y 15:1. Anota en tu diario tus ideas de todos estos pasajes.

TAREA

1. Anota tus ideas sobre el poder de tus palabras en tu diario de oración.

2. Lee el capítulo 7 de *Qué hacer cuando no sabes qué hacer.*

3. Memoriza Proverbios 18:21.

7. QUÉ HACER CUANDO LA SABIDURÍA ES LOCURA
SANTIAGO 3:13-18

TEMA DE LA SESIÓN

La sabiduría de Dios es la capacidad de tomar decisiones correctas en la vida.

DINÁMICA DE GRUPO (ELIGE UNA)

1. Lee la cita final del capítulo 7 sobre la inscripción en el mural del Rockefeller Center. ¿Qué piensas de esta afirmación?

2. ¿Cuándo has experimentado las limitaciones de tu

propia sabiduría? ¿Cuál fue la situación? ¿Cómo es la sabiduría de Dios diferente a la nuestra?

PREGUNTAS DE DESCUBRIMIENTO

1. Lee en voz alta Santiago 3:13-18. ¿Cómo describirías la diferencia básica entre la sabiduría terrenal y la celestial? ¿Cuáles son los orígenes de ambas?

2. Según Santiago, ¿cuáles son las características generales de la sabiduría celestial? ¿Y las de la terrenal?

3. Menciona tres o cuatro ejemplos de sabiduría terrenal. ¿Por qué crees que estas formas de sabiduría terrenal atraen seguidores?

4. ¿Cuáles son las presuposiciones que sustentan esas formas de sabiduría terrenal? (por ejemplo, algunos creen que la educación es la respuesta a todos nuestros problemas, porque suponen que los humanos, si recibimos información suficiente, seremos capaces de ser mejores personas). ¿Qué es lo malo de esas presuposiciones? Discutan sobre las diferentes formas de sabiduría terrenal.

5. En el versículo 13 Santiago dice que la verdadera sabiduría conduce a la humildad. ¿Por qué crees que una persona realmente sabia también es humilde?

6. Menciona uno de tus ejemplos favoritos de una persona sabia. ¿Qué has aprendido de ella? (considera tanto sus acciones como sus enseñanzas).

7. Si los cristianos tenemos la verdad de Cristo, ¿por qué Pablo nos advierte que debemos estar alerta y no seguir la sabiduría de este mundo (Colosenses 2:8)?

8. Os Guinness observa el impacto que tuvieron Freud y Jung en la mentalidad del mundo, diciendo: "El diván se ha convertido en algo tan estadounidense como el diamante de béisbol y los arcos dorados de McDonald's". ¿Cuáles son algunos de los beneficios y peligros de esta forma de sabiduría?

9. La televisión se ha convertido en un poderoso transmisor universal de sabiduría terrenal a receptores pasivos. Calcula rápidamente el número de horas que miraste televisión durante la pasada semana. ¿Estás satisfecho con ese número a la luz de las enseñanzas de Santiago sobre la sabiduría? Explica tu respuesta.

10. Lee en voz alta Juan 2:23-25. Jesús tenía una sana desconfianza de la opinión humana. ¿Aceptas los mensajes del mundo, o tratas de desafiar el pensamiento popular? Menciona un ejemplo.

11. ¿A dónde acudes normalmente para obtener sabiduría? ¿Compiten estas fuentes con Dios, o dirías que las fuentes donde normalmente buscas vienen de él?

12. ¿Cuáles son algunos pasos prácticos que puedes dar para crecer en la sabiduría de Dios y guardarte contra vanas filosofías? (recuerda que fuiste llamado a ser un instrumento de cambio en tu mundo, de modo que tus pasos deben involucrarte tanto con creyentes como con quienes no lo son).

ENFOQUE DE ORACIÓN

- Dios sabe que este mundo compite constantemente por tu devoción y él desea celosamente tu atención plena.
- Lee en voz alta 1 Juan 2:15-17 y confiesa cualquier inclinación a seguir la sabiduría de este mundo en lugar de buscar la sabiduría de Dios.
- Agradece a Dios que, aunque este mundo y sus filosofías van pasando, él está creando en ti una obra eterna por el poder del Espíritu Santo.

ACTIVIDADES OPCIONALES

1. Realiza un estudio de la palabra *sabiduría*, tanto la terrenal como la celestial. ¿Qué características encuentras para ambas? Anota tus ideas en tu diario.

2. Jesús nos manda pedir, buscar y llamar porque desea que le busquemos activamente. ¿Cuáles son algunas formas específicas de buscar la sabiduría de Dios en tus relaciones, tu trabajo y tu estudio bíblico?

TAREA

1. Anota tus ideas sobre la sabiduría terrenal y la celestial en tu diario de oración.

2. Lee el capítulo 8 de *Qué hacer cuando no sabes qué hacer.*

3. Memoriza Santiago 3:13.

8. QUÉ HACER CUANDO LA ADORACIÓN SE CONVIERTE EN GUERRA
SANTIAGO 4:1-12

TEMA DE LA SESIÓN

Dios está del lado de los de corazón humilde.

DINÁMICA DE GRUPO (ELIGE UNA)

1. Obviamente, la disensión en la iglesia no le agrada a Dios. ¿De qué forma se podrían haber tratado los problemas en la iglesia de Tazewell a fin de prevenir la pelea que ocurrió durante el servicio y el incendio posterior en el santuario?

2. ¿Qué estrategias pacíficas has visto que siguen las

iglesias para resolver las diferencias personales entre sus miembros?

PREGUNTAS DE DESCUBRIMIENTO

1. Lee en voz alta Santiago 4:1-12. En el versículo 1 Santiago pregunta: "¿De dónde vienen las guerras y de dónde los pleitos entre ustedes?". Responde a esta pregunta usando material del resto del pasaje.

2. ¿Qué debemos hacer según Santiago con estas guerras internas? (casi cada versículo habla de ello).

3. ¿Qué diferencias en actitudes del corazón puedes ver en el pasaje entre los que pelean y los que hacen la paz?

4. En el versículo 4 Santiago denomina "gente adúltera" a quienes hacen guerra entre hermanos. ¿Por qué? ¿A quién han sido infieles y quién ha recibido su amor? ¿Qué sugieren estos términos sobre el tipo de relación que Dios quiere tener con su pueblo?

5. David Jeremiah sostiene que es difícil sobreestimar el poder que tiene el pecado sobre nosotros. Lee Eclesiastés 4:4. ¿Cuál es el poder de la envidia según este versículo? ¿Qué papel desempeña la envidia en las disputas entre creyentes?

6. Lee otra vez Santiago 4:6. ¿Cómo ayuda la humildad (a diferencia de la envidia) a obedecer los mandamientos de los versículos 7-12?

7. ¿Has visto a una persona con actitud humilde poniendo paz en una situación volátil? ¿Cuándo?

8. ¿Cómo puede la información de Santiago 4:12 mantenerte humilde durante un desacuerdo con otro cristiano?

9. Compara Santiago 4:3 con Santiago 1:6. ¿Piensas que Dios va a esperar a que tus motivaciones sean totalmente puras para contestar tus oraciones? Explica tu respuesta.

10. ¿De qué maneras puedes revisar tus motivaciones cuando le pides algo a Dios en oración? ¿En qué lugar de tu oración puedes colocar esa revisión?

11. Piensa en una situación que estás enfrentando en la cual podrías ser el primero en mostrar humildad para lograr una solución. ¿Cuál es una forma en la que podrías demostrar la gracia de Dios en tu intento de traer la paz?

ENFOQUE DE ORACIÓN

- Dios desea que su iglesia sea un testimonio de su gracia para el mundo.
- Lee en voz alta 1 Pedro 2:9-12.
- Pídele a Dios que purifique tus motivaciones para que tus relaciones y oraciones glorifiquen su nombre.

ACTIVIDADES OPCIONALES

1. Dedica tiempo esta semana a examinar algunas de las motivaciones de tus "buenas" acciones. ¿Son puras o están llenas de deseos mundanos, de interés por verte bien ante los demás, de ganarle a alguien en la iglesia, o de tener ventaja? Lleva tus observaciones a Dios y pídele que purifique tus motivaciones para servirle a fin de poder producir fruto que sea de su agrado.

2. ¿Dónde percibes divisiones entre hermanos y hermanas en tu iglesia? Comprométete a rogar que la gracia de Dios se manifieste en esas situaciones para que el testimonio de la iglesia demuestre su poder sobre el pecado.

TAREA

1. Anota tus ideas sobre las motivaciones en tu diario de oración.

2. Lee el capítulo 9 de *Qué hacer cuando no sabes qué hacer.*

3. Memoriza Santiago 4:7.

9. QUÉ HACER CUANDO TUS METAS NO SON LAS DE DIOS
SANTIAGO 4:13-17

TEMA DE LA SESIÓN

Debemos confiar nuestro futuro en Dios y no en nosotros mismos.

DINÁMICA DE GRUPO (ELIGE UNA)

1. Describe alguna ocasión en la que tus planes fueron un fracaso total. ¿Qué aprendiste sobre ti mismo? ¿Sobre Dios?

2. ¿Qué es lo difícil de darle el control de tu vida a alguien más, incluso a Dios?

PREGUNTAS DE DESCUBRIMIENTO

1. Lee en voz alta Santiago 4:13-17. Supongamos que Santiago estaba escribiendo un folleto titulado "Guía de planeación para cristianos". ¿Qué crees que pondría en ese folleto a partir de este pasaje?

2. ¿Cuál es la diferencia entre hacer planes responsables para el futuro y jactarse sobre el mismo?

3. Santiago dice que nuestra vida es solo vapor. ¿A qué se refiere?

4. ¿De qué maneras nuestra sociedad moderna y tecnológica nos da la ilusión de que tenemos el control de nuestra vida y de nuestro futuro? Sé específico en la respuesta.

5. ¿Cómo debe afectar nuestra manera de hacer planes el hecho de que la vida es como una neblina?

6. ¿Qué circunstancias te han ayudado a vivir de la manera que Santiago describe aquí?

7. Algunas personas interpretan de manera literal las palabras del versículo 15 y escriben o pronuncian las palabras "si Dios quiere" después de cada enunciado sobre el futuro. ¿Cómo puedes expresar una actitud similar sobre el futuro aun sin no decir exactamente esas palabras?

8. Santiago nos advierte que no hacer el bien es pecado (4:17). ¿Cómo te animaría la visión de la vida como un leve vapor a hacer (pronto) el bien que debes hacer?

9. ¿Qué "bien" crees que deberías estar haciendo ahora mismo?

10. David Jeremiah señala que un error frecuente que cometemos es suponer que conocemos el futuro. ¿Cómo te ves a ti mismo cometiendo este error en las decisiones que tomas?

11. ¿Cuál es una de tus preocupaciones más persistentes sobre el futuro?

12. Si todavía no estás haciendo lo que debieras, pídele a Dios su ayuda para realizar las tareas que tienes por delante. Si ya estás haciendo todo lo que debieras respecto al asunto que te preocupa, toma tiempo para mostrarle al Señor tu preocupación y entrégala en sus poderosas manos.

ENFOQUE DE ORACIÓN

- Dedica tiempo a reflexionar en silencio sobre cómo Dios te ha provisto de maneras inesperadas en tiempos pasados. Dale gracias por esos regalos.
- A la luz de tu estudio de Santiago, lee en voz alta y medita las palabras de Jeremías 9:23, 24:
- Así ha dicho el SEÑOR: "No se alabe el sabio en su sabiduría, ni se alabe el valiente en su valentía, ni se alabe el rico en sus riquezas. Más bien, alábese

en esto el que se alabe: en entenderme y conocerme que yo soy el SEÑOR, que hago misericordia, juicio y justicia en la tierra. Porque estas cosas me agradan, dice el SEÑOR".

• Confiesa tu confianza en Dios en cuanto al futuro. Agradécele porque promete que nunca nos dejará enfrentar solos las dificultades.

ACTIVIDADES OPCIONALES

1. Medita en la enseñanza de 2 Pedro 2:21 y Lucas 12:47, 48 y haz una lista de cuatro o cinco cosas que sabes que Dios quiere que hagas pero que por cualquier razón no has hecho. Comprométete a hacerlas en el transcurso del mes siguiente.

2. Vuelve a leer Jeremías 9:23, 24 y pídele a un miembro de tu familia o a un buen amigo que te califique (honestamente) sobre lo bien que demuestras que "te glorías" en conocer a Dios y no en tus habilidades. Pasa tiempo en oración meditando sobre esa información y confesando aquellas áreas de tu vida en las que estás confiando en tus propias fuerzas y no en Dios.

TAREA

1. Anota tus ideas sobre la dependencia de Dios en tu diario de oración.

2. Lee el capítulo 10 de *Qué hacer cuando no sabes qué hacer*.

3. Memoriza el Salmo 37:3, 4.

10. QUÉ HACER CUANDO TUS BIENES NO TE HACEN BIEN
SANTIAGO 5:1-6

TEMA DE LA SESIÓN

Dios va a juzgar duramente a quienes se hagan ricos explotando a los demás.

DINÁMICA DE GRUPO (ELIGE UNA)

1. ¿Estás más cómodo entre personas que son más ricas que tú? ¿Y si son más pobres o de tu mismo nivel económico? ¿Por qué?

2. Imagina que vives en una aldea compuesta por familias representativas de cada país del mundo. ¿Qué disfrutarías de tus vecinos? ¿Qué dificultades crees que encontrarías en las relaciones con ellos además del idioma? ¿Dónde estarías ubicado en la escala económica de tu aldea?

PREGUNTAS DE DESCUBRIMIENTO

1. Lee en voz alta Santiago 5:1-6. Este capítulo comienza diciendo que los ricos deben llorar y aullar. ¿Por qué? (responde con todo el pasaje).

2. ¿Qué habían hecho mal estas personas ricas?

3. ¿Por qué este tipo de pecados es particularmente tentador para los ricos?

4. ¿Qué responsabilidades parecen acompañar a la riqueza a la luz de las acusaciones de este pasaje?

5. Lee Proverbios 11:28. ¿Qué significa confiar en las riquezas, y por qué es una tentación tan grande? ¿Por qué es peligroso confiar en ellas?

6. ¿Cómo describirías el propósito y la función del dinero? ¿De dónde viene su valor?

7. ¿De qué maneras pueden servir a los propósitos de Dios aquellos cristianos que tienen grandes recursos financieros? Sé creativo en tu respuesta. ¿Cuáles son algunos de los peligros potenciales?

8. ¿Hay maneras en las que la iglesia ha permitido que la prosperidad afecte negativamente su enseñanza y su testimonio? ¿Cuáles son algunos ejemplos?

9. Pablo dijo que había aprendido el secreto de estar contento sin importar las circunstancias (Filipenses

4:10-13). ¿Cuáles son algunas de las valiosas lecciones que puedes aprender del hecho de estar en necesidad?

10. Regresa a la aldea que se describe en el punto 2 de la sección "Dinámica de grupo". Si vivieras tu estilo de vida actual en esa aldea, ¿crees que algunas de las acusaciones de Santiago 5 estarían dirigidas a ti? Explica tu respuesta.

11. ¿Qué ajustes harías a tu estilo de vida si vivieras en esa aldea?

12. Piensa en cómo gastas tu dinero: la porción que dedicas a tus necesidades y responsabilidades y la que das a quienes tienen menos que tú. ¿Cuáles son algunas formas específicas de utilizar mejor tus ingresos para cubrir necesidades de otros menos afortunados que tú?

ENFOQUE DE ORACIÓN

- Dios quiere satisfacer nuestras necesidades además de obrar por medio de nosotros para cubrir las necesidades de otras personas. Con tu Padre celestial no hay necesidad de temer al futuro, así que entrégaselo a Dios junto con tus miedos sobre el mismo.
- Lee en voz alta Proverbios 30:7-9:

- Dos cosas te he pedido; no me las niegues antes que muera: Vanidad y palabra mentirosa aparta de mí, y no me des pobreza ni riqueza. Solo dame mi pan cotidiano; no sea que me sacie y te niegue o diga: "¿Quién es el SEÑOR?". No sea que me empobrezca y robe, y profane el nombre de mi Dios.

- Pídele a Dios que te haga sensible a las necesidades de los demás y que te muestre formas de ser generoso con ellos.

ACTIVIDADES OPCIONALES

1. Si todavía no participas de alguna manera en proyectos para dar de comer al hambriento, vestir al desnudo o visitar al enfermo y encarcelado (estos grupos representan a personas que dependen de la misericordia de quienes tienen más recursos que ellas), encuentra un programa de servicio y comienza como voluntario dando algo de tu tiempo y recursos para mostrar el amor de Cristo a la gente en necesidad.

2. Examina tus finanzas para ver dónde se está gastando tu dinero. ¿Hay formas de vivir de manera más sencilla para poder dar más? ¿De qué cosas puedes desprenderte? ¿Qué estás dispuesto a sacrificar

por causa de Cristo para que alguien más pueda beneficiarse? Decide dónde vas a realizar cambios y no se lo cuentes a nadie. A veces vienen bendiciones secretas por honrar a Dios en privado.

TAREA

1. Anota tus ideas sobre las riquezas en tu diario de oración.

2. Lee el capítulo 11 de *Qué hacer cuando no sabes qué hacer.*

3. Memoriza Mateo 6:19-21.

11. QUÉ HACER CUANDO TÚ TIENES PRISA PERO DIOS NO
SANTIAGO 5:7-12

TEMA DE LA SESIÓN

Prepárate para soportar la persecución con fidelidad, sabiendo que Cristo va a regresar pronto.

DINÁMICA DE GRUPO (ELIGE UNA)

1. Piensa en alguna ocasión en que sufriste por hacer lo correcto. ¿Intentaste vengarte? ¿Le dijiste a mucha gente todo lo que estabas sufriendo? ¿Oraste para ser capaz de amar y perdonar?

2. Comparte una experiencia en tu vida en la que tuviste que ser paciente más allá de tu capacidad.

¿Cuáles fueron las circunstancias y cómo te marcó esa experiencia?

PREGUNTAS DE DESCUBRIMIENTO

1. Lee en voz alta Santiago 5:7-12. Esta sección comienza con las palabras "tengan paciencia". ¿Qué ejemplos de paciencia se encuentran en este pasaje?

2. ¿Qué daño podría venir por falta de paciencia en cada una de las situaciones mencionadas en estos versículos?

3. El versículo 7 habla del regreso de Cristo. ¿Qué efecto tiene la promesa del regreso de Cristo en tus propios intentos por ser paciente?

4. Se nos ha prometido que hasta que Cristo regrese el mal será una realidad de la vida. ¿Qué significa en este contexto el ejemplo del agricultor (vv. 7, 8)? ¿Por qué debe esperar con paciencia?

5. Repasa Santiago 5:9-11, donde se dice que Dios es "muy compasivo y misericordioso". ¿Por qué crees que Santiago describió así a Dios cuando acababa de describir el sufrimiento que tuvieron Job y los profetas?

6. Lee en voz alta 1 Pedro 2:21-23. David Jeremiah nos recuerda que Jesucristo es nuestro mejor ejemplo de alguien que resistió el sufrimiento sin vengarse. ¿De qué formas nos puede animar el ejemplo de Cristo en períodos de sufrimiento?

7. ¿Cuál es uno de tus mayores obstáculos para soportar con paciencia el sufrimiento? ¿Qué pasos puedes dar para superar ese obstáculo?

8. Lee en voz alta Apocalipsis 21:4, 5. ¿Por qué crees que muchos cristianos hoy en día pasan tan poco tiempo pensando en el cielo? ¿Cómo puede animarte en tiempos difíciles la realidad y la expectativa del cielo?

9. ¿Qué comenzarías a cambiar o hacer para prepararte si supieras que Cristo va a regresar el próximo año? Aunque no sabemos cuándo regresará Cristo, ¿cómo puede ayudarte hoy esta respuesta?

10. Santiago dice que nuestra paciencia también debe extenderse a los demás en la iglesia (5:9). ¿Hay relaciones en tu congregación en las que tú estás quejándote en vez de trabajar para reconciliar la situación con amor? ¿Qué podrías hacer de otra manera?

11. ¿Cuáles son algunos de tus sentimientos cuando ves sufrir a otro creyente? ¿Cómo puedes ayudar a un cristiano que sufre a reconocer a Dios en medio de la prueba a la luz de tu estudio de Santiago?

ENFOQUE DE ORACIÓN

- Lee en voz alta Hebreos 12:1-3 y toma un momento para pensar en la gente o las circunstancias que estén probando los límites de tu fe.
- Confiesa delante del Señor esas veces en que no le has honrado con tu respuesta a las tribulaciones (las tuyas y las de los demás).
- Pídele a Dios que te ayude a desechar todo pecado que te impida enfocar tu mirada en Jesús, quien corrió la carrera antes que tú para que pudieras ganar el premio de la vida eterna.

ACTIVIDADES OPCIONALES

1. ¿A quién conoces que esté sufriendo por hacer lo correcto? ¿Qué puedes hacer como su hermano o hermana en Cristo para animarle a responder de manera que honre a Cristo?

2. Job 42:10 dice que Dios restauró a Job cuando oró por sus amigos (los mismos que solo habían añadido más sufrimiento con sus consejos mundanos). Piensa

en alguien que te haya lastimado y ora por esa persona en vez de tenerle resentimiento; encomiéndasela al Señor y confía en que Dios será el Juez.

TAREA

1. Anota tus ideas sobre la paciencia en tu diario de oración.

2. Lee el capítulo 12 de *Qué hacer cuando no sabes qué hacer.*

3. Memoriza Santiago 5:8.

12. QUÉ HACER CUANDO EL DOLOR LLEVA A LA ORACIÓN
SANTIAGO 5:13-20

TEMA DE LA SESIÓN

Dios dice que debemos orar en toda circunstancia porque él responde a nuestras oraciones.

DINÁMICA DE GRUPO (ELIGE UNA)

1. ¿Cuál ha sido tu experiencia al orar por sanidad, ya sea tuya o de alguien más?

2. C. Everett Koop, ex director de los Servicios de Salud Pública, hace la pregunta de si Dios sana por medio de procesos naturales o bien de milagros. ¿Qué piensas tú? ¿Se trata de una situación en la que

solo hay una respuesta correcta? ¿Cuál ha sido tu experiencia?

PREGUNTAS DE DESCUBRIMIENTO

1. Lee en voz alta Santiago 5:13-20. ¿Qué tipo de situaciones deben llevarnos a orar según el escritor?

2. Si estuvieras presente escuchando cada una de las situaciones descritas en el pasaje, ¿cómo crees que serían diferentes las oraciones? (considera aspectos como el tono, el ánimo, el contenido o la gente presente).

3. Muchos sienten que no oran lo suficiente ni de la manera correcta. ¿Cuáles son algunas de las razones de tus propias fallas al orar?

4. Santiago 5:13 dice que debemos agradecer a Dios por nuestros momentos de gozo. ¿Por qué casi siempre damos por sentada nuestra alegría y oramos solo por nuestras necesidades?

5. ¿Cuál es la responsabilidad de la persona que está enferma según Santiago 5:13-16? ¿Qué debe hacer la iglesia por esa persona? (cita detalles en cada versículo).

6. ¿Hasta qué punto provee tu iglesia el tipo de ministerio a los enfermos que se describe en Santiago 5? ¿Qué pasos se podrían dar en tu congregación para atender mejor este tipo de responsabilidades hacia los enfermos?

7. La Biblia enseña varias explicaciones para la enfermedad o el sufrimiento (1 Corintios 11:29, 30 menciona el pecado personal y Juan 9:1-12 habla de mostrar la obra de Dios). ¿Cómo afecta el saber que no hay una sola explicación para el sufrimiento físico a tus oraciones de sanidad?

8. Muchas veces Dios elige sanar a través de las oraciones de otras personas. ¿Por qué crees que hace esto? ¿Debes sentirte responsable si la persona por quien oras no es sanada? Explica tu respuesta.

9. David Jeremiah cita varias historias de ministerios de sanidad irresponsables. ¿Qué ministerio apropiado podrían proveer las iglesias para la gente que se siente atraída por los sanadores de fe?

10. Santiago dice que Elías era como nosotros (5:17), sin embargo cuando él oró no llovió por tres años y medio. ¿Por qué no vemos cosas como esas hoy en

día? ¿O sí las vemos? ¿Cómo puede afectarte el ejemplo de Elías en tu oración por asuntos globales, nacionales o locales?

11. Mira más de cerca la manera en que Santiago termina su carta con los versículos 19, 20. ¿Cómo contribuyen esos versículos a tus acciones prácticas? ¿Y a tus oraciones?

12. Describe cómo es tu vida de oración actualmente. ¿Dónde harías cambios a la luz de este estudio? ¿Cuáles son algunas formas prácticas para hacer que ocurran estos cambios?

ENFOQUE DE ORACIÓN

- Dios eligió obrar por medio de las oraciones de sus hijos, aunque no está limitado por ellas: recuerda eso al orar.
- Lee en voz alta Efesios 3:20, 21.
- Pídele a Dios que te permita ver su gloria y su poder en sanidad, en salvación y en su obra por toda la creación, para que cuando ores recuerdes quién es el que recibe tus oraciones.

ACTIVIDADES OPCIONALES

1. ¿Has lastimado a alguien (consciente o inconscientemente) por la forma en que oraste por él? Ve y

pide perdón esa persona por ser tan insensible a su dolor y si fuera apropiado, compártele algo de lo que has aprendido en este estudio.

2. Si no te estás reuniendo con otros cristianos para orar, busca a algunas personas que en su corazón deseen ser un pueblo de oración para comenzar a reunirse de manera regular. No se compliquen mucho, solo oren según el Espíritu Santo les dirija.

TAREA

1. Anota tus ideas sobre la oración en tu diario.

2. Vuelve a leer todo lo que has escrito en tu diario sobre los estudios anteriores. Dale gracias a Dios por esta oportunidad de conocerle y obedecerle con mayor fidelidad.

3. Memoriza Efesios 3:20, 21.

NOTAS

INTRODUCCIÓN

1. Alexander Whyte, *Bible Characters: The New Testament* (Grand Rapids: Zondervan, 1964), pp. 142, 143.

2. Flavio Josefo, *Los escritos esenciales: Antigüedades de los judíos y Las guerras de los judíos*, trad. Santiago Escuain (Grand Rapids: Portavoz, 1992), pp. 262, 263.

3. Os Guinness y John Seel, eds., *No God but God: Breaking with the Idols of Our Age* (Chicago: Moody, 1992), p. 12.

CAPÍTULO 1

1. Tom Burgess, "Navy's SEALs Go through Hell", San Diego Union, 18 de enero de 1987.

2. Homer A. Kent Jr., *Faith That Works: Studies in the Epistle of James* (Grand Rapids: Baker, 1986), pp. 34, 35.

3. Philip Yancey, *Where Is God When It Hurts?* (Grand Rapids: Zondervan, 1977), pp. 13, 14. Publicado en español como *¿Dónde está Dios cuando se sufre?*, trad. Arnoldo Canclini (Barcelona: CLIE, 1989).

4. Burgess, op. cit.

5. Spiros Zodhiates, *The Behavior of Belief* (Grand Rapids: Eerdmans, 1959), p. 21.

6. Yancey, op. cit., pp. 87, 88.

7. R. A. Torrey, citado en Michael P. Green (ed.), *Illustrations for Biblical Preaching* (Grand Rapids: Baker, 1989), pp. 349, 350.

8. John White, *The Fight: A Practical Handbook for Christian Living* (Downers Grove, IL: InterVarsity, 1976), pp. 106, 107.

9. William Barclay, *The Letters of James and Peter*, ed. rev. (London: Westminster, 1961), p. 51.

10. Juan Calvino, citado en George W. Sweeting, *How to Solve Conflicts* (Chicago: Moody, 1973), p. 21.

11. David Jeremiah, *The Wisdom of God* (Milford, MI: Mott Media, 1985), p. 2.

12. Dorothy L. Sayers, *Christian Letters to a Post-Christian World* (Grand Rapids: Eerdmans, 1969), p. 14.

13. R. W. Dale, citado en Guy H. King, *A Belief That Behaves: An Expositional Study of James* (Fort Washington, MD: Christian Literature Crusade, 1963), p. 13.

14. Hudson Taylor, citado en *Illustrations for Biblical Preaching*, p. 386.

15. Andrew Murray, citado en *Illustrations for Biblical Preaching*, p. 388.

16. Burgess, op. cit.

CAPÍTULO 2

1. John Fischer, *Real Christians Don't Dance* (Minneapolis: Bethany, 1988), pp. 31, 32.

2. Tom L. Eisenman, *Temptations Men Face: Straightforward Talk on Power, Money, Affairs, Perfectionism, Insensitivity* (Downers Grove, IL: InterVarsity, 1990), pp. 16, 17.

3. Michael P. Green, ed., *Illustrations for Biblical Preaching* (Grand Rapids: Baker, 1989), pp. 372, 73.

4. John White, *The Fight: A Practical Handbook for Christian Living* (Downers Grove, IL: InterVarsity, 1976), p. 78.

5. Charles Caldwell Ryrie, *Balancing the Christian Life* (Chicago: Moody, 1969), p. 135.

6. Oswald Chambers, *En pos de lo supremo*, trad. Santiago Escuain (Barcelona: CLIE, 2007).

7. Erwin W. Lutzer, *How to Say No to a Stubborn Habit* (Wheaton, IL: Victor Books, 1979), p. 26.

8. Robert Burns, citado en Robert Johnstone, *Lectures Exegetical and Practical on the Epistle of James* (Minneapolis: Klock & Klock, 1978), p. 104.

9. Spiros Zodhiates, *The Behavior of Belief* (Grand Rapids: Eerdmans, 1959), p. 71.

10. Roy R. Roberts, *Life in the Pressure Cooker: Studies in James* (Winona Lake, IN: BMH Books, 1977), p. 22.

11. Johnstone, op. cit., p. 100.

12. Lois Mowday Rabey, *The Snare: Understanding Emotional and Sexual Entanglements* (Colorado Springs: NavPress, 1988), p. 84.

13. Eisenman, op. cit., p. 228.

14. White, op. cit., p. 79.

15. Homer A. Kent Jr., *Faith That Works: Studies in the Epistle of James* (Grand Rapids: Baker, 1986), pp. 50, 51.

16. Simon J. Kistemaker, *New Testament Commentary: Exposition of the Epistle of James and the Epistles of John* (Grand Rapids: Baker, 1986), pp. 52, 53.

17. Mark R. McMinn, *Dealing with Desires You Can't Control* (Colorado Springs: NavPress, 1990), pp. 4, 5.

18. William Barclay, *The Letters of James and Peter*, ed. rev. (London: Westminster, 1961), p. 61.

19. Eisenman, op. cit., p. 28.

20. Frank L. Houghton, *Amy Carmichael of Dohnavur* (London: Society for the Propagation of Christian Knowledge, 1954), p. 62.

CAPÍTULO 3

1. Ed Stetzer, "Dumb and Dumber: How Biblical Illiteracy Is Killing Our Nation", Charisma Magazine, 9 de octubre de 2014, www.charismamag.com/life/culture/21076-dumb-and-dumber-how-biblical-illiteracy-is-killing-our-nation.

2. Howard G. Hendricks and William D. Hendricks, *Living by the Book* (Chicago: Moody, 1991), p. 10.

3. Spiros Zodhiates, *The Work of Faith* (Grand Rapids: Zondervan, 1977), p. 105.

4. Simon J. Kistemaker, *New Testament Commentary: Exposition of the Epistle of James and the Epistles of John* (Grand Rapids: Baker, 1986), p. 58.

5. Mortimer J. Adler, *How to Read a Book* (New York: Simon & Schuster, 1966), n.p. Publicado en español como *Cómo leer un libro*, trad. Flora Casas (Madrid: Editorial Debate, 2001).

6. "How to Read a Love Letter", New York Times, 10 de abril de 1940, citado en Robert A. Traina, *Methodical Bible Study: A New Approach to Hermeneutics* (Wilmore, KY: Robert A. Traina, 1952), pp. 97, 98.

7. Hendricks and Hendricks, op. cit., p. 11.

8. George Sweeting, *How to Solve Conflicts* (Chicago: Moody, 1973), p. 47.

9. Zodhiates, op. cit., p. 110.

10. Geoffrey Thomas, *Reading the Bible* (Edinburgh, Scotland: The Banner of Truth Trust, 1980), p. 22, citado en Donald S. Whitney, Spiritual Disciplines for the Christian Life (Colorado Springs: NavPress, 1991), p. 34.

11. Whitney, op. cit., p. 43.

12. Lorne Sanny, "Five Reasons Why I Memorize Scripture", Discipleship Journal 32 (1986), p. 10.

13. Kistemaker, op. cit., p. 64.

14. Zodhiates, op. cit., p. 144.

15. John Henry Jowett, citado en Richard Wolff, *General Epistles of James and Jude, Contemporary Commentaries* (Wheaton, IL: Tyndale, 1969), p. 36.

16. V. C. Grounds, *The Reason for Our Hope* (Chicago: Moody, 1945), pp. 88, 89.

CAPÍTULO 4

1. *Westways,* mayo de 1992.

2. Rick Warren, "How to Treat People Right" (sermón, Saddleback Community Church, Mission Viejo, CA, 26 de octubre de 1986).

3. Lewis B. Smedes, *A Pretty Good Person* (San Francisco: Harper Collins, 1990), p. 135.

4. Carl W. Franke, *Defrost Your Frozen Assets* (Waco, TX: Word, 1969), p. 47.

5. Tom L. Eisenman, *Temptations Men Face: Straightforward Talk on Power, Money, Affairs, Perfectionism, Insensitivity* (Downers Grove, IL: InterVarsity, 1990), pp. 113, 114.

6. Vernon Doerksen, James, *Everyman's Bible Commentary* (Chicago: Moody, 1983), p. 56.

7. Homer A. Kent Jr., *Faith That Works: Studies in the Epistle of James* (Grand Rapids: Baker, 1986), p. 82.

8. D. L. Moody, citado en Lehman Strauss, *James, Your Brother: Studies in the Epistle of James* (Neptune, NJ: Loizeaux Brothers, 1956), p. 95.

9. Doerksen, op. cit., p. 60.

10. Franke, op. cit., p. 53.

11. Kent Jr., op. cit., p. 85.

12. Stephen R. Covey, *Los 7 hábitos de la gente altamente efectiva*, trad. Jorge Piatigorsky (Barcelona: Paidós, 2003), pp. 40-41.

CAPÍTULO 5

1. James Patterson y Peter Kim, *The Day America Told the Truth* (New York: Prentice Hall, 1991), pp. 199, 200.

2. Charles Colson, *The Body: Being Light in Darkness* (Dallas: Word, 1992),

pp. 42, 43. Publicado en español como *El cuerpo*, trad. Ellen Santilli Vaughn (Puerto Rico: Betania, 1994).

3. John F. MacArthur, *El evangelio según Jesucristo* (El Paso: Editorial Mundo Hispano, 2015), p. 276.

4. Peter H. Davids, *The Epistle of James, The New International Greek Testament Commentary* (Grand Rapids: Eerdmans, 1982), p. 121.

5. A. T. Robertson, *Word Pictures in the New Testament* (Nashville: Broadman, 1933), p. 34.

6. MacArthur, op. cit., p. 208.

7. Homer A. Kent Jr., *Faith That Works: Studies in the Epistle of James* (Grand Rapids: Baker, 1986), p. 88.

8. Carl W. Franke, *Defrost Your Frozen Assets* (Waco, TX: Word, 1969), p. 22.

9. Kent Jr., op. cit., p. 89.

10. Alexander Maclaren, *Hebrews, Chaps. VII to End, Epistle of James in Expositions of Holy Scripture* (Grand Rapids: Eerdmans, 1944), p. 416.

11. Tomado de *The Churchman*, Diócesis de Dallas, citado en Charles Allen, *You Are Never Alone* (Old Tappan, NJ: Revell, 1978), pp. 143, 144.

12. Dietrich Bonhoeffer, *Ética*, trad. Lluís Duch (Madrid: Editorial Trotta, 2000), p. 131.

13. James B. Adamson, *The Epistle of James, The New International Commentary on the New Testament* (Grand Rapids: Eerdmans, 1976), p. 124.

14. Martín Lutero, citado en Rudolf Stier, *The Epistle of St. James* (Minneapolis: Klock & Klock, 1982), pp. 351, 352.

15. R. V. G. Tasker, *The General Epistle of James: An Introduction and Commentary*, Tyndale New Testament Commentaries (Grand Rapids: Eerdmans, 1957), p. 66.

16. Vernon Doerksen, *James*, Everyman's Bible Commentary (Chicago: Moody, 1983), p. 67.

17. Adamson, op. cit., p. 125.

18. D. Edmond Hiebert, *The Epistle of James* (Chicago: Moody, 1992), p. 168.

19. William Barclay, *The Letters of James and Peter*, ed. rev. (Philadelphia: Westminster, 1976), p. 73.

20. William Barclay, *The Letters to the Corinthians*, ed. rev. (Philadelphia: Westminster, 1969), p. 289.

21. Manford George Gutzke, *Plain Talk on James* (Grand Rapids: Zondervan, 1969), p. 81.

22. Simon J. Kistemaker, New Testament Commentary: *Exposition of the Epistle of James and the Epistles of John* (Grand Rapids: Baker, 1986), p. 96.

23. Nota en *The Believer's Study Bible* (Nashville: Thomas Nelson, 1991), p. 1760.

24. Martín Lutero, citado en Hiebert, *The Epistle of James*, p. 158.

25. Alexander Ross, *The Epistles of James and John*, The New International Commentary on the New Testament (Grand Rapids: Eerdmans, 1986), p. 53.

26. Herbert F. Stevenson, *James Speaks for Today* (Westwood, NJ: Revell, 1966), p. 58.

27. Kistemaker, op. cit., p. 99.

28. Juan Calvino, *Commentaries on the Catholic Epistles: The Epistle of James*, ed. y trad. John Owen (Grand Rapids: Eerdmans, 1948), p. 316.

29. Hiebert, op. cit., p. 179.

30. Frank E. Gaebelein, *The Practical Epistle of James* (Great Neck, NY: Doniger & Raughley, 1955), p. 73.

31. *A National Study of Protestant Congregations*, Search Institute, marzo de 1990.

32. C. H. Spurgeon, "Serving the Lord with Gladness", Metropolitan Tabernacle Pulpit, tomo 13 (London: Passmore and Alabaster, 1868; reimp. Pasadena, TX: Pilgrim, 1989), pp. 495, 96.

33. Os Guinness, *In Two Minds: The Dilemma of Doubt and How to Resolve It* (Downers Grove, IL: InterVarsity, 1976), pp. 128.

CAPÍTULO 6

1. W. A. Criswell, *Expository Sermons on the Epistle of James* (Grand Rapids: Zondervan, 1975), p. 63.

2. Curtis Vaughan, *James: A Study Guide Commentary* (Grand Rapids: Zondervan, 1969), p. 69.

3. Joseph Butler, citado en Richard Wolff, *General Epistles of James and Jude Contemporary Commentaries* (Wheaton, IL: Tyndale, 1969), p. 57.

4. Roxane S. Lulofs, "The Hit-and-Run Mouth", Christian Herald, julio-agosto de 1986, p. 34.

5. William Barclay, *The Letters of James and Peter*, ed. rev. (Philadelphia: Westminster, 1976), p. 81.

6. Spiros Zodhiates, *The Behavior of Belief* (Grand Rapids: Eerdmans, 1959), pp. 81, 82.

7. A. B. Simpson, citado en Roy R. Roberts, *Life in the Pressure Cooker: Studies in James* (Winona Lake, IN: BMH Books, 1977), p. 77.

8. Simon J. Kistemaker, New *Testament Commentary: Exposition of the Epistle of James and the Epistles of John* (Grand Rapids: Baker, 1986), p. 110.

9. Vernon Doerksen, *James, Everyman's Bible Commentary* (Chicago: Moody, 1983), p. 81.

10. Zodhiates, op. cit., pp. 112, 13.

11. Kistemaker, op. cit., p. 112.

12. Morgan Blake, citado en George Sweeting, *How to Solve Conflicts* (Chicago: Moody, 1973), p. 77.

13. John Dryden, citado en Michael P. Green, ed., *Illustrations for Biblical Preaching* (Grand Rapids: Baker, 1989), pp. 174, 75.

14. John Blanchard, *Truth for Life* (West Sussex, Inglaterra: H. E. Walter, 1982), p. 108.

15. Robert Brow, "The Taming of the Tongue", His Magazine, junio de 1985, p. 16.

16. Ibíd., p. 16.

17. Doerksen, op. cit., p. 83.

18. Dietrich Bonhoeffer, *El precio de la gracia*, trad. José L. Sicre (Salamanca: Ediciones Sígueme, 2004), p. 87.

CAPÍTULO 7

1. Os Guinness, "America's Last Men and Their Magnificent Talking Cure", en *No God but God*, eds. Os Guinness y John Seel (Chicago: Moody, 1992), pp. 111, 116.

2. Lloyd John Ogilvie, *Discovering God's Will in Your Life* (Eugene, OR: Harvest, 1982), p. 119.

3. James Boyer, citado en Roy R. Roberts, *Life in the Pressure Cooker: Studies in James* (Winona Lake, IN: BMH Books, 1977), p. 93.

4. William Barclay, *The Letters of James and Peter*, ed. rev. (Philadelphia: Westminster, 1976), p. 94.

5. Ibíd., p. 93.

6. Guy H. King, *A Belief That Behaves: An Expositional Study of James* (Fort Washington, MD: Christian Literature Crusade, 1963), p. 73.

7. Vernon Doerksen, *James, Everyman's Bible Commentary* (Chicago: Moody, 1983), p. 90.

8. John White, "God's Perfect Peace", Moody Monthly, diciembre 1962, p. 24.

9. Homer A. Kent Jr., *Faith That Works: Studies in the Epistle of James* (Grand Rapids: Baker, 1986), p. 135.

10. Aristóteles, *Retórica*, trad. Arturo E. Ramírez Trejo (México, D. F.: Universidad Nacional Autónoma de México, 2002), p. 60.

11. R. W. Dale, *The Epistle of James* (London: Hodder and Stoughton, 1895), p. 118.

12. Alan Walker, "Beyond Science—What?" Pulpit Digest, septiembre de 1967, p. 24.

CAPÍTULO 8

1. Associated Press, "Tennessee Church Destroyed by Fire after Members Come to Blows at Meeting", Chicago Tribune, 8 de octubre de 2009.

2. Autor desconocido.

3. Vernon Doerksen, *James, Everyman's Bible Commentary* (Chicago: Moody, 1983), p. 94.

4. D. Edmond Hiebert, *The Epistle of James* (Chicago: Moody, 1992), p. 223.

5. Herbert F. Stevenson, *James Speaks for Today* (Westwood, NJ: Revell, 1966), pp. 69, 70.

6. Doerksen, op. cit., p. 95.

7. W. A. Criswell, *Expository Sermons on the Epistle of James* (Grand Rapids: Zondervan, 1975), p. 78.

8. Doerksen, op. cit., p. 96.

9. William Barclay, *The Letters of James and Peter* (Philadelphia: Westminster, 1976), p. 100.

10. R. Kent Hughes, *James: Faith That Works* (Wheaton, IL: Crossway, 1991), pp. 169, 170.

11. Criswell, op. cit., pp. 76, 77.

12. Simon J. Kistemaker, *New Testament Commentary: Exposition of the Epistle of James and the Epistles of John* (Grand Rapids: Baker, 1986), p. 133.

13. Richard Wolff, *General Epistles of James and Jude, Contemporary Commentaries* (Wheaton, IL: Tyndale, 1969), p. 68.

14. Joni Eareckson Tada, "Here's Joni!", Today's Christian Woman, enero/febrero 1990, pp. 24, 25.

15. Annie Johnson Flint, "Su gracia es mayor", tomado de http://www.universocristiano.com/himnos-evangelicos.phtml?id=18016 (consultado el 9 de noviembre de 2015).

16. Homer A. Kent Jr., *Faith That Works: Studies in the Epistle of James* (Grand Rapids: Baker, 1986), p. 148.

17. Stevenson, op. cit., p. 76.

18. Juan Calvino, *Commentaries on the Catholic Epistles: The Epistle of James*, ed. y trad. John Owen (Grand Rapids: Eerdmans, 1948), pp. 334.

19. Kistemaker, op. cit., p. 141.

20. Mark Littleton, "Putting Out the Fire of Gossip", Discipleship Journal 31 (1985).

21. Charles Colson, *The Body: Being Light in Darkness* (Dallas: Word, 1992), pp. 92, 94, 97.

CAPÍTULO 9

1. Russell Chandler, citado en William M. Alnor, *Soothsayers of the Second Advent* (Old Tappan, NJ: Revell, 1989), p. 9.

2. *Bible Prophecy News* 17 (enero, febrero y marzo de 1988): p. 11.

3. Agustín de Hipona, citado en Spiros Zodhiates, *The Behavior of Belief* (Grand Rapids: Eerdmans, 1959), p. 18.

4. W. A. Criswell, *Expository Sermons on the Epistle of James* (Grand Rapids: Zondervan, 1975), p. 83.

5. Simon J. Kistemaker, *New Testament Commentary: Exposition of the Epistle of James and the Epistles of John* (Grand Rapids: Baker, 1986), p. 146.

6. Robert Johnstone, *Lectures Exegetical and Practical on the Epistle of James* (Grand Rapids: Baker, 1954), p. 340.

7. William Barclay, *The Letters of James and Peter*, ed. rev. (Philadelphia: Westminster, 1976), p. 113.

8. Zodhiates, op. cit., p. 15.

9. Homer A. Kent Jr., *Faith That Works: Studies in the Epistle of James* (Grand Rapids: Baker, 1986), p. 161.

10. Johnstone, op. cit., p. 344.

11. Richard A. Swenson, Margin: *Restoring Emotional, Physical, Financial, and Time Reserves to Overloaded Lives* (Colorado Springs: NavPress, 1992), pp. 147, 48.

12. James B. Adamson, *The Epistle of James, The New International Commentary on the New Testament* (Grand Rapids: Eerdmans, 1976), p. 179.

13. Zodhiates, op. cit., p. 24.

14. Kistemaker, op. cit., p. 151.

15. J. Alec Motyer, *The Message of James, The Bible Speaks Today*, ed., John R. W. Stott (Downers Grove, IL: InterVarsity, 1985), p. 162.

16. Lewis B. Smedes, *Shame and Grace: Healing the Shame We Don't Deserve* (Grand Rapids: Zondervan, 1993), p. 149.

17. Kent Jr., op. cit., p. 163.

18. Howard Butt, "The Art of Being a Big Shot" (conferencia, Layman's Institute, Dallas, 1963), citado en Michael P. Green, ed., *Illustrations for Biblical Preaching* (Grand Rapids: Baker, 1989), p. 288.

CAPÍTULO 10

1. Randy Alcorn, Money, *Possessions and Eternity* (Wheaton, IL: Tyndale, 1989), pp. 54, 55.

2. Richard A. Swenson, *Margin: Restoring Emotional, Physical, Financial, and Time Reserves to Overloaded Lives* (Colorado Springs: NavPress, 1992), p. 164.

3. R. Kent Hughes, *James: Faith That Works* (Wheaton, IL: Crossway, 1991), p. 211.

4. R. V. G. Tasker, *The General Epistle of James: An Introduction and Commentary, Tyndale New Testament Commentaries* (Grand Rapids: Eerdmans, 1957), pp. 109, 10.

5. D. Edmond Hiebert, *The Epistle of James* (Chicago: Moody, 1992), pp. 259, 60.

6. Juan Calvino, *Commentaries on the Catholic Epistles: The Epistle of James,* ed. y trad. John Owen (Grand Rapids: Eerdmans, 1948), p. 343.

7. Swenson, op. cit., p. 179.

8. Hiebert, op. cit., pp. 262, 63.

9. Peter H. Davids, *The Epistle of James, The New International Greek Testament Commentary* (Grand Rapids: Eerdmans, 1982), p. 177.

10. Homer A. Kent Jr., *Faith That Works: Studies in the Epistle of James* (Grand Rapids: Baker, 1986), p. 171.

11. Adolf Deissmann, *Light from the Ancient East* (Grand Rapids: Baker, 1965), p. 248.

12. James B. Adamson, *The Epistle of James, The New International Commentary on the New Testament* (Grand Rapids: Eerdmans, 1976), p. 186.

13. C. Leslie Mitton, *The Epistle of James* (Grand Rapids: Eerdmans, 1966), p. 180.

14. J. Alec Motyer, *The Message of James, The Bible Speaks Today*, ed., John R. W. Stott (Downers Grove, IL: InterVarsity, 1985), p. 167.

15. Alcorn, op. cit., p. 61.

16. Richard Holloway, *Seven to Flee, Seven to Follow* (London: Mowbray, 1986), pp. 33–35.

17. A. W. Tozer, *The Pursuit of God* (Camp Hill, PA: Christian, 1993), pp. 21, 22.

18. Manford George Gutzke, *Plain Talk on James* (Grand Rapids: Zondervan, 1969), p. 156.

19. Motyer, op. cit., p. 168.

20. Jesús ben Sira 34:21–22 DHH.

21. Adamson, op. cit., p. 188.

22. Simon J. Kistemaker, *New Testament Commentary: Exposition of the Epistle of James and the Epistles of John* (Grand Rapids: Baker, 1986), p. 159.

23. John Piper, *Desiring God: Meditations of a Christian Hedonist* (Portland: Multnomah, 1986), p. 156.

24. Henry Kissinger, citado en L. S. Stavrianos, *The Promise of the Coming Dark Age* (San Francisco: W. H. Freeman, 1976), p. 165.

CAPÍTULO 11

1. Nancy Gibbs, "How America Has Run Out of Time", Time, abril 24, 1989, p. 58.

2. Jerry Bridges, *The Practice of Godliness* (Colorado Springs: NavPress, 1983), pp. 204, 205.

3. W. E. Vine, *Diccionario expositivo de palabras del Antiguo y Nuevo Testamento exhaustivo de Vine* (Nashville: Grupo Nelson, 2007), pp. 511, 619.

4. William Barclay, *A New Testament Workbook* (New York: Harper & Brothers, n.d.), p. 84.

5. Bridges, op. cit., p. 204.

6. G. Campbell Morgan, citado en Spiros Zodhiates, *The Behavior of Belief* (Grand Rapids: Eerdmans, 1959), p. 87.

7. D. Edmond Hiebert, *The Epistle of James* (Chicago: Moody, 1992), p. 272.

8. Robert Johnstone, *The Epistle of James* (Minneapolis: Klock & Klock, 1871), p. 377.

9. Simon J. Kistemaker, *New Testament Commentary: Exposition of the Epistle of James and the Epistles of John* (Grand Rapids: Baker, 1986), p. 166.

10. Johnstone, op. cit., p. 380.

11. W. A. Criswell, *Expository Sermons on the Epistle of James* (Grand Rapids: Zondervan, 1975), pp. 99, 100.

12. Zodhiates, Spiros Zodhiates, *The Behavior of Belief* (Grand Rapids: Eerdmans, 1959), p. 106.

13. Homer A. Kent Jr., *Faith That Works: Studies in the Epistle of James* (Grand Rapids: Baker, 1986), p. 181.

14. Zodhiates, op. cit., p. 111.

15. Helmut Thielicke, *Life Can Begin Again: Sermons on the Sermon on the Mount* (Philadelphia: Westminster, 1980), p. 55.

16. James F. Fixx, *The Complete Book of Running* (New York: Random House, 1977), p. 70. Publicado en español como *Todo lo que hay que saber sobre aerobismo*, trad. Raúl Acuña (Buenos Aires: Atlántida, 1978).

CAPÍTULO 12

1. Eusebio, *Historia de la iglesia*, trad. Paul L. Maier (Grand Rapids: Portavoz, 2014), p. 80 (2.23).

2. Bill Hybels, *Too Busy Not to Pray* (Downers Grove, IL: InterVarsity, 1988), p. 7. Publicado en español como *No tengo tiempo para orar* (Buenos Aires: Certeza Unida, 2001).

3. Ralph P. Martin, James, *Word Biblical Commentary*, tomo 48 (Waco, TX: Word, 1988), p. 205.

4. Carl Armerding, "Is Any Among You Afflicted?" Bibliotheca Sacra 95 (1938): pp. 195–201.

5. Hybels, op. cit., p. 13.

6. William Barclay, *The Letters of James and Peter*, ed. rev. (Philadelphia: Westminster, 1976), p. 1229.

7. J. Alec Motyer, *The Message of James, The Bible Speaks Today*, ed., John R. W. Stott (Downers Grove, IL: InterVarsity, 1985), p. 188.

8. John F. MacArthur, hijo, *Los carismáticos: una perspectiva doctrinal,* trad. Francisco Almanza (El Paso, TX: Casa Bautista de Publicaciones, 1994), p. 198.

9. D. Edmond Hiebert, *The Epistle of James* (Chicago: Moody, 1992), p. 294.

10. Homer A. Kent Jr., *Faith That Works: Studies in the Epistle of James* (Grand Rapids: Baker, 1986), p. 187.

11. Simon J. Kistemaker, *New Testament Commentary: Exposition of the Epistle of James and the Epistles of John* (Grand Rapids: Baker, 1986), p. 175.

12. William Nolen, Healing: *A Doctor in Search of a Miracle* (New York: Random House, 1974), p. 60.

13. C. Everett Koop, "Faith Healing and the Sovereignty of God", en *The Agony of Deceit: What Some TV Preachers Are Really Teaching*, ed. Michael Horton (Chicago: Moody, 1990), pp. 179, 180.

14. James I. Packer, "Poor Health May Be the Best Remedy", Christianity Today, 21 de mayo de 1982, p. 15.

15. Motyer, op. cit., p. 191.

16. Koop, op. cit., pp. 169, 70.

17. Motyer, op. cit., p. 191.

18. Kent Jr., op. cit., p. 191.

19. Richard Mayhue, *Divine Healing Today* (Chicago: Moody, 1983), p. 113.

20. Jay Adams, *Competent to Counsel* (Phillipsburg, NJ: P&R, 1970), pp. 109, 110.

21. Mayhue, op. cit., p. 114.

22. Vernon Doerksen, *James, Everyman's Bible Commentary* (Chicago: Moody, 1983), p. 136.

23. Herman Hoyt, citado en Roy R. Roberts, *Life in the Pressure Cooker: Studies in James* (Winona Lake, IN: BMH Books, 1977), p. 162.

24. Corrie ten Boom, Elizabeth Sherrill y John Sherrill, *The Hiding Place* (Old Tappan, NJ: Revell, 1971), pp. 202, 203. Publicado en español como *El refugio secreto* (Miami: Editorial Vida, 1999).

COMENTARIOS EN ESPAÑOL

Presentamos a continuación una lista de comentarios en español que pueden ser útiles al lector para complementar el estudio personal de esta epístola.

Allison, Roy, *Comentario sobre la epístola universal de Santiago* (México: El Faro, s/f).

Alonso, José, S. J., *Carta de Santiago, en La Sagrada Escritura* (Madrid: B. A. C., 1967).

Barclay, William, *Santiago* (Buenos Aires: La Aurora, 1974).

Bonnett y Schroeder, *Comentario del Nuevo Testamento* (Buenos Aires: Junta Bautista de Publicaciones, 1952).

Carrillo Alday, Salvador, Epístolas católicas: primeras epístolas de Pedro, epístolas epístolas de Santiago, tres epístolas de Juan, epístolas de Judas, segunda epístola de Pedro (México: Eds. Dabar, 2001).

Carroll, B. H,. *Santiago* (El Paso: Casa Bautista de Publicaciones, 1941).

Cassese, Giacomo, *Epístolas universales* (Minneapolis: Augsburg Fortress, 2007).

Deiros, Pablo A., *Santiago* (Miami: Caribe, 1992).

Eerdmans, Charles, *Las epístolas generales* (Grand Rapids: T.E.L.L., 1976).

Gregory, Joel, *Santiago, una fe que obra* (El Paso: Casa Bautista de Publicaciones, 1986).

Harrop, Clayton, *La epístola de Santiago* (El Paso: Casa Bautista de Publicaciones, 1941).

Knoch, Otto, *Carta de Santiago* (Barcelona: Herder, 1969).

Kunz y Schell, *Fe en acción* (Buenos Aires: Certeza, 1972).

Michl, Johann, *Cartas católicas*, tomo VIII (Barcelona: Herder, 1971).

Moo, Douglas; Dorcas González Bataller, *Comentario de la epístola de Santiago* (Miami: Editorial Vida, 2009).

Plooy, C. P., *La epístola de Santiago: la fe que actúa* (Rijswijk, Países Bajos: Fundación Editorial de Literatura Reformada, 2007).

Rudd, A. B., *Las epístolas generales* (Terrasa: Editorial Clie, 2006).

Támez, Elsa, Santiago: *Lectura latinoamericana de la epístola* (San José, Costa Rica: Departamento Ecuménico de Investigaciones, 1985).